Urs Widmer

Reise an den Rand des Universums

Autobiographie

D0522894

Diogenes

Die Erstausgabe
erschien 2013 im Diogenes Verlag
Umschlagillustration:
Shirana Shahbazi, ›Schnecke-01-2011‹ (Ausschnitt)
C-print auf Aluminium
Copyright © Shirana Shahbazi
Mit freundlicher Genehmigung
der Galerie Bob van Orsouw, Zürich

Für Juliana

Veröffentlicht als Diogenes Taschenbuch, 2015
Alle Rechte vorbehalten
Copyright © 2013
Diogenes Verlag AG Zürich
www.diogenes.ch
100/15/44/1
ISBN 978 3 257 24330 7

Diogenes Taschenbuch 24330

1938–1948

KEIN Schriftsteller, der bei Trost ist, schreibt eine Autobiographie. Denn eine Autobiographie ist das letzte Buch. Hinter der Autobiographie ist nichts. Alles Material verbraucht. Kein Erinnerungsrätsel mehr.

Immer näher rücken mir die Erinnerungen in ihrer puren Nüchternheit. Ich bin in der Falle des eigenen Lebens. Es ist wie bei einer Sanduhr: Der Sand, anfangs überreich im obern Glas, rinnt unerbittlich nach unten, und an einem Tag ist die letzte Erfindung, die in etwas Erlebtem wurzelt, erzählt. Du bist nicht tot – das ist ein anderer Sand in einem andern Stundenglas –, aber du hast alle Geschichten erzählt.

Außer: Du machst, hoffentlich rechtzeitig noch, aus deiner Not eine Tugend. Tust das Unabänderliche mit Lust und erfindest das Leben mit genau dem, was du erinnerst. Mit den Tatsachen. Mit dem, was du redlich und aufrichtig dafür zu halten gewillt bist. Denn früher einmal dachte ich, dass die Phantasie nichts anderes als ein besonders gutes Gedächtnis sei. Heute glaube ich eher, dass jedes Erinnern, auch das genaueste, ein Erfinden ist. Das Tatsächliche erinnern: Auch daraus kann nur ein Roman werden.

Vermutlich aber gehorche ich nur einem banalen Gesetz der Menschen: Erst träumen wir von der Zukunft, dann leben wir sie, und am Ende, wenn diese gelebte Zukunft vergangen ist, erzählen wir sie uns noch einmal.

so wurde ich gezeugt: Meine Eltern, seit zwei Jahren verheiratet, verbrachten ihre Ferien im Lötschental. Das war damals so weit weg von jeder Welt, dass sie seinen Eingang kaum fanden. Der Zug hielt zwar in Goppenstein, direkt am Ende des Lötschbergtunnels. Aber da war dann nur ein einsames Stationsgebäude, eine unter Felswände geduckte Steinburg, und auf der andern Talseite, vor ähnlich steilen Fluhen und keinen Steinwurf entfernt, ein Haus, für das es keine Erklärung gab. Denn wer sollte hier wohnen? – Zwischen Haus und Bahnhof der Bach, ein reißendes Gewässer.

Ins Tal gelangten sie durch einen Stollen, der so breit wie ein Maultier war, kaum breiter, und ohne Licht. Nasse Wände. Allerdings sahen sie den Ausgang bereits, als sie das Höhlenloch betraten. (Wie waren die Talbewohner vor dem Bau des Stollens in ihr Tal gelangt? Mit Hilfe einer Hängebrücke, die über dem gischtenden Bach hing? Auf einem heute verschwundenen Kletterpfad?) – Wie auch immer: Hinter dem Stollen öffnete sich das Tal, schön und grün und sonnig. An seinem Ende, fern, eine schneeglitzernde Bergwand mit einer Kerbe in ihrer Mitte, der Lötschenlücke, über der der blaue Himmel strahlte. Es gab keine Straße, oder nur eine, die den Maultieren gehörte, allenfalls einem Karren. In der Mitte des Tals, hinter Kippel, hörte auch der Karrenweg auf, und meine Eltern gingen hintereinander auf einem fußbreiten Saumpfad. Sie trotteten, ohne Maulesel oder gar einen Wagen, ihre prallvollen Rucksäcke auf dem Rücken, durch einen Weiler nach dem andern – Ferden, Kippel, Wiler –, bis sie in Blatten ankamen. Dem Ziel ihrer Sehnsucht. Es war das hinterste Dorf im Tal und roch heftig nach seinen Maultieren, aber meine Eltern störten sich nicht daran, sondern waren entzückt von all dem Urtümlichen. Ich habe keine Ahnung, warum es sie just in dieses Blatten verschlagen hatte, das zwischen dem Mittelalter und der Gegenwart keinen Unterschied machte und auf den Karten der Landestopographie nur zu finden war, wenn man mit einer Lupe danach suchte. Vielleicht durch Conrad Beck, einen Komponisten, der mit ihnen (seine Frau war auch dabei) und ein passionierter Berggänger war. Das Bietschhorn, das dann seine Beute wurde, ragte vor ihnen in die Höhe, jener furchterregende Viertausender, dessen Erstbesteiger der Vater Virginia Woolfes gewesen war. *Ganz* so unbekannt konnte das Lötschental doch nicht gewesen sein. Wie sonst hätte Virginia Woolfes Papa es sonst gefunden? – Aber noch immer riegelte der erste Schnee das Tal von der Außenwelt ab. Wer an diesem Schicksalstag in ihm drin war, blieb drin. Wer draußen war, musste auf die Schneeschmelze warten. Das war das Gesetz, gegen das es keinen Einspruch gab. Es gab kaum je einen Winter ohne einen Eingesperrten oder Ausgesetzten. Es gab sogar einen Winter ohne Pfarrer – der hatte seinen Kollegen in Gampel besucht und war, heimwärts stürmend, langsamer als der vom Himmel strömende Schnee gewesen –, und vier Lötschentaler starben ohne eine Letzte Ölung. Drei kleine Menschenkinder mussten bis zum Frühling auf ihre Taufe warten.

Meine Eltern und die Becks mieteten sich in einem schwarzverwitterten Holzhaus ein, dem größten und schönsten des Dorfs in der Tat, in der Wohnung im ersten Stock, deren Fenster, wie alle Fenster im Tal, so klein waren, dass sie kaum die Köpfe hindurchstecken konnten. Unter ihnen toste der Bach, die Lonza. Die Lonza war so laut, dass sie sich anbrüllen mussten, wenn sie beim Frühstück um die Butter baten. Es war ein ununterbrochenes unerbittliches Tosen. Meine Eltern brüllten, die Becks brüllten, aber nach ein paar Tagen hatten sie sich daran gewöhnt, brüllend nach dem Salz zu fragen oder einen Witz zu erzählen. (Conrad Beck war ein Meister des Witze-Erzählens.) Die Einheimischen brüllten nicht. Sie hatten über viele Generationen hin eine Technik des Sprechens entwickelt, mit deren Hilfe sie besser als meine Eltern und der Rest der Welt mit dem Getöse fertig wurden, das sie gar nicht mehr hörten. Sie sprachen laut, das schon. Aber vor allem fistelten sie mit hohen Kopfstimmen, die weit besser durch das Lonza-Tosen drangen als die Baritone meines Vaters und Conis. Auch die Frauen sprachen mit gepressten Lauten, die sie hoch oben im Kopf bildeten. Da waren die Stimmen meiner Mutter und Conis Frau beinah schon Bässe dagegen. Weit wirkungsloser jedenfalls gegen die Lonza als die der Einheimischen. – Alle im Tal trugen schwarze Gewänder, und die Frauen Kopftücher. In Blatten gab es keinen Menschen, der nicht schwarz war.

Die Lonza, ihr Lärm, führte auch dazu, dass die beiden Paare – frisch verheiratet, sehr verliebt – in den Nächten, obwohl die Wände zwischen ihren Schlafzimmern dünne Fichtenbretter waren, keine Rücksicht aufeinander nehmen mussten. So laut wie die Lonza konnte kein Liebespaar sein. So tosten Anita und Walter im einen Zimmer, Coni und seine Frau (wie hieß sie nur?) im andern, ohne die geringste Scham und ohne einander zu hören. Selbst Anita verstand ja kaum, was Walter ihr ins Ohr brüllte. »Ich liebe

dich!« – Ich wurde aber nicht in diesen Nächten gezeugt –
da waren sich meine Eltern später sicher –, sondern an
einem einsamen Nachmittag, an dem der bergwilde Coni
sich mit seiner Frau (Tildi?) auf den Weg aufs Hockenhorn
oder den Petersgrat gemacht hatte und meine Eltern (mein
Vater stieg auf keine Berge; meine Mutter war an jenem Tag
gerne mit ihm solidarisch) zuerst ein bisschen durch die
hellen Wiesen bummelten und sich dann, wieder im Haus,
mit einer wortlosen Selbstverständlichkeit aufs Bett legten
und sich küssten. *Jetzt* konnte mein Vater so laut brüllen
wie er wollte – kein Coni, keine Anni (ich glaube, sie hieß
Anni) weit und breit –; denn wenn die Lonza auch tatsächlich alle andern Geräusche zunichtemachte, so hörte mein
Vater doch *sich*, und damit hörten ihn, in seiner Vorstellung, alle. Anita, ich weiß nicht, ob sie laut war oder still. –
Am Abend kamen Coni und Anni strahlend vor Glück
zurück (sie hatten nur auf die Lötschenlücke gewollt, ein
Spaziergang für sie, waren aber hinter der Fafleralp in
einem Arvenwäldchen steckengeblieben und hatten dort
den halben Tag verbracht), und meine Mutter kochte Spaghetti, die, wie manches andere inzwischen, aus der fernen
Welt ins Tal gebracht und in einem Laden, über dessen Tür
»Handlung« stand, verkauft wurden. Billiger, nicht teurer
als im Unterland, sonst hätte sie sich keiner der Lötschentaler leisten können. Zwar kamen sie inzwischen auch nicht
mehr um die Geldwirtschaft herum. Aber eigentlich war
ihnen ein Tauschhandel der alten Art immer noch lieber.
Sie wussten sehr genau, was ein Korb voll Kartoffeln wert
war. Einen großen Krug voll Milch oder zwei Ballen Butter. – Die Handlung war auch das Postamt und mein Vater

der Einzige, der regelmäßig Post erhielt. So regelmäßig, wie es die Maultiere eben zuließen, denen der Postsack in Goppenstein oben auf das gepackt wurde, was sie eigentlich transportierten. Schaufeln, Sensenklingen, Spaghetti. – Auch die Zeitung, die *National-Zeitung* aus Basel, kam mit einer Woche Verspätung.

Das Lötschental wurde auch für mich der Ort, in dem ich meine Sommer verbrachte. Ich hieß ja auch der Lötschi. »Lötschi, trink endlich deine Milch!« (Später verbat ich mir diesen Namen und wollte so gerufen werden, wie ich hieß. Nun rief mich mein Vater »Uti«, und später »Gütterli«.) Wir waren jetzt nicht mehr in Blatten, sondern – hoch über dem Talboden – in Weißenried, einem noch viel kleineren Weiler mit einer Handvoll verwitterten Holzhäusern und ein paar Stadeln auf Pfählen und kreisrunden Granitplatten, die den Mäusen verboten, ins Heu zu gelangen. Am Beginn der Ferien, wenn wir von Goppenstein her kamen, wählten wir nun in Wiler einen steilen, noch schmaleren Bergpfad, der uns den Umweg über Blatten ersparte. Über uns, am Hang klebend, leuchtete während Stunden die Kapelle von Weißenried und war ein, zwei Male unerreichbar, auf diesem Weg wenigstens, denn der führte – Weißenried schon ganz nahe – über einen schier lotrecht nach unten tosenden Bergbach, dessen Brücke ein Baumstamm war, der vom einen Ufer aufs andere geworfen und so glitschig war, dass ich mich heute noch frage, woher meine Eltern den Wahnsinnsmut nahmen, mit Rucksäcken und einem Kind auf dem Buckel über ihn zu balancieren. Ein Ausrutscher, und Rucksack, Kind und Papa wären in der Tiefe verschwunden, im Nu bis zur Lonza hinabgespült und mit dieser bis in die Rhone und ins Mittelmeer. – Zwei, drei Male kehrten wir auch tatsächlich um, unser Heim in Griffnähe, gingen den ganzen Serpentinenweg bis Wiler zurück, auf dem Talboden nach Blatten und von dort, von der andern Seite her, in weit sanfteren Kehren hinauf nach Weißenried. Auch da stürmte mein Vater, der einen Herzfehler hatte, im Tempo eines Irren seiner Frau weit voraus und wartete dann nach Luft ringend auf sie. Ich, in seinem Rucksack, hüpfte auf und ab und kreischte vor Vergnügen und Sorge. Meine Mutter kam – ich umklammerte mit meinen Patschhänden Papas schweißnassen Schädel – mit ruhigen regelmäßigen Schritten näher. Wenn sie bei uns angekommen war, stürmten mein Vater und ich wieder los.

DAS Haus, in dem wir nun waren (ohne Coni und Anni), stand mitten im Dorf, war schwarz verwittert, beinah fensterlos und hatte einen so niedrigen Eingang, dass sogar ich, der kleine Lötschi, mich bücken musste. Die Erwachsenen krochen durch die Eingangslücke. Sie führte in eine Küche, deren einziges Licht ein Feuer auf einem mächtigen Stein war, über dem an einem Haken ein riesigschwarzer Eisentopf hing. Der Schatten der Mutter, wenn sie in ihm rührte, hüpfte an den Wänden. – Eine Tür führte in ein Zimmer – jeder Erwachsene schlug sich mehrmals am Tag den Kopf an –, das zwei oder sogar drei Fenster hatte, Schießscharten allerdings eher, durch die immerhin einiges Tageslicht drang. Ein Tisch, eine Bank der Fensterwand entlang, ein paar Holzstühle. Kleine postkartenartige Bildchen an der Wand, ein Kreuz mit einem Heiland wohl auch. War da ein

Ofen? Eine Öllampe fürs Licht (es gab im ganzen Tal keine Elektrizität). Wenn ich schlafen ging, nahm ich eine Kerze. Ich schlief in einem Zimmer, einem Verschlag im ersten Stock, den ich über eine Außentreppe hinterm Haus erreichte. In der Nacht fürchtete ich mich. Da lag ich unterm schrägen Dach. Meine einzige Verbindung zur Welt der Lebenden war ein Loch im Fußboden, den ein Holzdeckel mit einer Lederschlaufe verschloss, an der ich ziehen und dann ins Zimmer unter mir lugen konnte. Meine Eltern wussten gewiss nichts von dieser Öffnung (wer hatte sie warum in den Fußboden geschnitten?), denn ich sah direkt auf ihr Bett. Ich habe ausschließlich und nur die Erinnerung an die hell im Tageslicht strahlende Bettdecke (rot-weiß gehäuselt). Ich ließ, wenn ich schlief, den Holzpfropfen offen. Die Geräusche der bewohnten Welt wiegten mich in den Schlaf.

Eigentlich immer nahm mein Vater einen Jungen in unsere Ferien mit, jedes Mal einen andern. Hans, Willy, Oreste. Er war ein Lehrer und hatte sein Lehrerleben lang eine Handvoll Sorgenkinder um sich herum – nur Buben, denn er arbeitete an einem Bubengymnasium –, die er aus irgendeinem Schlamassel retten wollte. Gift und Galle zu Hause, und alle waren schlecht in der Schule. Sie machten mit uns Ferien, und mein Vater brachte ihnen jeden Morgen ein, zwei Stunden lang die Regeln des Subjonctif oder des Passé simple bei. Ich war immer jünger – am Gymnasium war man zwölf oder mehr – und also immer kleiner und schwächer und unwissender als meine Freunde auf Zeit. Eigentlich hätte *ich* gerettet werden müssen; keine Frage, dass ich auf diese Armee von Schutzbedürftigen eifersüchtig war. Aber ich spielte natürlich auch mit ihnen, mit Hans einmal Ball – ich meine: *ein*mal –, denn Hans warf mir den Ball zu, das Geschenk der Eltern für seine Ferien, und ich konnte ihn nicht fangen, und dann sahen wir beide, wie er, ein feuerroter Punkt, in immer größeren Sprüngen den Steilhang hinuntersprang und endlich zwischen Kriecharven verschwand, nahe bei der Lonza schon. – Vom vierten oder fünften Weißenrieder Sommer an war auch mein Cousin Thomas da. Er war ebenfalls älter und trug immer die Hosen, von denen ich wusste, dass ich sie in einem Jahr tragen musste. So wie er sich ansehen musste, wie ich, sein Erbe, in seinen ehemaligen Gewändern ging. (Keine Ahnung, woher *er* die Hosen und Pullover hatte, die, wenn sie bei mir anlangten, schon recht heruntergekommen waren.) Meine Eltern – nein, das war nur meine Mutter – sagten mir jeden Tag, wie vorbildlich Thomas durchs Leben schreite, und er musste sich zu Hause anhören, was für ein lieber Kerl ich sei. Immer fertigessen, freudig die Zähne putzen, all das. Er wohnte in einem Haus am Dorfende, das viel schöner als unseres war. Mit ihm Tante Norina und Onkel Emil, den alle Hä nannten. (Er hieß Emil Häberli.) Ja, all jene, die auch in meinem Winterleben die Hauptrolle spielten, waren nun in Weißenried. Sogar meine Patentante Hildegard, deren Gelächter, Lonza hin oder her, durchs ganze Dorf dröhnte. Ihr Gelächter und ihr Husten, denn sie war Kettenraucherin. – Ich lernte, Bergtouren zu machen, die schon mehr als Spaziergänge waren (Norina und Hä waren genauso angefressene Bergfexe wie Coni Beck das gewesen war). So kam ich mindestens bis aufs kleine Hockenhorn und kann mich an ein Gewitter erinnern, in das wir auf dem Rückweg von irgendeiner fernen Alp gerieten. Es war eines jener Unwetter der Alpen, die auch einem Erwachsenen – gerade einem Erwachsenen – Schauer der Angst den Rücken hinunterjagen konnten. Meine Mutter ließ mich sofort im Stich, das heißt, sie rief »Rennen!« und sauste los. Hinter ihr, in immer größerem Abstand, Hans Schudel und endlich ich, von Anfang an verloren in diesem Rennen um unser aller Leben. Es regnete nun wie aus Kübeln, die Welt war schwarz, und aus der Schwärze heraus fegten Blitze, rings um uns einschlagend. Ganz tief unten auf dem Schlängelweg sah ich meine Mutter, den Hals panisch vorgestreckt, über ihr, und näher bei mir in der Gegenrichtung rennend, Hans. Ich weinte nicht, ich sprang mit erstarrtem Herzen über Steine und Heidelbeerstauden, stur auf Kurs bleibend zwischen den Blitzen. Zu Hause war ich nass bis auf die Knochen. Meine Mutter kochte, glaube ich, einen heißen Tee. – In Weißenried verliebte ich mich auch zum ersten Mal, und zwar in die Hirtin der Ziegen, die wie ich etwa fünf Jahre alt war und ihre Herde jeden Tag an unserm Haus vorbeitrieb. Bald ging ich mit ihr, wie sie mit einem Stecken in der Hand. Wir sprachen nicht miteinander, weil wir uns die paar Male, als wir es versucht hatten, nicht verstanden hatten. Es war nicht nur die Lonza, das war mir klar. Sie fistelte wie ein himmlischer Engel, und ich glotzte blöd. Mein Onkel Hä erzählte mir, da wo er arbeite – das war, mitten im Krieg, der Nachrichtendienst der Schweizer Armee –, wenn er da eine Meldung übermittle, für deren Verschlüsselung keine Zeit mehr bliebe, nach Berlin zum Beispiel, dann nehme er immer seinen Walliser. Einen Hilfsdienstler aus Ferden. Den verstünde niemand, er selber nicht, kein deutscher Überwacher und auch nicht der Botschafter am andern Ende des Drahts, der ein Berner sei. Hä lachte fröhlich. Ich hatte zwar kein Wort verstanden, lachte aber auch, getröstet. – Einmal kriegte ich ein Glas Milch, das die Mutter meiner Freundin aus einer Ziege molk. Ich hasste Milch, aber diese eine schmeckte wie das Paradies. Ich kam strahlend vor Glück nach Hause, mit einem weißen Rand über der Oberlippe. – Meine Freundin trug Kleider wie eine Erwachsene. Rock, Bluse, Kopftuch, nackte Füße, die zuweilen in riesigen Bergschuhen steckten, die wohl ihrem Vater oder einem großen Bruder gehört hatten.

Eines Tages ging ich das letzte Mal den Weg nach Goppenstein hinunter. Das war 1947. Ich wurde längst nicht mehr von meinem Papa im Rucksack getragen, sondern hatte einen eigenen, in dem meine Siebensachen waren, zum Beispiel der Stoffneger, den ich liebte wie keinen anderen Menschen. Am Hals meines Vaters hing jetzt meine Schwester, obwohl auch sie schon fünf war und – so dachte ich jedenfalls – allein gehen konnte.

ZUR Welt kam ich in Basel, irgendwann in der Nacht. Halb eins, fünf Uhr früh. Ich hatte einen Kopf wie eine Birne, weil ich mit einer Zange ins Freie befördert werden musste. Wenn mein Vater es mir erzählte, schüttete er sich aus vor Lachen, weil der Schreck so groß gewesen war. Ich war aber gesund, außer dem Hirn war nichts zerdrückt worden.

Die ersten Wochen und wohl auch Jahre liegen in einem Nebel, wie auch anders. Gefühlte Erinnerungen, wenige

Bilder. Immer aber schien die Sonne, da bin ich mir sicher. Ein warmes Strömen in mir, wenn ich an die frühe Zeit denke; einige Inseln des Schreckens. Gerüche (der Duft der Haut der Mutter?), Geräusche (ein sehr fernes Trommeln oder Rattern, das so stetig da war, dass ich es für ein Urgeräusch hielt; am deutlichsten aber das Scharren der Vögel, die im Rollladenkasten nisteten), die Hitze des Lichts auf der Haut. Manchmal, beim Erinnern, ein Panikhieb, ein Fratzenbild, das für den Hauch eines Augenblicks klar konturiert aufscheint (grün, lodernde Augen, Feuer) und doch so schnell wegschwimmt, dass ich es nicht festhalten kann. Der Schreck bleibt noch eine Weile.

Das über mir schwebende Gesicht der Mutter: ein Mund, die Lippen, schwarze Augen. Sah ich Farben? Haare drum herum wie eine Löwin. Ihre Brust, eher ein Geruch, ich saugte so heftig an ihr, dass ich ihr weh tat. Diesmal war es die Mutter, die es mir immer wieder sagte. Bald kriegte ich eine Flasche mit Milch, deren Gummizapfen fremder schmeckte. – Der Vater, wenn er sich über mich beugte, füllte auch den ganzen Horizont. Er hatte aber keine Löwenmähne, er hatte überhaupt keine Haare und spiegelnde Gläser vor den Augen. Er sang tapsige Lieder, brummte improvisierte Verse – dumm, bumm, schrumm – und blies mir einen Rauch in die Nase, dessen Geruch ich bald mehr liebte als das kalte Ozon, das über mich hereinbrach, wenn meine Mutter wieder einmal das Fenster aufriss. Lüften war ihre Passion. (Ich wurde, als ich erwachsen war, ein Nichtraucher, der gern mit Rauchern zusammen war. Mit Raucherinnen. Ich hatte, wie sie, meine Lieblingsmarken, die ich aber nie rauchte. Gauloises, Gitanes.) – Zuweilen hechelte ein drittes Antlitz in meine Wiege hinein. Es gehörte Astor, der Dogge Onkel Erwins. Eine lange Zunge leckte mich, und ich kreischte.

DIE Mutter, der Vater und Astor waren fraglos da. Es gab nur sie. Alles, was ich fühlte, dachte und lernte, bezog sich nur auf sie. Sie waren für mich da, für wen sonst. Sie waren so etwas wie die verschiedenen Teile *eines* Etwas, das meinen Hunger und Durst stillte und mich trockenlegte, wenn ich nass war. Obwohl sie aber nur wegen mir existierten, wurden sie immer erneut und ohne dass mich etwas darauf vorbereitet hätte, in einen Raum weggesaugt, von dem ich keine Ahnung hatte. Flupp, waren sie fort. Vielleicht war das gar kein Raum, sondern ein Zustand, in dem sie materielos schwebend verharrten und auf ihren nächsten Einsatz warteten. Wenn sie weg waren, taten sie nichts anderes. Sie waren weg. Ich schrie. Was schrie ich, und wie vergeblich.

ICH begann die Erforschung der Welt auf dem Rücken liegend. Rechts und links waren die Stoffwände des Betts, hinter denen ich keine weiteren Welten vermutete. Das neue Licht überflutete mich, nach neun Monaten gemütlicher Trübnis im warmen Fruchtwasser. Ich blinzelte, riss die Augen auf und schloss sie schnell wieder. Alles, was weiter weg als die Stummelfingerchen direkt vor meinen Augen war, war ein so grelles Geleuchte, dass ich keine Farben unterschied. Hell, sehr hell, so leuchtend, dass ich die Augen schließen musste: Das genügte mir. Meine Finger fassten den Rand der Bettdecke und ließen sie wieder los. Das tat ich unermüdlich. Fassen, loslassen. Allmählich trat ein erstes scharf umrissenes Etwas, das nicht *ganz* nah bei mir war, aus dem diffusen Licht hervor, in das ich starrte. Eine Kugel, die über mir schwebte und, wenn der übrige Raum dunkel geworden war, selber leuchtete. Eine Lampe (»Lampe«). Auf dem Kugelboden häuften sich, innen hinterm trüben Glas, schwarze Trümmer an, unbewegliche Punkte. Nur hie und da, selten, bewegte sich einer von ihnen, eine Weile noch. War dann, wie die übrigen, auch eine tote Fliege (»tote Fliege«).

Bald konnte ich sitzen, im Bett oder sogar auf der Wickelkommode (»Wickelkommode«), und zuweilen stand ich sogar, von meiner Mutter gehalten, auf dem Fensterbrett und presste meine Nase gegen das Glas. Zuerst sah ich gewiss, nach Kinderart, ausschließlich den kleinen Käfer direkt vor mir auf der Fensterscheibe, wenn meine Mutter »Schau dort, ein Häschen, schau!« rief und weit nach draußen deutete. Ich jubelte auf, meine Mutter jubelte, und beide freuten wir uns, jeder über etwas anderes. Ferner Hase, naher Käfer.

Dann aber sah ich sie auch: die Felder, den Wald, am Horizont die blauen Hügelberge, deren ruhiger Wellenfluss an einer Stelle von einem jäh abfallenden Knick unterbrochen wurde, einer Fluh, so als habe ein Riesengott dem Hügelzug einen Handkantenschlag versetzt. Wenn ich heute, ganz woanders, eine ähnliche oder gleiche Bergform sehe (die Natur wiederholt sich), wird mir warm ums Herz, *bevor* ich den Hügelknick sehe. Ich glühe unvermittelt auf jene besondere Weise, und also suche ich den Horizont ab: Und tatsächlich, dort ist sie, die Fluh meiner Kindheit, irgendwo in Brasilien oder Hessen. – In der Ferne auch, näher, ein Turm (»Wasserturm«). Rund, massiv, mit einem Dach wie ein Hut. Dass aus ihm das Trinkwasser in die Stadt hinunterfloss – und auch zu unserm Haus, obwohl es kaum tiefer stand –, erfuhr ich erst später und begriff noch lange nicht, wie das funktionieren sollte. Denn innen war der Turm, der bald *das* Ziel meiner Spaziergänge wurde, keineswegs voll Wasser, sondern leer und hohl. – Hie und da fuhr ein Auto unter meinem Fenster vorbei, wendete am Straßenende (unser Haus stand auch für Erwachsene am Ende der bewohnten Welt) und kam zurück. Meine Mutter und ich winkten. Autos waren damals so selten wie Maulesel heute. Mein erstes Wort – erneutes Hörensagen – war Auto (»Auti«). – Meistens aber Raben, Hasen, Schwalben, Katzen, die ich, wenn sie sich bewegten, auch Auto nannte. Einmal ein Mann – inzwischen war Winter, die Sonne ließ den Schnee glitzern –, der einen Hasen angeschossen hatte. Der Hase tobte oder taumelte auf zerfetzten Beinen im Kreis herum und sah zu, wie der Mann über die Ackerfurchen zu ihm hinstolperte. Er fasste zwei drei Mal daneben, dann packte er ihn bei den Hinterläufen und schlug seinen Kopf gegen die eisharten Schollen. Immer wieder. Endlich tat er den Hasen, der sich jetzt nicht mehr bewegte, in einen Sack, warf ihn sich über den Rücken und stapfte davon.

ABER dann konnte ich gehen! Jetzt stand ich ohne Hilfe auf meinen Beinen, stützte mich an der Wickelkommode ab und fasste mein erstes Ziel ins Auge. Es war der Rahmen der offenen Tür, fern auf der andern Zimmerseite. Weit, sehr weit weg. (Kann sein, dass meine Mutter hinter mir war, meine ersten Schritte zu behüten. Denn wie sonst wäre ich aus dem Kinderbett hinausgekommen?) Ich holte tief Luft, ließ die Kommode los, setzte den ersten Fuß in die geplante Richtung, den andern, wieder diesen, jenen erneut, und so, immer schneller vorwärtstaumelnd und stumm vor Konzentration, kriegte ich das Rahmenholz der Tür zu fassen. Wahnsinn! Ich war förmlich geflogen! Vor mir nun ein Korridor, der Korridor (»Gang«), und an seinem andern Ende, sehr, sehr weit weg, die Wohnungstüre (»Wohnigsdüüre«), die sich just jetzt öffnete. Mein Vater, in Hut und Mantel. Das war also der Ort, wo die Verschwundenen warteten, bis ich für sie bereit war! Ich stürzte ihm entgegen. »Ja er kann ja gehen, der kleine Mann!«, rief er und hob mich hoch. Ich zappelte in seinen hochgereckten Händen und kreischte. Unter mir das Gesicht meines ebenso begeisterten Papas, aus dem mir die Zigarette entgegenglühte. Fern, als er mich hochstemmte, meine Nase versengend, als er mich zu sich niederzog. Die Mutter stellte mich auf den Boden zurück. Auch sie glühte vor Stolz. Ich spurtete erneut los, ins Esszimmer (»Ässzimmer«) hinein.

An seinem Ende, neben einer Fensterfront, ein Schrank mit blauen Türen. (Der »Ässzimmerkaschte«. Wie viele Dinge gab es in dieser Welt, deren Namen ich noch nicht kannte! Ist es nicht ein Wunder, wie locker ich inzwischen »Fensterfront«, »Schrank« und »Welt« sage und noch viel mehr – alle Wörter dieses Buchs –, als sei das selbstverständlich?) Die Schranktüren waren aus einem matten Glas, das dennoch spiegelte und in dem ich, auf den Schrank zutaumelnd, eine Gestalt größer und groß werden sah, bis ich Auge in Auge mit einem blauen Riesen stand. Keine Spur kleiner als ich. Ich stützte beide Hände gegen das Glas – mein Gegenüber tat das Gleiche – und staunte die Erscheinung an. Mich. Ich sah mich zum ersten Mal. Meine Augen, direkt vor mir. Die Nase, platt. Den Mund. Blaue Locken. Ich bewegte den Kopf vom Glas weg, aufs Glas zu, einige Male. Mein Gegenüber, ich, tat, was ich tat, sogar als ich ihm zuwinkte und in die Hände klatschte. Ich näherte mein Gesicht dem Glas. Der Fremdvertraute auch. Endlich pressten wir unsere Nasen aufeinander. Ich starrte in die großen blauen Augen des andern.

Aber irgendetwas lockte meinen Blick dann doch von meinem Spiegelbild fort. Es war ein Leuchten, das mich anzog. So etwas wie glühende Luft. Ich drehte mich also zu dem lockenden Licht hin und stand starr vor Verblüffung. Ich vergaß mich und mein blaues Gegenüber auf der Stelle. Vor mir lag, vom Rahmen einer Schiebetür eingefasst, eine Landschaft, die so reich war, dass sie kein Ende zu haben schien. Das Wohnzimmer (»Wohnzimmer«), das auch für Große groß war. Ich stand wie die Forscher der frühesten Jahre, als sich Schwarzafrika zum ersten Mal vor ihnen auftat. Mungo Park, Livingstone, die gewiss genauso erregt nach Luft schnappten wie ich es jetzt tat. Es war auch ihr erstes Mal, und auch sie erkannten, wie ich jetzt, in der neuen Fülle vorerst nichts Klares und Vertrautes. Auch sie konnten nicht auf Anhieb sagen, wo das eine anfing und das andere aufhörte. Ob die schwarzen Stämme der Urwaldbäume nicht doch reglose Eingeborene waren, die sie herzlich empfangen oder auffressen mochten.

Der Zimmerkontinent leuchtete in allen Farben. Zwar sah ich weder Bäume noch Eingeborene; aber Grünpflanzen und feurige Blumen in bauchigen Vasen. Teppiche wie Wiesen, mit Wollfäden, die knöchelhoch wuchsen. Möbelbeine, Stahlrohre, Bücherwände, schwarzgeflammte Hölzer, Dämonenfratzen an den Wänden und ein zähnefletschendes Holzmonster auf dem Boden. Fische in grünem Wasser, Bilder in heftigen Farben, Decken und Kissen. Riesige Fenster. Ich blickte dahin, dorthin, auf jenes und auf dieses, weit in die Ferne und nah vor mich hin. Als ob ich in ein Kaleidoskop für Riesen hineinsähe, auf sich immer neu ordnende Farbmuster. Das Sonnenlicht strahlte. So etwas hatte ich noch nie gesehen.

UND sofort, um das Wunder vollständig zu machen, setzte, von nah und doch ohne eine sichtbare Quelle, jenes Trommeln ein, jenes Geratter, das ich, fern allerdings, seit meinem ersten Tag gehört hatte und das mir so selbstverständlich geworden war, dass ich glaubte, es sei der Herzschlag der Welt. Es hatte einen sich wiederholenden Rhythmus und war doch nie gleich. Ein Rattern, ein Ratschen. Das Geklingel einer Glocke auch, in stets ähnlichen Abständen. Jedes Mal hörte dann das Rattern auf, und das Ratschen setzte ein. Pausen auch, kurze, nach denen das Trommeln umso vehementer wiederkam, als müsse eine verlorene Zeit eingeholt werden. Kurbeln und Schnarren.

Ich stürzte dem Zaubergetöse entgegen. Kann sein, dass ich mich unterwegs an Möbelbeinen oder Stehlampen festhielt. Dass ich hinfiel und mich wieder aufrappelte. Ich erreiche jedenfalls das andere Ende des Raums, der sich dort zu einer Art Bucht erweiterte. Einer dunklen Höhle. Das Geschepper war nun *sehr* nah, und jäh begriff ich, wo es herrührte. Von meinem Vater. *Er* produzierte diese Laute! Sein Hinterkopf ragte über eine breite Stuhllehne hinaus. Über seinem nackten Schädel schwebten die Kringel seines Zigarettenrauchs. Wie war er hierhergelangt? So schnell? Er war doch eben noch bei der Wohnungstür gestanden! Ich taumelte ein letztes Mal los und hielt mich am Stuhl oder, mag sein, an einem Bein des Vaters fest. »Papa!«, mit einem in den Nacken gelegten Kopf zum Vatergesicht steil über mir hochrufend. Er bemerkte mich nicht, mein Papa, starrte auf etwas, was ich nicht sah, und hatte einen spitzen Mund, als ob er pfiffe. (Pfeifen konnte er auch *mit* der Zigarette.) Sein einer Arm und gewiss auch die unsichtbare Hand lagen ruhig auf der Tischplatte, aber der andere hob und senkte sich rasend schnell. Der Zeigefinger fuhr weit ausgestreckt in die Höhe und verschwand hinter dem Horizont der Schreibtischkante, tauchte wieder auf, verschwand erneut, in einem solchen Tempo, dass ich nur ein Gewirbel sah, tausend Finger, die wie besessen auf- und niederfuhren. Das Schlaggeprassel war nun dröhnend laut. Mir war klar, dass diese Wirbelfinger es verursachten.

»Papa!«, rief ich. »Papi!«, so lange, bis mein Vater aus seiner Trance erwachte, den Zeigefinger da ließ, wo er gerade war – hoch über seinem Kopf –, und rief: »Ja hallo was machst du denn hier?« Er setzte mich auf seine Knie, und endlich sah ich die Quelle all dieser herrlichen Trommellaute. Die Schreibmaschine (»Schribmaschine«). Schwarz, schön, geheimnisvoll. Der Vater schrieb nun mit mir auf den Knien, mich von hinten umarmend, und ich sah zu, wie die Buchstabenbügel aus ihrer Versenkung hochfuhren und aufs Papier wirbelten. Die Walze mit dem Papier ruckte vorwärts – Buchstabe reihte sich an Buchstabe – und klingelte, wenn sie an ihrem Ende angekommen war. Der Vater fetzte sie mit einem entschlossenen Ruck an ihren Anfang zurück. Das Ratschen! Das Aus-der-Walze-Reißen eines vollbeschriebenen Papiers, das Einspannen eines neuen: Das konnte mein Vater in *einer* Bewegung. Ich schlug auch auf die Tasten ein – mein Vater hielt mich nicht zurück; feuerte mich im Gegenteil an –, schaffte es aber nicht, die Tasten bis aufs Papier hinunterzudrücken. Auch nicht, als ich die ganze Faust nahm. Da verhedderten sich die vielen Buchstabenbügel. »Halt!«, rief mein Vater lachend und entwirrte das Metalldurcheinander. Ich half ihm, zerrte auch an den Bügeln herum. »Stopp!« Er hob mich von seinem Schoß hoch, setzte mich am Boden ab, und während ich ins Kinderzimmer zurückpurzelte, tippte er im alten Tempo weiter. Seine Rhythmen wurden leiser und leiser, und als ich bei meinem Bett angekommen war, klangen sie wieder so fern, als kämen sie aus mir.

(SPÄTER entwirrte sich das Chaos des Wohnzimmers. Die Bücher an jenen Wänden, die nicht Fenster waren – in Papis Schreibhöhle vor allem –, wurden mir vertraut. Die Buchrücken, die eigentlich alle aus einem braunen Leder waren. Der Kaffeetisch [»Kaffidisch«], der auf dünnen Metallbeinen hin- und herschwankte, wenn ich mich an ihnen festhielt. Ich strahlte zu Mama und Papa hoch, die zu mir her-

unterlachten und den verschütteten Kaffee aus den Unter-
tellern in die Tassen zurücktaten. – Die beiden Fauteuils
[»Fotöi«], ein dunkelblauer und ein weißer, auf glänzenden
Stahlrohrgestellen. Der Lehnstuhl [»Lähnschtuel«], blau,
der auf gelben Holzkufen stand, wie ein Schlitten, und auf
dem ich, weil er wippte wie ein Trampolin, auf und nieder
hüpfte. »Nein, Uti!« Die Kufen barsten dann mit einem
Knall, als sich meine Großmutter sacht in den Stuhl plump-
sen ließ. – Die Stehlampe, auch sie mit einem spiegelnden
Metallfuß. Die Couch, auf der eine vielfarbige Decke lag,
die kratzte wie Putzwolle. Zwei Holzfiguren, die – wie der
Dämon, der den Eingang zur Schreibecke bewachte – tatsächlich aus Afrika stammten und auf einem niederen Regal standen. Ein Mann und eine Frau. Beide mit starren
Augen und langen Kinnen. [An sie muss ich mich nicht
erinnern. Sie haben mich überallhin begleitet und stehen
über meinem Schreibtisch von heute.] Und natürlich der
Marconi [»Marconi«], der Radio und Grammophon in einem war. Er war ein truhengroßes Möbel aus Nussbaumholz, mit abgeschrägten Seitenwänden und drei Lautspre-
cheröffnungen aus einem sandfarbenen Jutestoff. – Ich
erforschte auch die Küche, das Bad und das Klo [»Abee«].
Nur ins Zimmer, in dem Papa und Mama schliefen, kam ich
nie. Die Tür war zu.)

DIE übrigen Bewohner des Hauses waren (denn ich fand
bald einmal heraus, dass ich, Astor, Papa und Mama nicht
die einzigen Lebewesen auf Erden waren): Carino, Onkel
Erwin und Tante Norina. Sie lebten im Stockwerk über

uns, in das ich nun auch – über eine Treppe mit einem roten Teppich – hochkletterte. Aufwärts auf allen vieren, abwärts auf dem Hosenboden von Stufe zu Stufe rutschend und einmal auch, mich überschlagend, schneller als jeder Erwachsene.

Carino zuerst. Er war eine Dogge wie Astor, sein Bruder vielleicht, aber anders als dieser offen bösartig. Augen aus mattem Stahl, Zähne, die er mir bei jeder Bewegung zeigte. Kaum eine Minute, in der er nicht knurrte. Er war sogar seiner Herrin und seinem Herrn – Norina und Erwin eben – so unbehaglich, dass sie ihn in einem Zwinger im Garten wohnen ließen. Da rannte er einen hohen Gitterzaun entlang und bellte auch wie ein Tobsüchtiger, wenn nur ich über die Granitplatten des Gartenwegs gehüpft kam. Zuweilen war er mit Erwin, der Stöcke warf, die Carino im Flug auffing und hechelnd zurückbrachte. Manchmal auch schleifte er Norina, an seiner Leine zerrend, da- und dorthin. Er zerbiss alles, was ihm ins Maul geriet, Bälle, Hölzer, Gartenschuhe. Sicher hätte er es auch mit Kindern getan, hätte er einmal eines erwischt. Onkel Erwin war dennoch nicht sicher, ob Astor und Carino wirklich so scharfe Wachhunde waren, wie er das von ihnen erwartete, und beauftragte einen Freund, der Herr Schwarz hieß, sie auf die Probe zu stellen. Herr Schwarz kletterte also, finster gekleidet und mit einem mit dicken Polstern umwickelten linken Arm, über den Gartenzaun und schickte sich an, einbrechergleich über den Rasen zu huschen. Ich stand auf der Terrasse unseres Hochparterres, auf die er zustrebte. Astor sah ihm dabei neugierig zu, aber Carino fegte sofort rasend vor Mordgier zu ihm hin und verbiss sich im gepols-

terten Arm, den ihm Herr Schwarz in seiner Not entgegen-
reckte. Die beiden drehten sich im Kreis, in einem irren
Tanz, Carino auf den Hinterbeinen springend und durch
die Zähne heulend, Herr Schwarz »Erwin! Hol das Vieh
weg!« brüllend. Erwin rief ein ums andre Mal »Carino!
Fuß!«, ohne jede Wirkung. Astor hockte im Gras und we-
delte mit dem Schwanz. Ich hatte den Mund offen vor
Schreck. Herrn Schwarz gelang es schließlich, sich über den
Zaun zu retten. In Carinos Geifermaul verblieben Teile des
Matratzenpolsters und wohl auch des Hosenbodens von
Herrn Schwarz. Erwin tätschelte seinen klugen Wachhund.
»Brav, Carino, brav.« Carino schaute dankbar zu ihm
hoch. – Manche Jahre später saß ich in den Zweigen des
Baums mit den japanischen Zieräpfeln (eine tolle Konfi-
türe), als ein Auto näher kam und direkt unter mir hielt. Ein
MG, ein schwarzes Cabrio mit Speichenrädern. (Es gab nun
wieder Autos. Erwin hatte seines auch ausgemottet.) Mit
einem lockeren Tanzschritt entstieg ihm Herr Schwarz, den
ich nicht wiedererkannte, sehr wohl aber Carino, der in seinem fernen Zwinger aufheulte, obwohl er von dort aus
Herrn Schwarz gar nicht sehen konnte. Allenfalls ahnen
oder riechen. Trotzdem tobte er so gegen die Gitter, dass
er sie zu durchbrechen drohte. Er nahm Anlauf, warf sich
gegen den Zaun, holte erneut aus und warf sich wieder.
Die Delle in den Gittermaschen wurde immer größer, und
die Haltestangen verbogen sich. Herr Schwarz, der seiner-
seits Carino nur hören konnte, stand mit einem in der Luft
erhobenen Fuß. Er hörte, wie ich, das nun völlig hysteri-
sche Gebelle und das Krachen des Maschenzauns, machte
rechtsumkehrt und fuhr so schnell davon, dass die Reifen

quietschten. Er kam nie mehr zurück. Er hatte eigentlich in eine der Einzimmerwohnungen im obersten Stockwerk einziehen wollen. In dieser wohnte dann ein Herr Keller, der abends in einem dunkelroten Seidenmantel auf der Dachterrasse stand – mit einem Champagnerglas in der Hand und oft mit einer Dame – und den Carino nur maßvoll zu verbellen versuchte. Astor schloss ihn sofort in sein Herz und dehnte seine unablässigen Hausbesuche auch in den obersten Stock aus.

ERWIN dann. Er war groß und hager und hatte ähnliche Augen wie Carino, nur dass dieser keine Brille trug. Er hatte am gleichen Tag wie ich Geburtstag (am 21. Mai), obwohl er viele Jahre älter als ich war. Ein Rätsel. Trotzdem schuf das eine schicksalhafte Verbundenheit, die mich beunruhigte. Wenn mein Vater brüllte: »Der Erwin ist verrückt, der ist ganz einfach verrückt!«, dann konnte auch ich gemeint sein. Ihm gehörten das Haus und auch die Kindergefängnisse des Landes (er war Staatsanwalt beim Jugendgericht und wurde später der Verfasser eines renommierten Standardwerks des Jugendstrafrechts). Ich wusste, dass er auch mich einsperren konnte und das zuweilen sogar in Erwägung zog. Einmal zum Beispiel, als er mir nahelegte, nicht so laut die Treppe hinabzupoltern, und ich ihm die Zunge herausstreckte. Meine Mutter war demütig, wenn sie mit ihm sprach, und mein Vater machte Witze. – Sonst war Onkel Erwin der Besitzer des einzigen Autos der Straße (später kam, weit unten, ein Studebaker dazu, der aber nach wenigen Tagen gestohlen wurde), eines Wanderer der Auto-

Union. Er war ein hellgrünes Cabrio mit dunkelgrünen Schutzblechen und braunen Ledersitzen. Mit Weißwandreifen. Er war das, was meine Mutter einen »bildschönen Wagen« nannte. Ich habe das abgeschabte Gummi des Gaspedals heute noch vor Augen. Fotografisch genau. Ja, eigentlich hat sich das ganze Auto auf diesen Gummifetzen über einem hell blinkenden Metall reduziert. Da saß ich neben Erwin und starrte auf seinen glücklichen Fuß, der, als sei das nichts, das Pedal niederdrückte und wieder losließ. Aufs Bremspedal wechselte, das anders geformt war. Einmal selber so ein Auto fahren dürfen! Einmal einer wie Onkel Erwin sein, die eine Hand locker am Lenkrad, die andere draußen im Fahrtwind! Der Blinker war eine orangerote Kelle, die links oder rechts aus der Karosserie fuhr, wenn Erwin einen Schalter in der Mitte des Armaturenbretts bediente. Einmal durfte ich das machen. »Links!«, sagte Onkel Erwin, und ich schob den Hebel auf eine Seite, aufs Geratewohl, denn ich wusste nicht, wo links und wo rechts war. Draußen, als ich mich auf meiner Seite aus dem Fenster beugte und nachschaute, war der Zeiger nur halbwegs aus seinem Schlitz gekommen und hing schräg nach unten. Erwin sagte: »Links. Das ist doch nicht links!«, und bog nach der andern Seite ab. – In Erwins Auto sitzend sah ich auch meinen ersten Toten. Erwin hatte mich zum Gärtner mitgenommen, und wir fuhren in Münchenstein auf die Brücke zu, die dort die Birs überquert. Es war Abend, ein Sommerabend. Ein blauer Himmel im letzten Licht, die Straßen schon verschattet. Der Tote lag mitten auf der Straße. Er war mit einem Leintuch zugedeckt. Eine Hand ragte unter dem Tuch hervor, die weißen Finger eines Mannes eher als einer Frau. Ein Auto hatte ihn überfahren, vor ein paar Minuten wohl schon, denn die Menschen standen starr und schwiegen. Das Täterauto stand schräg auf der Straße. Erwin fuhr im Schritttempo an dem Toten vorbei, halb auf dem Trottoir. Keiner sprach ein Wort, bis wir zu Hause waren. Ich rannte ins Haus, und Erwin lud seine Blumenkästen aus.

NORINA. Sie war die Frau Erwins und meine Tante, das ist gewiss, obwohl meine Mutter der Ansicht war, sie sei ihre Schwester. Ich fragte Norina: Tante, ganz klar. Ich mochte genauso wenig glauben, dass meine Großmutter (»Groß-mami«) die Mutter meines Vaters sein sollte. Entweder oder. Sie mussten sich entscheiden. Norina konnte ja nicht gut eine Schwester sein, wenn sie eine Tante war, und eine Großmutter war keine Mutter. Allein schon das Alter. Eine Mutter war jung, so wie meine, und nicht ein graues ge-bücktes Weiblein, das nach Mottenkugeln roch. – Norina war so oft mit mir wie meine Mutter. Wenn nicht öfter. Meine Mutter stand nicht gern früh auf, sie konnte das ein-fach nicht. Sie sagte es jeden Tag, wenn sie, obwohl dieser schon alt war, mit ungekämmten Haaren und im Nacht-hemd auftauchte. Norina kam, wenn ich auf den Beinen war. Um fünf, um sechs, um sieben. Ich weiß nicht, wie sie wusste, wann ich wach war. Sie war jedenfalls da. Zuerst wickelte und fütterte sie mich, später, als ich gehen konnte, tobten wir zusammen durchs Haus. Ich war jeden Tag in ihrem ersten Stock, der fremd und vertraut in einem war, denn die Küche war am gleichen Ort wie bei uns, und das

Klo auch. Da, wo bei uns das Ess- *und* das Papi-Mami-Zimmer waren (das bald einmal »die Wärme« hieß), war bei ihr allerdings ein einziger Raum, ein Saal, in dem meine Taufe gefeiert wurde, denn ich wurde getauft nach allen Regeln der protestantischen Kirchenkunst, obwohl weder mein Vater noch meine Mutter Mitglieder einer Kirche waren. Dies, weil – da war mein Vater überzeugt – meine Großmutter einen jähen Herztod sterben würde (»Tschodder«, tödlich diesmal), wenn sie erführe, dass ihr Enkelkind ohne die Hilfe des Herrn aufwachsen müsste, und weil mein Onkel Otto, den mein Vater liebte und von dem er behauptete, er sei sein Bruder, ein Pfarrer war. Er war legitimiert, Haustaufen durchzuführen. Ich lag auf einem Kissen, glaube ich, in den Armen meiner Patentante (»Gotte«) gewiss, und wurde, vermute ich, vom Onkel nassgespritzt. Es war wie bei Gotthelf; Ottos Frau (»Tante Annemarie«) stammte ja aus dem Emmental. – Ein Tschodder war übrigens nicht tödlich. Er war eine Eigenheit meiner Großmutter, die dann weit über achtzig Jahre alt wurde und *nicht* an ihrem unruhigen Herzen starb. Ich habe unzählige Tschodders miterlebt. Alle sahen tödlich aus, keiner war es. Manchmal kamen sie einfach so, aus heiterem Himmel; aber oft wurden sie von meinem Vater ausgelöst. Durchaus ohne Absicht. Er stand grinsend in einer heiteren Familienrunde, die Großmutter irgendwo klein im Hintergrund, und gab eine Geschichte zum Besten, die wohl einigermaßen gottfern war, lustig auch, frech und lästerlich, und meine Großmutter griff sich plötzlich ans Herz, bekam einen ganz besonderen Blick – fragend in eine weite Ferne gerichtet – und flüsterte: »Ich glaube, ich kriege einen

Tschodder.« Sofort war es aus mit der frechen, lästerlichen und gottfernen Geschichte des Vaters, und alle rannten hin und her, fächelten der Großmutter Luft zu und öffneten ihr die Blusenknöpfe. (Der Gerechtigkeit halber muss ich sagen, dass schwache Herzen in der Vater-Familie die Regel waren und sind. Tante Elsi starb in jungen Jahren unter dem Messer von Professor Nissen [»Sie hat nicht mehr leben wollen«, so meine Großmutter], auch Otto stürzte tot zu Boden, als er im besten Mannesalter war. Mein Vater kam, als er noch keine vierzig war, zur Tür hereingestürmt und rief meiner Mutter und mir zu: »In drei Monaten bin ich tot, sagt Blacky, wenn ich nicht mit dem Rauchen aufhöre!« Er sah entsetzt zu uns hin und zündete sich mit zitternden Fingern eine Zigarette an. – Blacky war sein Arzt, ein Dr. Schwarz, glaube ich. [War er der Einbrecher von früher?] – Auch eine Cousine von mir, Monika, stürzte tot zu Boden, kaum zwanzig Jahre alt. Eine Generation später mein Neffe, Dimitri, beim Tennisspielen. Ich wurde an der Herzklappe operiert, an der Professor Nissen fünfzig Jahre zuvor bei Elsi gescheitert war. Dank den Fortschritten der Medizin bin ich am Leben geblieben.) – Zum Taufessen bei Norina (und Erwin, der aber nicht teilnahm) kamen so viele Gäste, dass unser Esstisch nicht ausgereicht hätte. Das Erinnerungsfoto zeigt sogar zwei junge Frauen, Mädchen beinah noch, die Häubchen, schwarze Röcke und Blusen und weiße Schürzchen trugen. Personal! Es kamen, alle festlich gekleidet, Großmami, Großpapi, Onkel Otto, Tante Annemarie, Tante Elsi, Tante Nettel, Tante Marthi (sie wurde die erste Tote, deren Namen ich kannte), Onkel Robi. Meine Patentante Hildegard (»Gotte«) saß neben meinem Paten (»Götti«), der entweder Ueli oder Hans hieß, Senn auf jeden Fall, und den ich nach der Taufe nie mehr sah. Er zerstritt sich noch vor dem Nachtisch mit meinem Vater – mehrere Grappas inzwischen, am hellen Nachmittag –, der ihn einen blöden Frömmler nannte. Götti Ueli oder Hans versteinerte, stand auf, faltete die Serviette, legte sie neben seinen Teller und ging. Gott sei Dank hatte die Großmutter nicht mitbekommen, weshalb er so unvermutet aufbrach. (Ich sah ihn dann doch noch einmal. Sechzehn Jahre später nämlich, am Tag meiner Konfirmation und wenige Tage vor meinem Austritt aus der Kirche, klingelte es. Ein fremder Mann stand vor mir und sagte: »Ich bin dein Götti.« Er überreichte mir ein Paket und hastete davon, bevor ich »Kommen Sie doch herein, Herr Götti« sagen konnte. In dem Paket war eine Bibel, die mir heute noch nützlich ist.)

NORINA immer noch. Wir taten alles zusammen. Wir rüsteten Gemüse (ich wusch die Karotten, die sie danach nochmals wusch), wir kochten (ich konnte bald die Karotten ins heiße Wasser werfen), wir deckten den Tisch. Sie sagte: »Noch zwei Gabeln«, und ich holte zwei Gabeln aus der Schublade. Ich strahlte vor Stolz. Wir hängten die Wäsche auf, an einer Art Karussell aus Stangen und Seilen, das Norina drehen konnte, bis die Hemden flatterten wie an ihren Kragen aufgehängte Männer. Wir kletterten auf den Komposthaufen und hockten zwischen Riesenzucchini. Wir sammelten unter dem Nussbaum, einem wahren Baumriesen, die Nüsse ein. Wenn wir Verstecken spielten, kauerte Norina so hinter der Wassertonne, dass ich ihr rotes Kopftuch von weitem leuchten sah und triumphierend zu ihr hinrennen konnte. »Eins, zwei, drei für Norina!« Ich hockte dann mit geschlossenen Augen neben dem Schuppen und hielt mich, weil ich nichts sah, für unsichtbar. Norina strich zwischen den Bohnen herum und rief: »Wo ist er denn, wo steckt er denn nur?« Die Begeisterung, gefunden zu werden! Wir gingen Hand in Hand durch den nahen Wald, in Millionen Anemonen, die weiß in einem grünen Blätterteppich blühten. Ich war überwältigt von so viel Schönheit.

KANN sein, dass meine andere Hand in der Simones lag. Simone nämlich wohnte plötzlich auch bei uns. Ich liebte sie bald so sehr wie Norina. Sie war fast noch ein Mädchen, ein großes Mädchen und ein bisschen dick, *rondelette*. Sie hatte zündrote Haare und Sommersprossen. Sie sprach französisch, nur französisch, mit einer hellen, lustigen Stimme. Ich verstand sie auf Anhieb, und sie verstand mich. Sie war von ihren Eltern, die im Welschland lebten, in die deutsche Schweiz verschickt worden, *manger de la vache enragée*. Bei uns kriegte sie aber normales Essen. Wenn meine Mutter mit andern Leuten von Simone sprach, nannte sie sie »unser Dienstmädchen«. Sie kriegte irgend so was wie eins fünfzig am Tag und Kost und Logis. Dafür brachte sie, wenn sie einmal für einen Sonntag nach Hause fuhr, Körbe voll Eier und hie und da einen Schinken mit, denn sie kam von einem Bauernhof mit echten Kühen und Schweinen. Sie wälzte sich mit mir im Gras. Ich lachte. Sie kreischte und ließ mich in ihren hocherhobenen Händen zappeln. Ich lag auf ihr, die Nase zwischen ihren Brüsten, die Nase überall. Sie roch wunderbar. Oft kam auch Norina, wälzte sich mit uns. Auch Astor tat mit, weil er bei jedem Menschenspiel wissen wollte, ob er es auch konnte. Er konnte mich nicht hochheben, das nicht. Er roch auch nicht gut. Aber das Sich-Wälzen schaffte er so gut wie alle. Zuweilen saß sogar meine Mutter bei uns, schaute uns zu, lächelte ernst. Sie hatte große Augen.

(GLÜCK. Wenn ich an diese erste Zeit denke, finde ich es in mir. Wie einen Schatz. So etwas wie ein Notvorrat, der in einem tiefen Stollen in mir aufbewahrt liegt. Lebendig immer noch, warm, leuchtend. Natürlich habe ich inzwischen nicht *nur* Glück erfahren. Wem widerführe dies. Dennoch aber: Was für ein, ja, Massel: ein Leben lang kein Krieg, keine Fluchten, kein Hunger. Kein jähes Exil an einem fremden Ort, nach einem hastigen Aufbruch mitten in der Nacht. Keine gewaltsamen Tode um mich herum. Das, was ich heute bin, kommt bruchlos aus dem, was war. Glück.)

ÜBRIGENS: Da ist eine Erinnerung, um die ich mich schon eine ganze Weile lang herumdrücke. Keine Erinnerung wirklich, ein Bild, ein Gefühl, eine Szene, erfunden vielleicht, eine Konstruktion. Wie ein Zehn-Sekunden-Film, den ein unbekannter Operateur zuweilen, ohne mich zu fragen, in mir abspielt. Sicher ist, dass ich diese Szene seit immer in mir trage und dass sie mich heute noch aufschreckt, wenn sie auftaucht. Gewiss ist auch, dass ich ihr Held bin, ihr Opfer, und dass ich klein bin. Ein Baby, zwei, drei Jahre alt, was weiß ich. Ich liege da, und etwas nähert sich mir, flammend. Ein brennendes Kissen, in einem grünen Licht, plötzlich und schrecklich und tödlich. Meine Mutter versucht, mich mit einem Kissen zu ersticken: das wäre meine Erklärung. Sie ist sicher falsch. Es kann nicht so gewesen sein, es war gewiss nicht so. Niemand hat mich erstickt, da war kein brennendes Kissen in der wirklichen Welt. Es brannte in meinem Hirn.

DIE paar andern Erinnerungen aus sehr frühen Jahren: Sprachen sie tatsächlich von Glück? Meine Mutter kauert auf allen vieren auf dem Bett, mit offenen Haaren, einer gewaltigen Mähne, die sie schüttelt. Sie knurrt, tappt mit den Pfoten nach mir und ruft, sie sei ein Löwe. »I bi-n-e Leu!« Ich, vor ihrem Rachen, rufe schnell, ich sei auch ein Löwe. »Und iich bi dr Kindli-Leu!« Tatsächlich: Die Mutter zerreißt mich nicht. – Ein Postbus kommt auf einer steilen Bergstraße näher und lässt sein Signalhorn erklingen. Drei Töne. Sie sind so verstimmt, dass ich bis heute den mittleren Ton im Kopf nachstimme – um eine Nuance nach unten –, wenn ich den klassischen Dreiklang höre, der inzwischen bei allen PTT-Bussen rein und korrekt ist. – Das waren schon Töne des Glücks. Andrerseits waren meine Mutter und ich nicht freiwillig unterwegs. Wir waren aus der Grenzstadt Basel ins Wallis geflohen, weil sich jedermann sicher war, dass die Wehrmacht in den nächsten Tagen in die Schweiz einmarschieren würde. Mein Vater wusste es, Erwin auch. Das war im Mai 1940. Im Bahnhof ein gehöriges Durcheinander. Rufen, Drängeln, Fluchen. Wir landeten nicht im Lötschental – vielleicht war sein Eingang noch voller Schnee –, sondern im Val d'Anniviers, in Grimentz, im Haus von Monsieur Roulet, der im Leben meiner Mutter eine wichtige Rolle gespielt hatte und offenbar immer noch spielte (»Monsieur Roulet hat gesagt«: ein häufiger Satz meiner Mutter) und dessen Sohn, glaube ich, einmal um die Hand meiner Mutter angehalten hatte. Oder war das Monsieur Roulet selber gewesen? – Der Bus war gelb, aber sein Gelb war dunkler und wärmer als das Postgelb heute. Eine verschwundene Farbe. – Mein Vater war in Basel geblieben. Er musste wohl Schule geben (die Kinder der Armen waren noch in Basel, so wie die Armen selber, und ihre Lehrer). Oder lernte er zu der Zeit schon als ein beinah vierzigjähriger Herzkranker in einer Rekrutenschule für hilfsdienstfähige Nachzügler, wie man mit einem Karabiner einen Panzer aufhält? – Die Deutschen kamen dann doch nicht, und Mama und ich fuhren nach Basel zurück. Ein letztes Mal, auf der Fahrt ins Tal hinunter, die drei herrlichen Töne, wenn der Bus in eine enge Kurve steuerte. In diesem Sommer wohl auch – denn ich war kleiner als eine Roggenähre – tappte ich mutig in die von viel größeren Kindern getretenen Labyrinthgänge eines Getreidefelds hinein. Ich ging neugierig, entzückt, um eine Kurve – der Eingang, der auch der Ausgang war, war nicht mehr zu sehen –, um eine andere dann, noch eine, eine weitere in eine neue Richtung, über eine Kreuzung. Ich wählte diese Abzweigung und dann jene, dahin, dorthin und wusste bald nicht mehr, wie wieder hinaus. Rings um mich die Kornhalme, überlebensgroß, und weit oben der Himmel. Nun stolperte ich angstvoll, panisch bald. Ich rief nicht, denn ich wollte keines der Ungeheuer anlocken, die gewiss auch durch die Korridore strichen. Wenn mir jäh ein Menschenfresser entgegenkäme? Ich war längst in Tränen aufgelöst, als ich unvermutet auf den Fußweg hinauspurzelte. Ich stand am andern Ende des Kornfelds. Fern meine Mutter, die mit einer Nachbarin plauderte. »Ich rede mit Frau Schaub«, sagte sie, als ich schluchzend bei ihr anlangte. »Das ist doch kein Grund zum Weinen.« – Und einmal der Maler Paul Camenisch, wie er mich hochwarf, noch einmal hochwarf, wieder hochwarf. Ich flog, wurde gefangen, flog wieder. Ich juchzte. Die Lust war größer als die Angst, oder umgekehrt.

DANN kam meine Schwester zur Welt. Nora. Ich hatte nicht gesehen, nie, dass meine Mutter einen immer dickeren Bauch bekommen hatte (falls ich es doch sah, deutete ich es falsch), und als ich gefragt wurde, ob ich mir nicht ein kleines Schwesterchen wünschte, antwortete ich, dass mir ein Fahrrad lieber wäre. Noch heute habe ich die Neigung, die Schwangerschaften von Frauen zu übersehen. Vor Jahren, als mein Patenkind Babette zur Welt kam, hatte ich bis unmittelbar vor der Geburt den Bauch Evas ignoriert. Dabei ging Eva längst nicht mehr, sie rollte. – Nora also. Sie verdankte ihren Namen (die große Norina) ihrer neuen Tante. Auch weil ich Norina liebte wie niemanden sonst, wollte ich nicht, dass es eine Variante von ihr gab. Ich machte klar, dass ich dieses kleine Wesen nie mit dem Namen Nora ansprechen würde. Nie. Margherita, ja, wenn sie jetzt schon einmal da war und man sie tatsächlich nicht im Spital zurückgeben konnte, dann also Margherita. Ich brüllte, ich tobte. Margherita, oder gar nichts. – Ich sang damals gern ein Lied, das »Margherita, bella Margherita« hieß. *Margherita, bella Margherita, minem Hüsli grade vis-à-via, sing i dir es kleines Schtändeli, jo? Chumm e bitzeli abe, oder soll i uffe cho?* – (Es gab, im Juli 1942, noch keine Gastarbeiter aus Italien in der Schweiz. Oder, genauer, der Vater meiner Mutter war um die Jahrhundertwende herum einer gewesen und war, bei allem Bestreben, Einlass in die Basler bürgerliche Gesellschaft zu finden, auf seine *italianità* stolz geblieben.) – Mein Vater ging am selben Tag noch zum Zivilstandsamt und ließ den zweiten Namen auch ins Geburtenregister eintragen. Nora hieß nun Nora Margherita. Niemand hat dann je Margherita zu ihr gesagt, meine Mutter nicht, mein Vater nicht, Nora selber schon gar nicht. Ich auch nie.

MEHR Leben im Haus als vorher also, ein Leben mehr. Aber es kam anders. Kaum war die neue Nora da, leerte sich das Haus. Alle Frauen im Haus verschwanden, eine nach der andern. War Nora schuld daran? Als Erste ging Norina. Ich hatte nichts von ihrem Ehekrieg mit Erwin bemerkt, oder falls doch – Norina hatte ein hartes Gesicht, Erwin knallte Türen zu –, hatte ich ihn mit dem Genie der Kinder, über Verstörendes hinwegzusehen, ignoriert. Den letzten Streit zu übersehen, gelang mir allerdings nicht. Ich spielte mit Astor im Garten – Am-Schwanz-Reißen oder so was –, als unvermutet aus dem Esszimmerfenster im oberen Stockwerk Teller, Gläser, Servietten und auch ein halbes gebratenes Huhn geflogen kamen. (Erwin hatte zu Norina gesagt, dass das Huhn versalzen oder zu wenig gesalzen sei, und das war der Tropfen, der ihr Fass zum Überlaufen brachte. Sie warf wortlos alles aus dem Fenster, was auf dem Tisch stand: die Gabeln, die Messer, die Teller, das Salzfass, das Huhn und auch eine Schüssel mit Erbsen.) Ich, unten im Gras, sah ratlos nach oben. Astor, der die vom Himmel fliegenden Gedecke für eins der Spiele Erwins hielt, versuchte, das Huhn im Flug zu erhaschen. Das gelang ihm zwar nicht, aber er kaute dann doch zufrieden an einer Keule herum. – Norina stürzte keine Minute später den Plattenweg entlang und rannte mitten auf der Straße davon. Sie trug einen hellen Regenmantel, dessen Schöße hinter ihr drein wehten. Der Horizont – die Straße fiel keine hundert Meter weiter vorn steil gegen die Stadt ab – verschluckte sie. Als Letztes sah ich ihre fliegenden Haare. – Sie kam nie mehr zurück. Ich weiß nicht, wie schlimm das für Erwin war. Ich jedenfalls war aus den Fugen. Norina war weg. Wenn so etwas möglich war, konnte *jeder* von einem Augenblick auf den andern aus meinem Leben verschwinden. Mama, Papa, Simone, Astor. Auch Nora. (Und ich irrte mich nicht. So kam es.) – Als ich am nächsten oder übernächsten Tag doch wieder in den ersten Stock hochtappte, sah Erwin so vernichtend auf mich herab, dass ich nie mehr versuchte, die alten Wege zu gehen. Erst jetzt begann ich Carino zu fürchten, dessen Toben hinter den Zwingergittern ich bislang nicht auf mich bezogen hatte. Er war imstande, mich zu zerfleischen, wie Erwin. Aus dem obern Stock hielt nur noch Astor zu mir. – Als Nächste verschwand Simone. Ich kann mich nicht an ihren Abschied erinnern. Vielleicht schlich sie sich eines Nachts weg. Jedenfalls war sie plötzlich nicht mehr da. – Dann kam mein Vater nicht mehr nach Hause. (Nun war er tatsächlich im Militärdienst und bewachte im Kessiloch eine verminte Brücke, von der sein Kommandant nach der Demobilisation grinsend sagte, sie sei gar nicht geladen gewesen. »Aber irgendwie musste ich euch Rindviecher ja beschäftigen.« Mein Vater war stinkwütend.) – Dann war sogar Nora nicht mehr da. Hatte das Spital sie nun doch zurückgenommen? – Vor allem aber war, allmählich oder auf einen Schlag, meine Mutter eine andere geworden. Eine ganz andere. Sie weinte nun den halben Tag, und wenn sie nicht weinte, presste sie die Lippen so aufeinander, dass ihr Kinn zitterte. Ihr Gesicht war starr, die ganze Mama wurde ein Granit. Steif, nicht weich, wenn ich auf ihren Schoß klettern wollte. Sie merkte es nicht oder stellte mich auf den Boden zurück. Als einmal das Telefon klingelte, neben dem sie auf einem Stuhl saß, erschrak sie so, dass sie zu Boden stürzte. Sie schaute mich aus entsetzten Augen an. Sie hörte mich nicht, nichts, ich konnte rufen, was ich wollte. Oder aber, sie redete, redete nicht enden wollend, dass dies so und das andere so sein müsse, jetzt und unbedingt. Ein herumliegender Schuh war das Vorzeichen der untergehenden Welt oder der Untergang selbst. Siehst du nicht, rief sie, dass ich aus dem Leim gehe und du auch und alles? Wie soll ich das alles, wie soll ich? Ich kann nicht mehr, ja, das war ihr Hauptsatz: dass sie nicht mehr könne. Er war durchaus eine Formel, nach der es dann doch noch weiterging. Aber einmal war es dann doch das letzte Mal, und auch meine Mutter verschwand. (Ich habe ihren Aufbruch oft erfunden, denn ich kann mich an ihn nicht erinnern. Das heißt, ich vermische ihn mit einem Abend, an dem ich, sagen wir, den Grünkohl nicht fertigessen wollte oder die Zähne nicht putzen, und meine Mama jäh nicht mehr konnte und hochsprang und rief, sie gehe jetzt, ja, endgültig. Sie stürmte, ohne einen Mantel mitzunehmen oder die warmen Schuhe anzuziehen, zur Tür hinaus. Ich hinter ihr drein. Als ich bei der Tür war – schwarze Nacht draußen –, sah ich nur noch ihre Tappen im Schnee des Gartenwegs und weit vorn, von einer blassen Straßenlampe erhellt, das offene Gittertürchen. Ich stand versteinert, vereist wie alles um mich herum. Die Mutter kam dann wieder, vermutlich. Ohne Mantel und in Pantoffeln konnte sie nicht allzu lange in der Winternacht gewesen sein.)

VON einer Minute auf die andere war ich allein. Es war totenstill im Haus. Nicht einmal Astor bellte im ersten Stock, oder Carino in seinem Zwinger. Ich saß auf dem Boden, schob mein Feuerwehrauto hin und her und wartete darauf, dass *jemand* kam. Es *kam* jemand, nach einer Ewigkeit oder einer Viertelstunde. Lotti und Heiri Strub rumpelten mit Sack und Pack und einer Katze zur Tür herein. »Keine Sorge! Wir sind jetzt da!« Die Katze ging sofort durch die Wohnung, als wohne sie hier seit immer. Lotti und Heiri waren Freunde meiner Eltern und ein bisschen auch von mir, denn zumindest Heiri war oft bei uns gewesen und hatte auch schon Hoppe hoppe Reiter mit mir gespielt.

Beide können damals (sie leben noch) kaum viel älter als zwanzig gewesen sein. Für mich waren sie natürlich Große. Sie waren herzliche Menschen, aber sie waren weder die Mutter noch der Vater noch Norina noch Simone. Nora schon gar nicht. Ich musste Lotti erklären, wo meine Pantoffeln waren und dass der Kakao in diese Tasse gehörte und nicht in irgendeine. Nicht umgekehrt. Die beiden zogen in Papa und Mamas Zimmer ein und schliefen in ihrem Bett. Lotti kochte ein Essen, das gänzlich ungewohnt schmeckte. Milchreis oder Blumenkohl an einer weißen Sauce. Älplermakronen. Es gab neue Regeln. Manches bisher Verbotene war nun erlaubt, und umgekehrt. Ich musste die Milchhaut auf dem Kakao nicht mehr mit verschlingen und durfte meinen Stoffneger mitessen lassen. Dafür aber wollte Lotti, dass ich allein aufs Klo ging, etwas, was ich bis dahin noch nie erwogen hatte. Sie brachte mich auch zu Bett, und es kann sein, dass sie mir sogar eine Gutenachtgeschichte erzählte. Rumpelstilzchen vielleicht, denn ich hatte eine Schwäche für den Zwerg mit dem geheimen Namen, der Kinder raubte. Lotti erklärte mir, wo alle meine Lieben hin verschwunden waren: Mama in ein Spital, wo sie von ihrer Traurigkeit geheilt wurde. Papa an die Landesgrenze, wo er die Deutschen mit seinem Gewehr daran hinderte, uns unser Haus wegzunehmen. Simone in ihren Bauernhof, wo die Kühe jemanden brauchten, der sie molk. Und Nora, ja, Nora durfte eine Weile bei Norina sein. (Diese lebte nun mit Hä irgendwo in der Stadt.) Nora durfte zu Norina, nicht ich, denn sie war ja noch ein Baby und ich ein Großer und Starker und Tapferer. Wir drei – Lotti, Heiri und ich – würden es prima haben zusammen.

»Gell, Lötschi!« – »Ich heiße nicht Lötschi«, heulte ich auf und stürzte aus der Küche. »Ich weiß, Uti«, sagte Lotti, die mir nachkam. »Und jetzt marsch ins Bett.«

Heiri zimmerte währenddessen aus hellem Tannenholz eine lange Truhe, die wie ein Sarg aussah. Ich erriet nicht, für wen er bestimmt war. Für ein Kind war er zu groß. Für die Mutter vielleicht, wenn's ihr doch so schlechtging? Oder Papa? Heiri bemalte ihn kunstvoll – malen konnte er wirklich! –, und ich sah bewundernd auf seinen Pinsel, der wieselflink übers Holz huschte. Heiri pfiff fröhlich vor sich hin, wenn er ihn in ein neues Blau oder Ocker tauchte. Am Sargschmuck mithelfen durfte ich nicht, aber ich kriegte ein eigenes Brettchen und einen Pinsel für mich allein. Ich malte genau wie Heiri, ich pfiff auch, wenn ich den Pinsel in die Farbe tunkte. Ich malte eine Mama und einen Papa und eine Norina und eine Simone – Nora vergaß ich –, alle ohne Hände und Füße. Dafür hatten sie weit aufgerissene Augen. Heiri malte eine in einer paradiesischen Landschaft gestrandete Arche. Da lag sie auf Grund, weil das Wasser abgeflossen war, inmitten von Klatschmohn und Enzianen. Ein Noah mit einem langen weißen Bart hockte im Heck und fischte in dem grünen Gras, in dem die zwei Hasen der Arche herumhüpften, ohne sich um den Haken zu kümmern, an dem sich einer der Würmer krümmte. Wo war der andere? Zwei Elefanten gab es jedenfalls, zwei Giraffen, zwei Nilpferde, zwei Krokodile. Die Störche standen auf einem Bein, die Eulen saßen in einer Palme. Im Himmel oben flog mein Vater – unverkennbar! –, der eine Kaffeekanne in der Hand hielt und kleine Flügel auf dem Rücken hatte. War er ein Engel? Jedenfalls rauchte er auch hier. –

Eine Mutter malte Heiri nicht. Es kann sein, dass er sich ihrer dunklen Schönheit nicht gewachsen fühlte. Denn die Frauen, die er schön malen wollte, gerieten ihm immer zu vollbusigen Blondinen mit Kussmündern. Sie sahen stets ein bisschen wie Lotti aus, nur dass Lotti keine Schlafzimmeraugen mit langen Wimpern hatte. Um den schwarzen Ernst meiner Mutter auf eine Leinwand oder einen Truhendeckel zu bannen, hätte es eines Leonardos bedurft. – Die Truhe steht heute noch im Korridor unseres Hauses im Elsass. Unser Bettzeug ist darin. Die Farben sind so blass geworden, dass die eine Giraffe ganz verschwunden und die andere kaum mehr zu sehen ist. Auch die Elefanten sind nur noch ein Hauch aus grauer Farbe, und mein fliegender Vater ist so sehr ein Schatten geworden, dass ich ihn eher errate als sehe. Nur Noah sitzt immer noch leuchtend im Heck seiner ebenfalls schier unsichtbar gewordenen Arche. Sein Bart ist weiß wie am ersten Tag.

DER Vater kam bald wieder ins Haus zurück. Aber mindestens Lotti blieb bei uns. Oder kam sie jeden Morgen früh und ging nach dem Nachtessen wieder? Der Vater musste ja zur Arbeit, und ein Koch war er nicht. Mit ihm gab es nur Emmentaler und Brot. Immer. Brot und Emmentaler und manchmal Erdbeermarmelade, die er auf den Käse schmierte. – Bald gingen wir meine Mutter besuchen. Ihr Spital war in Münchenbuchsee in der Nähe von Bern. Ich vermische meine Erinnerung an diese Fahrt mit einer andern, die uns ebenfalls nach Bern führte und erst zwei, drei Jahre später stattgefunden haben dürfte. Als ob *eine* ver-

hängnisvolle Reise nicht genügte. Bei einer dieser Eisenbahnfahrten, der ersten wohl, leuchtete kurz vor Bern tief
unter uns die Aare so blau, wie ich sie später nie mehr gesehen habe. Obwohl ich nie versäume, den Blick von damals
zu wiederholen, wenn ich über die Brücke dem Bahnhof
von Bern entgegenrolle. Das Wasser der Aare war blau wie
in der Südsee. Köpfe von Schwimmern, es war Hochsommer. Der Zug fuhr im Schritttempo, als wolle er die Ankunft im fatalen Bern noch ein bisschen hinauszögern, so
dass ich alle Zeit der Welt hatte, das Spektakel zu betrachten.
Auch der Vater staunte.

Die Erinnerung ans Hospital – eine große psychiatrische
Klinik – ist wie mit einem Weichzeichner gemalt in mir aufbewahrt. Kein Ton. Sanfte Farben. Ich gehe oder stehe mit
meinem Papa in einem Garten oder Park, in dem einzelne
Menschen langsam und ziellos wandeln, wie in einem
Traum. Eine Krankenschwester da und dort, etwas schneller unterwegs. Gab es tatsächlich Pfauen? Irgendetwas
Exotisches war da jedenfalls, besondere Bäume vielleicht,
oder großblättrige Blumen. Auf einer sanft abfallenden Ra-
senbahn kam meine Mutter angeschwebt. Sie lächelte. Ein
Sommerkleid, eine hochgesteckte Frisur. War sie barfuß?
Jedenfalls stand sie bald so durchsichtig bei uns, dass ich
nicht wagte, sie zu umarmen. Meinem Papa ging es, glaube
ich, gleich. Die Mama strich mir mit einer Hand über den
Kopf. Die beiden gingen dann langsam im Gras oder auf
einem Kiesweg auf und ab. Vielleicht rannte ich ein paar
Mal um ein Rhododendrongebüsch herum oder scheuchte
die Pfauen auf, die, kann sein, Tauben waren. Kriegte ich
ein Glas Sirup oder gar eine Orangina? Dann sagte meine

Mutter, dass sie gehen müsse, oder wir müssten jetzt gehen. Ich hörte immer noch nichts. Mein Vater umarmte sie nun doch. Die Mutter, die vergaß, auch mich zu umarmen, schwebte davon. Ich hob die Hand und winkte.

Vielleicht gingen wir nicht gleich danach zu einem Doktor für verrückte Kinder. Es war wohl später, aber es war gewiss in Bern. Es gab in Basel vielleicht gar keine Ärzte, die Kinder von dem heilten, was ich getan hatte. Die Vorgeschichte war so: Onkel Erwin hatte sich bei meinem Vater beschwert, dass ich ihm die Zunge herausgestreckt hatte. »Er spinnt!«, rief er. »Du musst ihn untersuchen lassen.« Ich *hatte* ihm die Zunge herausgestreckt, und es war schon möglich, dass ich verrückt war. Das hielt ich für durchaus denkbar. Schließlich hatten Erwin und ich ja unsere gemeinsamen Geburtstage und jene magische Verbindung im Guten wie im Schlechten, und *er,* Erwin, war gewiss verrückt. Mein Vater sagte es immer wieder. »Der hat einen Knall, der Erwin.« – Der Doktor für verrückte Kinder war ein älterer Herr in einem weißen Mantel. Er lächelte mich an. Er schickte den Vater aus dem Zimmer – ich war sicher, dass ich nun auch ihn für immer verloren hatte – und ließ mich Bauklötze aufeinanderbauen. Auch zeichnete ich. Er stellte mir Fragen, und ich gab ihm Antworten, keine Ahnung, welche. Er legte mir Papierbögen mit Farbklecksen darauf vor, und ich musste ihm sagen, was ich sah. Ich sah einen Schmetterling, eine tote Mutter, einen Wolf, der ein Kind fraß. – Dann war der Vater wieder da, und wir gingen Hand in Hand durch die Lauben von Bern. »Alles bestens«, sagte er, aber ich hielt seine Hand dennoch so fest, dass er sie nicht loslassen konnte. »Erwin ist ein Rindvieh.« – Wir aßen auf einer Terrasse hoch über der Aare ein Eis, beide je eine Kugel Erdbeer und Zitrone. – Das tue ich heute noch, wenn ich eine Erleichterung zu feiern habe oder mich sonstwie nach Liebe sehne. – Erdbeer, Zitrone. – May, gleich nachdem wir uns lieben gelernt hatten, sah sich – sie studierte Psychologie und war kurz vor dem Ende ihres Studiums – meine Rorschach-Test-Resultate an. Wir saßen im Garten meiner Eltern, und mein älter gewordener Vater hatte die Farbtafeln und ärztlichen Deutungen irgendwo aus seinen Schubladen hervorgekramt. May schaute ernst. Ich schaute, wie sie schaute. Dann legte sie die Papiere auf den Tisch und lächelte. Sie sagte nichts. Aber sie heiratete mich dann doch.

ICH entwickelte jede Menge Ticks. Nachts, wenn ich schlief, schlug ich mit der rechten Hand gegen meinen Kopf, in einem stetigen Rhythmus. Ein Larghetto, allenfalls ein Adagio. Es war mehr oder weniger der Rhythmus meines Herzens. Sechzig oder siebzig Mal pro Minute hieb ich mir auf meine Stirn. Mit der Zeit, um mein Hirn zu retten, schaffte es mein Arm, haarscharf am Schädel vorbei zu schlagen. Die Hand streifte ihn gerade noch, traf ihn nicht mehr voll bei jedem Schlag. Manchmal weckte mich auch meine Mutter und schaute entsetzt oder streng auf mich nieder. Dann ließ ich mein Hauen für eine Weile bleiben. Wenn ich aber wieder schlief, schlug ich auch wieder. – Ich fasste eine Strähne meiner Haare und wickelte sie zu einem Geschlinge, das ich mit drei Fingern geschickt verknotete. Dann riss ich mit dem Daumen den Knoten entzwei. Das schmerzte angenehm, und ich wiederholte es unzählige Male. Fassen, Knoten, Rupfen, das dauerte keine fünf Sekunden. Manchmal, wenn ich nachlässig geknotet hatte, öffnete sich das Haargeknäuel leicht, und ich spürte nicht mehr als ein kleines Ziehen. Zu wenig, und ich knotete den nächsten Knäuel besser. Das tat ich den ganzen Tag über, außer wenn mich Papa und Mama anschauten, denn sie mochten mein Haarerupfen nicht. – Ich rieb aber auch mit dem Daumen der rechten Hand – nur der rechten; links tat ich das nie – gegen die Seite des Zeigefingers, bis der seine Haut verlor und zuerst schorfig wurde und am Ende blutete. Ich unterhielt eine Dauerwunde voller weißer Hautfetzchen und oft mit verkrustetem Blut. Ich weiß nicht, ob ich Reiben und Haarerupfen gleichzeitig betrieb; möglich wäre es gewesen. Ich tat es aber doch eher mal so, dann so. – Ich pfiff den ganzen Tag, alles, was mir durch den Kopf ging. *Melancholy Blues* oder das Violinkonzert von Beethoven; mein Vater spielte seine Schallplatten, wann immer er zu Hause war; ich hörte zu und verfügte bald über ein schier unendliches Repertoire. Ich wurde ein virtuoser Vogel. Jeder konnte jederzeit hören, wo ich gerade war und dass es mir wunderbar ging. Keine Geheimnisse, nicht der kleinste Kummer, hört doch mein Jubilieren. – Ich pfiff allerdings nicht, wenn ich – ich tat das oft, und es war meine heftigste und geheimste Bizarrerie – mich in eine Zimmerecke oder unter die Treppe zurückzog. In mich selbst. Meine Körperhülle stand dann bewegungslos da, während ich ganz in mir innen war. Ich war so sehr weggetreten, dass das Haus hätte abbrennen oder einstürzen können, ich hätte es nicht bemerkt. Ich hielt die Fäuste geballt und war starr wie ein Holzklotz. Ich presste alles Blut in mein Hirn und hatte gewiss einen zündroten Schädel. Ich wollte nicht gesehen werden, das gewiss nicht. Ich wäre vor Scham gestorben, wenn meine Mutter oder mein Vater mich so überrascht hätten. Aber ich hielt mich auch für unsichtbar. (Ich vermute, dass mich meine Eltern zuweilen besorgt betrachteten. Kann sein, dass erst mein Weggetretensein unsern Besuch beim Kinderpsychologen in Bern auslöste.) – In der ersten Zeit war ich wohl ein Held und zog durch die Wälder und besiegte Drachen. Irgendetwas Großartiges, ich weiß es nicht mehr. Denn ich behielt mein Starrstehen, Fäusteballen, Blut-in-den-Kopf-Pressen und glühendes Phantasieren über Jahre hin bei. Und mit dem Älterwerden veränderten sich auch die Inhalte meiner Tagträume. Sie wuchsen mit mir. (Heute träume ich nicht mehr auf diese absolute Weise, längst nicht mehr. Aber Reste dieses Gefühls – ein Pressen im Kopf, und die Fäuste beginnen sich zu ballen – finde ich immer noch in mir. Die letzten Spuren einer Wahnwelt, in die ich mich retten wollte und die mich vielleicht tatsächlich rettete.) – Jedenfalls, bald einmal fuhr ich leidenschaftlich Auto. Zuerst saß ich, in meinem Kopf drin, am Steuer von Erwins Wanderer. Dann, als Erwin sich ein neues Auto kaufte, wechselte auch ich die Marke und fuhr, wie er, einen silbernen Citroën *traction avant*. Ich fuhr, wie mein gefürchtetes Vorbild, locker und lässig und gab, wenn ich zurückschaltete, Zwischengas. – Später war ich der Fahrer des Postbusses am Berninapass und konnte in mir die ganze Straße mit all ihren Kurven abrufen. Zumindest den oberen Teil, zwischen Sfazú und dem Ospizio, beherrschte ich perfekt. Natürlich war das noch die alte

Schotterstraße, die so eng war, dass es meiner ganzen Fahr-
künste bedurfte – hinter mir eine Handvoll Fahrgäste, für
deren Leben ich verantwortlich war –, um an einem entge-
genkommenden Auto vorbeizukommen. Links die Felswand, rechts der Abgrund. Immer wieder einmal musste
ich aussteigen und das Fahrzeug eines Touristen aus Belgien oder Holland zur Seite fahren. Wenn gar der Laster
von Iseppi in einer Kurve unvermutet vor mir stand! Aber
der Fahrer von Iseppi, den ich aus vielen früheren Kreu-
zungsmanövern kannte (und der dem wirklichen Iseppi-
Chauffeur aufs Haar glich), konnte fast so gut fahren wie
ich, und so kamen wir immer aneinander vorbei. Millime-
terarbeit, hochkonzentriert. Ein grüßender Griff an den
Rand der Mütze, wenn wir auf gleicher Höhe waren.

DANN kam auch meine Mutter zurück. Alles war wieder
wie zuvor. Als sei nichts geschehen. Keiner erwähnte auch
nur mit einem Wort, dass etwas Ungewöhnliches hinter uns
lag. Die Mutter tat wieder meinen Kakao in die Tasse, in die
er gehörte. Der Vater war bester Laune und machte seine
Scherze. Auch Nora war zurück, wohlgenährt und heiter
krähend. Ich genoss das Leben auf der Stelle wie zuvor. Ich
vergaß, dass meine Mutter krank gewesen war. Jetzt jedenfalls war sie gesund, das sah ich. Sie stand sogar früher auf
und war eine noch sorgfältigere Hausfrau. Sie war ernst,
das schon, aber sie platzte vor Energie. Sie ging nicht mehr,
sie rannte. Putzte, plättete, räumte auf. Es gab nichts, was
einfach so herumlag. Eine Haarbürste etwa oder die Handschuhe. Alles hatte seinen Ort, nur den Schreibtisch des

Vaters rührte sie nicht an. (Ein Papierchaos, in dem sich mein Vater genau auskannte.) Die Bauklötze oder der Brummkreisel mussten im Schrank verschwinden, wenn ich auch nur für fünf Minuten nicht mit ihnen spielte. »Aber ich will doch nach dem Essen weiterspielen« – das war kein Argument. – Meine Mutter war so kraftvoll, so gesund, dass sie im Alter sagte: Mich muss man dann einmal totschlagen. (Sie tat es schließlich selber, das Totschlagen.) Sie kriegte ein langes Leben lang kaum je eine Grippe, und als sie einmal vom Küchentisch fiel – sie hatte, auf den Zehenspitzen stehend, eine Glühlampe auswechseln wollen – und sich den Arm brach, rief sie nicht um Hilfe, sondern hockte auf dem Boden und sah den Arm an. So fand ich sie, zufällig; sie lachte und zeigte mir, wie absurd abgewinkelt ihr Arm an ihr hing. – Ihr Problem blieb die kranke Seele. Sie ging, auch das ein Leben lang, immer wieder einmal in eine psychiatrische Klinik, die sie nie so nannte. Sie sagte Sanatorium. Sie lieferte sich selber ein, nach Monaten des geheimen Ringens, bei dem wir andern trotzdem die Symptome erkannten. Ihr zunehmend starres Gesicht, ihr Nicht-Zuhören, ihr unbegründbares Erschrecken (die Hausklingel, das Telefon), ihr immer häufigeres Debattieren mit Luftgeistern, die vielleicht alle ihr toter Vater waren. Sie ging jedes Mal in eine andere Klinik. Sommerhalde, Sommerweid, Sommerau. – Ich wollte auch, dass sie gesund war. Ich war selber gesund, deutlich und sichtbar. Wir waren alle gesund, was denn sonst. Ich hielt so sehr an ihrem Gesundsein fest, dass ich es bald selber glaubte und sogar, als ich längst erwachsen und meine Mutter wieder einmal in einer Klinik war, in der Psychiatrischen Universitätsklinik in Basel diesmal, mit dem behandelnden Arzt, Professor Kielholz, ein erregtes Streitgespräch führte. Nämlich, er solle damit aufhören, meine Mutter mit Medikamenten vollzupumpen – in der Tat ging sie wie eine Somnambule durch die Flure –, und sie in die freie Welt entlassen. Sie sei längst geheilt, und genau seine Psychohämmer machten sie so krank. Professor Kielholz – er leitete die Klinik und war eine Kapazität in seinem Fach – erklärte mir geduldig, was eine endogene Depression sei – seine Diagnose –, und dass meine Mutter ohne Medikamente das Leben nicht aushalte. Natürlich hatte er recht, endogen oder nicht. Sie hielt ja später das Leben sogar *mit* Medikamenten nicht aus.

DIE Mutter kochte jeden Mittag eine warme Mahlzeit. Der Vater kam aus der Stadt zu uns auf den Hügel des Bruderholzes hoch und hatte etwa eine halbe Stunde lang Zeit, bis er wieder aufbrechen musste. Trotzdem erwogen weder er noch meine Mutter jemals, dass er ja auch auf einer Bank am Rheinufer oder, wenn's regnete, im Café Münsterberg ein Sandwich essen könnte, gemütlich und entspannt. Das war außerhalb jeder Vorstellungskraft, weil zu der Zeit *alle* Hausfrauen ein Mittagessen kochten, zu dem *alle* Männer nach Hause kamen. Die Kinder sowieso. – Am Abend kochte die Mutter wieder, erneut eine ganze Mahlzeit. Nie gab es nur ein Butterbrot oder so etwas, einmal abgesehen davon, dass Butter eine seltene Kostbarkeit war. Sie war so selten, dass ich behauptete, ich möge Butter gar nicht, und ganz auf sie verzichtete. (Dasselbe tat ich mit den Butterzöpfen der Bäckerei Jakob, die mein Vater und Nora über alles liebten. Jeden Samstag brach mein Vater zur Bäckerei Jakob in der Steinenvorstadt auf, bald mit Nora und mir im Schlepp, und jedes Mal beschwor ihn die Mutter, doch einen Zopf für eins fünfzig zu kaufen. Jeden Samstag kaufte er einen für drei Franken, von dem dann die Hälfte übrigblieb. [*Darum* sagte und glaubte ich bald selber, dass ich Butterzopf nicht möge. Ich half meiner Mutter. Wenn ich nicht mitaß, *musste* mein Vater doch den billigeren Zopf kaufen. Nur, das tat er dann doch nicht, nie, und ich musste dabei bleiben, dass mir Butterzopf überhaupt nicht schmeckte.] Ich war auch nicht eifersüchtig, dass Nora ihren Zopf jeden Sonntagmorgen in Papis Bett liegend aß, mit dem Papa schnatternd, der am Schreibtisch saß und Kaffee trank.) – Sie war eine gute Köchin, meine Mutter. Weil mein Vater der schlechteste Esser war, der mir je begegnet ist – er mochte eigentlich, neben den Butterzöpfen, nur seinen Emmentaler und schier rohes, bluttriefendes Fleisch –, und weil Nora, kaum konnte sie einen Löffel in der Hand halten, ihm alles nachmachte, wurde ich ein begeisterter Anhänger der Kochkunst meiner Mutter. Ich aß *alles,* was sie auftischte. Ich aß für sie, und sie lächelte mich dankbar an, wenn ich eine zweite Portion Blumenkohl wollte, obwohl Blumenkohl just nicht zu meinen Favoriten gehörte. Sie machte es mir leicht, von ihrer Kunst hingerissen zu sein. Ihre *Spaghetti alla bolognese* schmeckten herrlich, auch wenn die beiden Essmuffel das nicht bemerkten. Papi hielt sich, des Knoblauchs wegen, die Nase zu, und Nora tat es ihm sofort nach. Wenn es einen Safranrisotto mit Pilzen drin gab, schoben Papi und Nora diese auf den Tellerrand. Ihre ausgehöhlten Zucchini, in denen eine Hackfleischfüllung war, aßen auch nur meine Mutter und ich mit Leidenschaft. Papi mochte kein Hackfleisch und Nora keine Zucchini. Meine Mutter kochte sogar, vielleicht gegen ihre eigenen Überzeugungen, Grießpudding, über den ich Himbeersirup gießen durfte. Papi bewegte seinen Teller so, dass der Pudding wackelte und zitterte, und sagte zu ihm: »Keine Angst, ich esse dich nicht.« Nora aß ihren dann doch.

DAMIT waren die Rollen in der Familie fürs ganze Leben verteilt. Nora gehörte zum Vater. Ich zur Mutter. Sigmund Freud hätte seine Freude an uns gehabt; wir lebten, ohne es zu ahnen, nach seinem Drehbuch. Als wir bald einmal zu jassen begannen – einen Schieber; wir waren ja zu viert –, spielten *immer* Nora und Papi zusammen und ich mit meiner Mutter. Nora und Papi schummelten, dass es nur so krachte – Augenzwinkern, Karten zeigen, falsch anschreiben –, und ich schämte mich dafür, dass meine Mutter nie etwas bemerkte. Nie. Papi konnte eine Sechs mit einem Ass vertauschen oder den Trumpf-Buben, der längst gelaufen war, zum zweiten Mal spielen: hoffnungslos. Sie sah es nicht, saß in ihrer leuchtenden Unschuld da und ahnte nicht, wie tückisch die Welt war. Die beiden Betrüger lachten heiter. – Wenn dann die Zimmerschlachten der Eltern im Schlafzimmer tobten – wir hörten jedes Wort; meine Mutter flüsterte so laut, dass es wie ein ersticktes Schreien klang, und mein Vater schwieg erst und brüllte dann –, war uns beiden klar, dass Nora mit dem Vater mitging und ich mit der Mutter. Das war mein Schicksal, das wäre mein

Schicksal geworden, das ich – verzweifelt gewiss, aber widerspruchslos – angenommen hätte.

EIN Wort noch zu ihrem Reden. Sie diskutierte, wenn es ihr schlechtzugehen drohte, mit unsichtbaren Wesen, das sagte ich schon. Ein flehendes Wispern, ein beschwörendes Zischeln, das, wenn sie in der Küche und ich im Kinderzimmer war, wie ein Rascheln von Laub klang. Das tat sie nun aber weniger als vor ihrer ersten Krise. Nur noch, wenn sie sich *ganz* allein glaubte. Umso mehr sprach sie dafür mit jedem, der in ihre Nähe kam. Vater, Nora, ich, der Milchmann. Sie redete so etwas wie *immer*. Immer und laut. Sie brauchte nicht einmal eine Nähe. Wenn sie mit Erwin im Garten war – dieser bei den Tomaten, sie in den Kartoffeln –, sprach sie quer über die ganze Plantage hinweg und störte sich auch nicht daran, dass Erwin kaum antwortete. Andrerseits hatte sie die Neigung, beim Reden zu nahe zu stehen, so dass ich, während sie sprach, bald einmal einen Schritt zurücktrat und noch einen. Sie folgte mir, wenn's sein musste, durch die ganze Wohnung. Sprach und sprach. Obwohl ihr Mund mein Ohr immer wieder einholte, wurde ihre Stimme mit jedem Schritt lauter. Das Ende eines Gesprächs war nur durch eine vollständige Unterwerfung zu erreichen. »Ja, Mami.« Wenn ich ihr recht gab, in allem und jedem und für alle Zeiten. – Später, als ich fliehen konnte, folgte sie mir redend bis zum Fahrrad, in dessen Pedale ich entschlossen trat. Ihr Rufen verhallte, wenn ich in den Abgrund der Marignanostraße tauchte.

KATALOG der Gegensätze: Mein Vater war klein, die Mutter groß. Er war lustig, sie ernst. Er begeisterte sich für Luftschlösser aller Art, sie hatte einen soliden Sinn für das Machbare. Er gab das Geld aus, ob er es hatte oder nicht, sie wusste den Stand ihres Sparbuchkontos auf den Rappen genau auswendig und kaufte in der EPA ein – Billigprodukte, Sonderangebote –, obwohl sie jedes Mal Angst hatte, eine ihrer Freundinnen aus der guten Gesellschaft Basels könnte sie ertappen. Er fiel mit Hohn und Spott über alle Respektspersonen her, sie bewunderte Männer mit Führungscharisma. Er machte Kalauer, bei denen sie sich unbehaglich fühlte, und sagte kaum je einen unironischen Satz. Sie meinte immer wörtlich, was sie sagte. Sie wollte jedes Ehe- oder Familienproblem sofort und radikal durchbesprechen, er hasste jedes Gespräch – jedes Gespräch über Gefühle, meine ich –, das nicht an der Oberfläche blieb. Er hatte immer Kopfschmerzen, oft Herzrasen, zuweilen Neuralgien und zunehmend kaputte Nieren, die ihn gelb aussehen ließen; sie strotzte vor Gesundheit. Er ging früh ins Bett (vor zehn), stand aber jeden Tag um fünf auf, spätestens; sie war bis nach Mitternacht auf den Beinen und schlief, wenn es ihr möglich war, bis tief in den Tag hinein. Er tat keinen freiwilligen Schritt, sie wanderte stundenlang und bestieg Berge. Er konnte nicht schwimmen, sie sehr gut, bevorzugt im Eiswasser von Bergseen, das sie mit den Zähnen klappernd als wunderbar warm bezeichnete. Er rauchte eine Zigarette nach der andern. Sie steckte sich alle Schaltjahre einmal eine an – eine Sensation für uns alle – und hielt die Nase steil in die Höhe, um dem Rauch aus dem Weg zu gehen. Er hatte zwar zu Beginn des Kriegs ein

Fahrrad angeschafft, fuhr aber nie. (Konnte er das überhaupt, auf einem Fahrrad fahren? Immerhin wollten er und meine Mutter, wenn die Nazis gekommen wären, mit den Fahrrädern ins Innere des Landes fliehen, mit dem Notwendigsten auf den Gepäckträgern. Mit mir auf dem meiner Mutter, und mit der Schreibmaschine und den Zigaretten auf dem meines Vaters. Nora war damals noch nicht vorgesehen gewesen.) Sie machte ihre Einkäufe radelnd. Er ließ seine Habseligkeiten überall herumliegen, sie hatte für alles einen Platz. Er las Bücher wie die *Göttliche Komödie* und die *Briefe* der Madame de Sévigné, sie Ratgeber, die »Iss dich schlank« oder »Was fliegt denn da?« hießen. Er war ein sprachkundiger Philologe, der so stumm war, dass er, wenn er in Frankreich oder in Italien auf Reisen war und eine Auskunft brauchte, meine Mutter vorschickte, die nie studiert hatte und völlig geläufig und mit dem größten Vergnügen französisch, italienisch und englisch parlierte. (Wenn er allein reiste, fragte er eben nicht.) Er trank wenig, nichts eigentlich, sie liebte ihren Rotwein, auch wenn er nur an Festtagen ein Stägafässler oder gar ein Corton Clos du Roi und an den andern Tagen des Jahrs ein Montagner oder ein Algerier war. (An seinem fünfzigsten Geburtstag allerdings war der Vater so betrunken, dass er um vier Uhr früh in Hut und Anzug im Schwimmbecken seiner Freunde Victor und Irene Pfrunder schwamm, in das das Wasser noch nicht eingelassen war. Er kraulte auf dem Betonboden, mit der Zigarette im Mund. Ich war nicht dabei, nicht mehr, denn ich hatte ein paar Stunden zuvor einen Schnitzelbank gesungen – er war einer meiner frühen Show-Erfolge – und war tief beleidigt, als ich nach meinem Auftritt gleich wieder nach Hause musste, ab ins Bett.) Der Vater blieb zu Hause, wenn die Mutter ins Konzert oder ins Theater ging. Er liebte zwar die Musik über alles und das Theater einigermaßen, aber er konnte die Pausen nicht ausstehen, in denen meine Mutter wie eine Königin leuchtete und mit jenem Herrn Doktor oder diesem Herrn Professor Artigkeiten austauschte. »Wunderbar, wie der Paul« – Paul Sacher war der Dirigent des Basler Kammerorchesters – »den Übergang zum Adagio entwickelt hat«: Solche Sätze trieben meinen Vater zur Weißglut. Er starb jung (62), sie wurde alt (82). Ich weiß eigentlich von nichts, was sie gemeinsam hatten. Sie waren Papa und Mama. Ich liebte und brauchte beide. Das vielleicht.

SIMONE kam nie mehr zurück, das sagte ich auch. An ihrer Stelle war plötzlich Hélène im Haus, die so sehr wie Simone war, dass deren Verlust kaum mehr weh tat. Auch sie sprach ausschließlich französisch, und ich verstand sie ebenso gewiss wie Simone. Auch sie war *rondelette,* pummelig, wenn auch ein bisschen weniger. Ihre Haare waren auch nicht so rot wie die Simones, rotblond eher; aber die Frisur war die gleiche. Hélène kicherte und giggelte auch gern, und als sie sich zum ersten Mal mit mir im Gras wälzte, rochen ihre Brust und ihr Bauch ebenso wunderbar. Sie waren aus dem gleichen Dorf, Schwestern oder eher Cousinen, denn sie hatten verschiedene Nachnamen (Pache, Mermod). Hélène hatte Simone sogar etwas voraus. Sie mochte nämlich Lebertran, sie liebte ihn abgöttisch und schlabberte jeden Morgen dankbar die eigentlich für mich bestimmte Portion (einen randvollen Esslöffel). So teilten wir gleich vom ersten Tag an ein Geheimnis. – Mehr noch als Simone liebte Hélène die Spaziergänge zum Wasserturm. Jeden Mittag zogen wir los (es war bald ein heißer Sommer). Es kann sein, dass Nora auch dabei war, in ihrem Kinderwagen liegend. Ich jedenfalls schlurfte in meinen braunen Bata-Sandalen durch den Staub des Fußwegs, bis sie puderweiß waren. Wolken bei jedem Schritt. Ich bückte mich zu jeder Kamillenblüte am Wegrand und zerrieb sie zwischen meinen Fingern. Schnüffelte. Saugte Kleeblüten aus. Pflückte Kornblumen. Erschrak, wenn ein Heuhüpfer jäh hochsprang. (Es gab die kleinen, die nach allen Seiten wegsprühten, und zuweilen auch einen der riesengroßen grünen.) Ich trieb wie ein Hirte, dessen Stock ein Grashalm war, einen Käfer vor mir her. Natürlich schaffte der keine zehn Zentimeter in einer Viertelstunde und kam auch immer wieder vom Weg ab. Hélène war in der Zeit längst ein ferner Punkt weit vorn geworden, bei der Batterie schon, verwarf die Arme und rief etwas, was der Wind so verwehte, dass ich es kaum mehr verstand. *»Allons, mon chou!«* oder *»Viens, on n'a pas toute la journée!«* Ich ließ alles stehen und liegen und rannte in ihre ausgebreiteten Arme. Sie lachte und hob mich auf ihre Schultern, hielt mich an den Beinen fest, sprang mit heftigen Sprüngen vorwärts und wieherte. Sie war Pferd, Esel und Ziegenbock in einem. Zuweilen auch war sie ein Elefant, hielt einen Arm wie einen Rüssel vors Gesicht und ging wiegend. Sie trompetete. Ich krähte vor Glück und steuerte sie an ihren großen Ohren. Der Kinderwagen, falls da ein Kinderwagen war, schlenkerte irgendwie mit. – Um den Wasserturm herum saßen auf einer sitzhohen Mauer Frauen. Mütter, dann und wann auch eine Großmutter und ähnliche Kindermädchen wie Hélène eins war. Ihre Kinder spielten in dem Rund zwischen der Sitzmauer und dem Turm. Wir schaufelten, jeder für sich allein und doch alle gemeinsam, unsere Eimer mit Sand voll und schütteten fremde Gräben zu. Wir bauten Straßen und fuhren, auf den Knien rutschend, mit unsern Dinky-Toys-Autos um Kurven und über Brücken. (Mein bestes Stück war ein rotes Feuerwehrauto mit einer Leiter auf dem Dach, die es bei einem Einsatz auf ebendiesen Straßen verlor.) – Einmal, als wir munter wie immer dem Turm entgegengingen, standen, ganz anders als sonst, alle Mütter, Großmütter, Au-pair-Mädchen und Kinder dicht aneinandergedrängt in einem Klumpen. In einem Menschenknäuel. Niemand sagte ein Wort, ganz anders als sonst, und alle kämpften Hintern an Hintern, stumm drängelnd, miteinander, um besser etwas sehen zu können, von dem ich keine Ahnung hatte, was es sein könnte. Eine der Omas, eine silberhaarige, stand auf der Mauer und reckte den Kopf. Hélène stellte mich sofort auf den Boden – ließ den Kinderwagen stehen, wo er war – und warf sich auch in den Frauenhaufen. Ich rannte hinter ihr drein und wühlte mich zwischen all den Beinen hindurch. Vor mir ein Wald, ein Beinwald, in dem einzelne Kinder zwischen den Stämmen steckten und sich, ebenso stumm wie die Großen, dem Licht auf der andern Waldseite entgegenkämpften. Ich hangelte mich von Wade zu Wade – mit Strumpf, ohne –, und plötzlich *sah* ich: Blut. Eine Blutlache, entsetzlich rot, im weißen Sand. Nichts sonst, nur das viele Blut und den Sand. Ich wollte näher an das Schreckliche heran, aber Hélène, die vielleicht aus ihrer hohen Höhe noch mehr und Grässlicheres sah als ich, kriegte mich zu fassen und riss mich ins Freie zurück. Sie schleifte mich mit sich und stieß den Kinderwagen so heftig vor sich her, dass er steuerlos die Stufen zur Batterie hinunterpolterte. Nora juchzte. Wir rannten den Weg nach Hause zurück, als seien wir auf der Flucht. Ich weiß bis heute nicht, was genau Hélène gesehen hatte – *begriffen* hatte sie jedenfalls –, aber ich weiß inzwischen, wer dort vom Turm in die Tiefe gesprungen war: Lore Berger, jene junge Frau, die zuvor ein Buch geschrieben hatte, in dem sie ihren Geliebten anflehte, sie nicht zu verlassen. Sonst. Es hieß »Der heilige Hügel«, und dieser heilige Hügel war der, auf dem der Wasserturm stand. Wie ich hatte sie jeden Tag auf ihn geschaut, von der andern Seite her. Es war der 14. August 1943.

Hélène ließ den Kinderwagen mit Nora drin vor der Haustür stehen – mich sowieso – und stürzte »Madame! Madame!« schreiend in die Wohnung. Ich rannte die Treppe hoch bis unters Dach, wo eine kleine Terrasse hoch über dem Abgrund schwebte. Ich hielt immer noch den Eimer umkrallt. Fern, jenseits des weiten Felds, leuchtete der Wasserturm, und an seinem Fuß drängte sich immer noch der Menschenknäuel. Selbst von hier aus sah ich das zähe Kämpfen der Frauen. Auf der Terrasse des Turms, hoch oben unter der schimmelgrünen Metallhaube, bewegten sich ein paar Köpfe. Auch sie drängten sich, beugten sich über die Brüstung. Ich ließ keinen von ihnen aus den Augen, als befänden sie sich in einer Gefahr, von der sie nichts wussten. Was sahen sie von da oben? Das Blut, auch sie? Später kam auf der Straße, nah unter mir, ein Mädchen näher. Bea Geiser, ich erkannte sie auch von da oben. Sie hielt eine Tasse in der Hand (das Mehl, das meine Mutter der ihren ausgeliehen hatte) und steuerte unsere Gartentür an. Ich ging zum Waschbecken im Korridor, füllte den Eimer randvoll mit Wasser und schüttete dieses, als Bea tief unter mir der Tür entgegenhüpfte, auf sie hinunter. Das Wasser stürzte wie ein glasklarer Würfel nach unten und zerspritzte auf ihrem Kopf. Sie schrie auf, drehte sich um – kein Mehl mehr in der Tasse – und rannte davon, klatschnass.

UM diesen Frieden herum war Krieg. Er war in Basel nicht zu sehen, kaum, oder eben doch, denn auch für ein Kind – gerade für ein Kind – waren überall seine Zeichen zu erkennen. Meine Eltern sprachen ja auch vom Krieg. Von Göbbels, von Göring und von Himmler. Ich wusste, dass Hitler der Böseste dieser Bösen war. Aber auch die Stimme des Nachrichtensprechers von Radio Beromünster – eigentlich ein Guter in einem guten Sender – bedeutete Gefahr und Bedrohung. Ich fröstelte, wenn ich sie hörte. Jeden Tag um halb eins dröhnte sie aus jedem Haus der Straße. *Jeder* hörte die Mittagsnachrichten: die Schaubs, die Fuchs', die Geisers, die Stauffers. Sogar die weiße Dame. Egal wo ich war, immer war um Punkt halb eins zuerst das Zeitzeichen zu hören – zwei gleiche Töne, ein höherer –, und dann kam die Stimme des Nachrichtensprechers: »Die Nachrichten der Schweizerischen Depeschenagentur.« Nie war die Stimme krank, nie in den Ferien. Sie war verlässlich wie der Krieg selber und verstummte erst, als auch dieser vorüber war. – Überhaupt war das Radio voller bedrohlicher *und* herrlicher Geheimnisse. Der Marconi war sowieso schon, auch ohne Krieg, das Herz des Hauses, weil mein Vater Tag und Nacht Schallplatten anhörte. Aber er war auch so groß – mächtig wie eine Truhe –, dass alle *bambini ticinesi* in ihm Platz fanden. Wenn sie *La montanara* sangen! Hörte ich aus diesem Radio tatsächlich auch Hitler? Oder verwechsle ich inzwischen sein Bellen mit dem meines Vaters, der immer wieder einmal – wenn die Wut ihn sprengte – zu lautstarken Parodien ansetzte? Dann stand er in der Mitte des Wohnzimmers oder auch am Küchentisch, hielt einen Arm erhoben und brüllte: »Wollt ihrr den totalen Krrieg?« Die Freunde um ihn herum lachten, meine Mutter lächelte und war doch froh, wenn er wieder aufhörte. Ich staunte zu ihm hoch und fürchtete mich ein bisschen. – Einmal kam aus dem Marconi die Stimme meines Vaters selbst. Ich war allein im Wohnzimmer, und kein Mensch hatte mir das Ereignis angekündigt. Meine Mutter schien von dem Wunder auch nichts zu wissen – oder war es für sie keins? –, denn sie fuhrwerkte in der Küche oder im Gemüsegarten herum. Ich hockte wie vom Donner gerührt ganz nah am Lautsprecher und rätselte darüber, wie mein Papa in den Marconi hineingekommen war. In diese Kiste, die zwar für die *bambini ticinesi* ausreichen mochte, aber doch nicht für meinen mächtigen Vater! Seine Stimme war die vertraute, das schon; gleichzeitig war sie kälter, ernster, gewichtiger. Fremder. Ich verstand kein Wort. – Dann trat mein Vater ins Zimmer – aus den Lautsprechern kam inzwischen ein lüpfiger Ländler, aber mein Ohr klebte immer noch an ihrem Jutestoff –, und es stellte sich heraus, dass er im Studio am untern Ende der Marignanostraße gewesen und dass es möglich war, seine Stimme von dort bis in unsern Radioapparat zu schicken. Das Studio war so nah, dass ich auch später, wenn er wieder einmal vor dem Mikrophon saß, gar nicht bemerkte, dass er weg war. Er wurde immer wieder zu irgendwelchen Kommentaren oder Diskussionen oder Vorträgen eingeladen, vielleicht, weil er auch im letzten Augenblick noch in Hausjacke und Pantoffeln ins Studio hinunterlaufen konnte. Damals waren die Sendungen *live*. Ein paar Mal ging ich mit ihm. Eine riesige Treppe zum Eingang hin, das Haus dann, hallenhoch, so still, als sei niemand drin. Im Senderaum einer der freundlichen Redakteure, die alle Herr Hausmann hießen. (Als ich, eine Generation später, auch in diesem Studio arbeitete, war Herr Hausmann immer noch da. Der gleiche oder sein Sohn, das habe ich nie herausgekriegt.) Ja, Nora wurde mit allen Hausmännern und dem ganzen Studio so vertraut, dass sie ins Studio spielen ging und einmal, kaum fünf Jahre alt, zusammen mit ihrer Freundin Regula (»Regeli«) sogar, von niemandem beachtet, in den großen Festsaal hineinspazierte, wo auf einem langen Tisch Speisen und Getränke auf wichtige Gäste des Hauses warteten. Nora und Regeli aßen von dem und jenem und vor allem von einer wundervollen Schokoladencreme, die sie aus einer großen Schale löffelten. Die bald hereintretenden Damen und Herren wunderten sich ein bisschen über die beiden Mädchen – und darüber, dass manche der Sandwiches oder Canapés angebissen waren –, und einer der Herren Hausmann fragte sie, was sie denn da trieben. Nichts, sagten sie im Chor. Spielen. Ihre verschmierten Münder verrieten sie, und mit dem Im-Studio-Spielen war es aus. – Herr Hausmann überfuhr auch

Nora mit seinem Auto ums Haar. Kreischende Bremsen, es reichte gerade noch. Wir alle waren sehr aufgeregt, nur Nora nicht, die sagte, im Auto sei ja Herr Hausmann gewesen, der könne sie gar nicht überfahren. »Der kennt mich doch.« – Auf das Dach des Studios war ein riesiges weißes Kreuz in einem roten Feld gemalt, um den alliierten Bombern zu zeigen, dass wir Freunde waren. Keine Deutschen.

Von der Dachterrasse aus – oder auch, wenn ich am Gartenzaun beim Nussbaum vorn stand – sah ich bis ins Elsass und, wenn ich den Blick nach rechts wandte, ins Markgräflerland. Vor mir eine Ebene, in deren Mitte der Rhein glitzerte und die sich, weit im Norden, unter Gewitterwolken verlor, oder in der Polarnacht. Links, blassblau, die Hügel der Vogesen. Näher, rechts, der Isteiner Klotz, ein weißer Felsen, von dem wir mit Respekt sprachen, weil in ihm ein Geschütz verborgen war, das bis zu unserm Haus hätte schießen können und dies – mein Vater und Erwin behaupteten es jedenfalls – einmal auch getan hatte. Ein Querschläger oder Irrläufer, vor dem sich Erwin und mein Vater gerade noch hatten wegducken können. Ich glaubte ihnen nur halb, vor allem weil sie, für einmal ein Herz und eine Seele, herzlich lachten, wenn sie die Geschichte zum Besten gaben. Immerhin war im Verputz ein Loch, aus dem Sand rieselte. – Während der *drôle de guerre* (oder war das später?) schoss die Haubitze zuweilen über den Rhein nach Huningue hinüber. Ein einsamer Knall. Keine Antwort, nie. Keine erkennbare Wirkung auch. – In Weil am Rhein sah ich sogar Menschen, kleine Figuren, die auf der Promenade am Flussufer gingen. Sie taten nichts Besonderes. Ich wusste aber, dass sie böse waren. Einmal führte ein Mann ein Pferd am Zügel, und ich versuchte zu entscheiden, ob auch das Pferd ein böses war, oder eher ein armes, weil es in der Gewalt des bösen Manns war. (Später, viel später lernte ich die Schauspielerin Hilde Ziegler kennen. Sie war gleich alt wie ich und in ebendiesem Weil am Rhein aufgewachsen. Oft – so erzählte sie es, und sie beschrieb es auch in einem berührenden Erinnerungsbuch – hatte sie da am Rheinufer gestanden und nach Basel hinübergeblickt. Ins Land ohne Krieg. Vielleicht war sie eine der Menschenfiguren gewesen. Vielleicht hatte auch sie mich gesehen, wie ich zu ihr hinschaute, zu den Bösen.) – Wenn ich an den Stacheldrahtrollen der Grenze entlangging, zitterte ich um die Vögel, die ahnungslos und unbekümmert herumflogen. Mal saßen sie hier auf einem Ast, mal dort. Wenn ihnen drüben etwas Entsetzliches geschah! Ich bemitleidete die Bäume, die das Pech hatten, auf der andern Seite wurzeln zu müssen, um Meter nur getrennt von ihren Artgenossen, die ein gütiges Schicksal auf unserer Seite wachsen ließ. – Auch gab es keine Autos. Die Milch wurde von einem Wagen gebracht (»Banga«), der von einem Pferd gezogen wurde, das von ganz allein wusste, wann es innehalten musste. Doch, Herr Doktor Massini hatte ein Auto. Einen Opel Olympia mit einem Holzvergaser, der, eine Art Kochkessel, am Heck hing. (Herr Doktor Massini sagte alles zweimal. Alles, immer. »Guets Tägeli, guets Tägeli«, sagte er, wenn er das Zimmer betrat. »Was ist uns denn heute passiert? Was ist uns denn heute passiert?« Dann musste ich ihm die Zunge herausstrecken – Löffel, »Ahh!«, Würgreiz –, und er prüfte mein Gehör. »Einundzwanzig«, flüsterte er. »Einundzwanzig.« Er sagte *immer* »einundzwanzig«, so dass ich auch dann ein gutes Gehör attestiert bekam, wenn ich ihn nicht verstanden hatte.) – In den Nächten zogen wir dicke schwarze Vorhänge vor die Fenster, und tatsächlich klingelten einmal zwei Kontrollpersonen (Hilfsdienstler, die zu nichts anderem zu gebrauchen waren) mitten in der Nacht an der Haustür und wiesen streng auf einen winzig schmalen Lichtstreif, der neben den Vorhängen ins Freie drang. Selbst meine Mutter, überordentlich und obrigkeitshörig, tippte sich an die Stirn, als sie wieder abgezogen waren. – Wenn ich einmal nachts auf die Straße durfte (an Weihnachten, wenn wir von den Großeltern oder Tante Nettel zurückkamen), erregte mich die *völlige* Dunkelheit. Es war, als habe Hitler sich auch das Licht der Sterne verbeten und als gehorche ihm, wie schon die Erde, auch der Himmel. Hie und da kam mir ein Glühpunkt entgegengeschwebt, die Zigarettenglut eines Passanten, der uns ausweichen konnte, weil auch mein Vater sein Positionslicht vor dem Mund hertrug. Die Straßenbahn tauchte aus dem Nichts auf. Auch sie hatte vorn ein blauschimmerndes Licht. Innen dann (schwarze Vorhänge auch hier) war es hell. – Der Garten war eine Plantage. Kartoffeln und Kohlköpfe bis zum fernen Zaun. Alle außer meinem Vater halfen mit. (Er wurde nach einem einzigen Versuch freigestellt, nachdem er eine Gießkanne über Erwins Hosen gegossen, eine Schubkarre voller Unkraut umgekippt und ein halbes Erdbeerbeet zertrampelt hatte.) Meine Mutter aber wurde eine derart passionierte Gärtnerin, dass sie mehr oder weniger immer im Garten zu finden war. Ich war stets in ihrer Nähe. Schürze, Gießkanne, Schaufel. Gartenschuhe, die die alten Sonntagsschuhe von Thomas waren und dreckig bleiben durften. Ich verbrachte Stunden zwischen Bohnen und Erbsen und sammelte Kartoffelkäfer in eine Henkeltasse. Meine Mutter kauerte bei den Zucchini oder Zwiebeln. Irgendwo war auch Erwin. (Es gibt eine Erinnerung – ich beim Wasserfass –, wie meine Mutter und Erwin zwischen den Tomatenstauden stehen, nah beieinander, zwischen knallroten Früchten, und erregt aufeinander einreden. Erwin dann eilig ins Haus gehend. Ein Krach? Was sonst? Ich jedenfalls kauerte mich hinter dem Fass nieder, als hätte ich etwas gesehen, was ich nicht hätte sehen dürfen.) – Es waren die Jahre, in denen die Chemie ihre ersten Triumphe feierte. Meine Mutter hantierte ohne die geringste Sorge mit Kanistern voller tödlicher Säuren und mit Giftpulversäcken herum – ich mit ihr, mitten in dem Gesprüh und den Pulverwolken drin –, dies gewiss auch, weil Basel eine Chemiestadt war und ihr Vater – ein Chemiker im Labor zuerst, am Ende ein Vizedirektor – in der CIBA gearbeitet hatte. Sie schüttete so viel Pulver über die Kartoffeln, dass ich hätte meinen können, es habe geschneit, und aus einem Metallrucksack pumpte sie ein Gesprüh über den Blumenkohl oder eher noch die Him- und Brombeeren, bis diese blau waren. Alles wurde blau, die Schuhe, die Hosen, die Wege, die Haare, der Schuppen, die Mäuse, die auf ihren ebenfalls blauen Wegen von Loch zu Loch flitzten. Ich schleckte damals so viel Gift, atmete es ein, dass ich den Umweltdreck, dem wir heute ausgesetzt sind, als die reine Natur empfinde. Es war die Zeit, in der die Bauern – und also auch meine Mutter – alle Dosierungen, die auf der Packung empfohlen wurden, verdoppelten. Denn doppelt so viel war auch doppelt so gut. – Irgendwie gehörten auch die Maikäfer zum Krieg. Tausende schwarze Punkte – Hunderttausende eher – schwirrten jeden Abend im letzten Licht der längst untergegangenen Sonne herum. Wir hielten Leintücher in die Höhe, in die die Käfer hinein-prasselten. Es klang wie ein Platzregen. Ich schaufelte die Käfer in einen Eimer, und irgendwer brachte sie am nächs-ten Tag zu einer Sammelstelle. Der Liter brachte einen Rappen oder fünf. Einen Sommer lang stanken alle Eier nach Maikäfer, dann kam man wieder davon ab, sie den Hühnern zu verfüttern. Und natürlich war da dieses Lied, das ich vor mich hin summte, obwohl ich mich vor ihm fürchtete, und in dem ein Maikäfer flog, der Vater im Krieg und die Mutter im Pommerland war. Ich hatte keine Ah-nung, wo Pommerland lag – weit weg gewiss –, aber es war abgebrannt und konnte kein guter Ort sein. – In der ganzen Riesenwohnung gab es nur noch ein geheiztes Zimmer, das kleinste, in dem wir uns also, als es Winter wurde, alle vier aufhielten. Tag und Nacht, so kommt es mir vor, obwohl es das Schlafzimmer von Mama und Papa war und wir Kinder gewiss weiterhin in unsern vertrauten Betten schliefen, bis zur Nasenspitze eingemummelt unter Decken und Feder-betten und mit einer Bettflasche an den Füßen. Die Mutter nähte, flickte und strickte und redete, der Vater tippte auf seiner Maschine oder blätterte im *Littré* – er hatte die Fä-higkeit, sich gegen jedes Außengeräusch so abzuschotten, dass man ihn anstupsen musste, damit er zuhörte –, und Nora und ich spielten mit unsern Stoffnegern, die jeder eine von meiner Mutter gestrickte Hose und Jacke trugen. Noras Neger war leuchtend orange, meiner dumpf grün. Das Zimmer hieß »die Wärme«. »Komm in die Wärme, Uti!«

Wir aßen sogar in der Wärme, und meine Mutter kochte im Mantel in der eisigen Küche. – Auch war es die Zeit, da man jedes Mal den Lichtschalter drückte – eine einsame 25-Watt-Glühlampe an der Decke –, wenn man ein Zimmer betrat. Man drückte ihn erneut, wenn man das Zimmer verließ, und sei es nur für ein paar Augenblicke. Das Gleiche im Korridor. Licht an, die zehn Schritte bis zu seinem Ende, Licht aus. »Liiiicht aus!«: Dieser Ruf war ein Leitmotiv meiner jungen Jahre. – Mein Vater war dann weg. Hie und da nur tauchte er (auf einem Fahrrad?) auf, in einer Soldatenuniform jedenfalls, die er zu Hause auszog und mir überließ. So rumpelte ich in viel zu großen Nagelschuhen, mit einer feldgrauen Mütze, die mir bis über die Ohren und Augen hing, und mit allerlei Lederzeug um Brust und Bauch herum durch die Wohnung und in den Garten hinaus, grüßte Astor, indem ich die Hand an den Käppirand legte, und blickte drohend zu den Ländern des Feinds hinüber. Das Bajonett schlug bei jedem Schritt gegen meine Beine. Dann bewachte ich Haus und Garten, bis mich mein Vater rief, weil er sein Zeug wieder brauchte. Er hatte nun seine Uniform wieder an, schnallte das ganze Lederzeug um (in den Munitionstaschen waren seine Zigaretten), schnürte die Schuhe, hob mich hoch, gab mir einen Kuss und zog erneut in den Krieg.

EINMAL stand ich im Kornfeld hinter dem Haus, ein Dutzend Meter von dem Feldweg entfernt, der dem Gartenzaun entlang zur Straße hinunterführte und gleich vor mir eine Abzweigung hatte, von der aus ein ebenso schmaler

Schotterweg nach Binningen ging. Fern der Wald. Ein blauer Himmel. Hitze. In unserm Garten brannte ein Feuer. Ich, keine Ahnung, was ich da in dem Getreidefeld tat. Nichts, ich stand. Plötzlich tauchte auf dem Weg ein Mann auf. Weit weg, beim Nussbaum oben. Er rannte, und ich wusste sofort, dass das kein gutes Rennen war. So rannte man, wenn man auf der Flucht war. Er kam näher. Bald hörte ich sein Keuchen und sah sein schweißüberströmtes Gesicht. Er war tatsächlich in Lumpen: Hemd, Hose, Jacke, alles farblos und zerschlissen. Er war nun ganz nah – hatte panische Augen, die mir keinen Blick gönnten –, bog in den Weg nach Binningen ab, wurde kleiner und kleiner und verschwand endlich im Wald. Als er weg war, wurden, wieder beim Nussbaum, zwei weitere Männer sichtbar. Sie hielten einen Hund an der Leine, einen Schäferhund, der die Nase am Boden hielt und an seiner Leine zerrte, obwohl auch diese Männer schnell liefen. Sie rannten selbstsicherer, so wie jemand läuft, der recht hat. Auch sie kamen näher. Ein großer stämmiger Mann und ein etwas kleinerer. Sie keuchten auch, aber weniger gehetzt. Polizisten, ja, da war ich mir sicher, obwohl sie zivile Kleider anhatten. Hielt einer einen Revolver in der Hand? Als sie nahe bei mir waren, rief der Große, ohne seine Schritte zu verlangsamen: »Wohin ist er?« Ich deutete zum Weg nach Binningen. Der Hund wusste es auch schon. Die beiden Verfolger bogen ab und rannten ebenfalls dem Wald zu. Ich sah ihnen nach. Ich hatte meinen ersten Verrat begangen.

DER Krieg ging dann so weiter. In den Nächten brummten die Geschwader der britischen Bomber über unser Haus hinweg. Ein tödlich drohendes Donnern. (Als ich Jahre später den Film *Der längste Tag* ansah, haute mich der Anfang fast aus dem Sessel. Ich war *darauf* nicht gefasst. Denn noch bevor das Filmbild überhaupt sichtbar wurde – sicher drei, vier Sekunden lang –, war *nur* dieses bedrohliche Himmelsgebrumm zu hören. Für ein paar Augenblicke lang lag ich wieder in meinem Kinderbett und presste mit aller Kraft die Augen zu, um das Todesgedröhn nicht hören zu müssen.) – Diese Bomber oder sonstwer warfen Tausende metallglitzernder Stanniolstreifen ab, die am Morgen überall im Garten lagen und die ich einsammelte. (Sie sollten das Radar der Wehrmacht irritieren, aber ich habe bis heute nicht begriffen, wie.) – Einmal auch waren wir auf der Dachterrasse, und fern, hinter Kembs, stürzte ein Flugzeug aus dem Himmel. Eine Rauchfahne. – Und an einem ganz normalen Nachmittag endlich dröhnte unvermittelt ein gänzlich neuer Lärm aus der Stadt zu uns herauf. Keine Luftschutzsirenen zuvor, da bin ich mir sicher, auch die Sirene auf dem Radiostudio, ein schwarzer Topf auf einem schwarzen Metallstab, wurde überrascht. Ein Desaster, etwas ganz Tolles. Ich zögerte keinen Moment lang und fegte auf dem Fahrrad meiner Mutter die Kehren der Bruderholzstraße hinunter. (Ich war jetzt sieben Jahre alt.) Ich fand den Ort des Geschehens sofort. Die Tellstraße war bombardiert worden. (Die Geleise des Bahnhofs auch, das erfuhr ich später.) Rauch, Trümmer. Viele Menschen. In ein Haus konnte ich hineinsehen, weil die ganze Vorderfront fehlte. Eine Stehlampe auf einem Fußbodenrest, oben im ersten Stock. Ein Stuhl. (In dem Haus hatte ein Lehrer meiner späteren Schule gewohnt, Max Wagner, ein Mann von hoher Eleganz, dessen fixfertige Dissertation dem irregeleiteten Angriff der Amerikaner zum Opfer fiel und die nochmals zu schreiben er nicht gewillt war.) Als ich am späten Abend endlich wieder zu Hause war, rot vor Aufregung, waren meine Eltern so angstdurchschüttelt, dass sie nicht einmal mit mir schimpften. (Oder bin ich doch erst am nächsten Tag hinuntergefahren? Ich konnte nämlich ungehindert in der Straße herumlaufen, und die Menschen um mich herum waren eher Neugierige als Polizisten, Sanitäter oder Feuerwehrleute. Meine Eltern waren vielleicht so ruhig, weil sie gar keine Angst um mich hatten.) – An den 8. Mai 1945 habe ich keine besonderen Erinnerungen. Kirchen gab es bei uns oben keine – die Glocken läuteten im ganzen Land, sagt man –, und falls Mama eine besondere Flasche Wein öffnete und Papa für einmal mittrank, deutete ich das falsch.

DER Schock kam nach dem Ende des Kriegs. Ich weiß nicht, wann genau. Bald. Mein Vater zeigte mir die Bilder von Auschwitz. Sicher hatte er sie eben erst gekriegt, woher auch immer, gewiss war er erschüttert. Aber ich weiß nichts mehr von ihm, von *seinem* Entsetzen. Wir waren im Wohnzimmer, das glaube ich noch zu wissen, die Bilder lagen auf dem Kaffeetisch. Ich sehe mich – ein Filter der Erinnerung –, wie ich die Bilder sehe, in einer Art Schreckstarre. Ein Bild nach dem andern. Mein Vater schwieg und ließ mir jede Zeit der Erde. Die Brillen. Die übereinandergestapelten Leichen. Die nackten Menschen am Rand der Grube, in der schon andere lagen; hinter ihnen die schwarzen Mörder mit ihren Gewehren. Der Bub mit dem verlorenen Blick und dem Judenstern. Die Befreiten der KZS, beinah schon tot und so erschöpft, dass in ihren Augen auch jetzt keine Hoffnung war. Kann sein, dass mein Vater mir dann erklärte, was ich sah. Es war sicher so. Ich war ja kaum acht Jahre alt. Aber ich weiß nur noch, was die Augen sahen. Ich sehe diese Bilder heute noch mit den Augen von damals. – Eine Weile lang, groß geworden, dachte ich, dass ich sie zu früh gesehen hatte. Heute weiß ich, dass ich sie gerade zur rechten Zeit sah, zu *ihrer* Zeit, denn ein solches Entsetzen auch nur eine Minute lang zu verschweigen wäre unmöglich gewesen und hätte unsere Welt verstummen lassen. Vielleicht hat es mein Vater einen Tag lang versucht. Aber er war keiner, der eine solche Ungeheuerlichkeit aushalten konnte, wenn nicht alle andern, auch ich, davon wussten. – Nora? Sie war kaum vier. (Und Hiroshima dann. Die kahle Ebene, die einmal eine Stadt gewesen war. Die Mauer mit dem eingebrannten Schatten.)

IN dieser Zeit wurde ich krank. Nein, zuvor, kurz zuvor. Ich war fünf oder auch schon sieben Jahre alt. Jedenfalls war es heiß und sehr hell. Unerträglich hell. Wenn auch nur ein kleiner Sonnenstrahl an den zugezogenen Vorhängen vorbei mein Auge erreichte, heulte ich auf vor Schmerz. Wenn meine Eltern später von dieser Krankheit sprachen, nannten sie sie zuweilen Hirnhautreizung, dann wieder Hirnhautentzündung. Ich hatte hohes Fieber und delirierte. Bilderwelten überschwemmten mich, es war, als ob ich mich im Kreis drehte oder in einem Strudel wirbelte. Im Mahlstrom meines Hirns, der mich nach unten saugte und mich verschlingen wollte. Ich schlug um mich, gab mich hin, erschöpft, wehrte mich erneut. Ein paar von den Fratzengespenstern, die mich heimsuchten, die mich bedrängten, die mich umbringen wollten, werden auch heute noch in Panikanfällen (tagsüber) oder Albträumen (nachts) in mir hochgespült. Schattengesichter, oft in ein grünes Licht getaucht, schwimmen dann an mir vorüber, bilden sich immer neu, verändern immerfort ihre Gestalt und ihre Gesichtszüge. Klein und fast anmutig sekundenlang, dann wieder riesig mit aufgerissenem Maul und schwarzen Zähnen. Immer noch starre ich die Gespenster von damals mit einer Mischung aus panischem Schrecken und erregter Neugier an und hoffe, eine dieser Erscheinungen für ein paar Sekunden so festhalten zu können, dass ich sie erkenne. Als könnte sie die Lösung für ein Geheimnis sein, dessen Inhalt ich nicht einmal erahne. Aber immer lösen sich die Bilder auf, bevor ich sie mir genauer ansehen kann.

Ich hatte einen Traum – mein Fieber war auf 42 Grad hochgeklettert –, in dem meine Mutter und mein Vater kopfüber im Klo hingen, dessen Schüssel sie bis zum Rand füllten und dessen Spülwasser ich dennoch sah. Es rann unaufhörlich. Vater und Mutter sahen wie Zuckerhüte aus – ich hatte noch nie einen gesehen –, sie *waren* Zuckerhüte und lösten sich in dem Wasser unaufhaltsam auf. Sie wurden kleiner und kleiner, vom Kopf her weggeschwemmt, bis sie ganz verschwunden waren. Oder eben doch nicht ganz, denn ich lebe ja noch. Ich schrie, schrie und krallte mich am Arm meiner Mutter fest, die neben meinem Bett saß und vielleicht auch der Vater war. Ich sagte immer wieder, flehend, beschwörend, dass ich nicht sterben wolle, »weil heute Freitag ist«. Es *war* ein Freitag, das haben mir meine Eltern später bestätigt. Der Sinn des Arguments ist mir bis heute verschlossen geblieben. Aber immer noch ist der Freitag ein besonderer Tag, voller magischer Gefahren. – Ich brauchte lange Zeit, mich zu erholen (als ich, im Esszimmer auf einer Couch liegend, keinerlei Licht ertrug), und war dann doch eines Tags wieder im Leben zurück. Herr Doktor Massini zog die Vorhänge zurück. »Jetzt brauchen wir doch wieder ein bisschen Sonne«, sagte er. »Jetzt brauchen wir doch wieder ein bisschen Sonne.« Ich setzte mich im Bett auf, blinzelte. »Einundzwanzig«, sagte ich. »Einundzwanzig.« Herr Doktor Massini lächelte und nickte zweimal. Ich ging, auf wackligen Beinen und im Nachthemd, zum Fenster und sah den Opel Olympia, wie er mit seinem Holzvergaser am Heck davonrauchte.

FRANZJOGGI wurde mein bester Freund. Mein erster und vielleicht – trotz Max, viel später – mein bester bester Freund. Nie mehr später war ich so selbstverständlich hingegeben. Franzjoggi wohnte – und wohnt heute noch! – in dem Haus, das unserm am nächsten stand, in Rufweite auf der andern Seite eines breiten Ackers, auf dem Getreide oder Klee und zuweilen auch nichts wuchs, nah genug immerhin, dass wir einmal eine Seilbahn aus Franzjoggis Estrich zu meinem Parterrefenster zu bauen versuchten. Sie war gewiss die längste Seilbahn der Welt, des Bruderholzes auf jeden Fall, und ich kann mich nicht erinnern, dass sie jemals funktionierte. Allein schon das Montieren des Tragseils (eine ganze Schnurrolle reichte nicht aus) war eine technische Herausforderung. Immer wieder verhedderten sich Trag- und Zugseil, die Kabine (eine rotbemalte Schuhschachtel mit Fenstern und einer Schiebetür aus Karton) kippte bei der Jungfernfahrt und ließ die Passagiere (zwei meiner Indianer aus so etwas wie braunem Gips und zwei Soldaten aus Franzjoggis Spielzeugarmee) in den Tod stürzen. Die Kabine hing blockiert über dem Ährenfeld, und wir mussten das Tragseil kappen, um sie zu befreien. – Noch länger beschäftigte uns der Bau eines Elektromotors, dessen Bauplan wir dem *Helveticus* entnahmen und den wir auch nie zum Laufen brachten. Die Wicklungen aus Kupferdraht misslangen mir so, dass sie, statt glatt nebeneinanderzuliegen, wie auf einer Gabel aufgerollte Spaghetti aussahen. Das Ganze war auf einem Holzbrettchen montiert, und eine Nescafé-Büchse spielte auch eine Rolle. Als wir den Motor unter Strom setzten, ein einziges Mal, rauchte er ein bisschen und stank. Auch haute es die Sicherung raus. – Ich sagte zu Franzjoggi, der eigentlich Franz Jakob hieß, immer nur Migger, und er sagte ebenfalls Migger zu mir. Zwei Migger, ein Herz und eine Seele. Migger war drei oder gar vier Jahre älter als ich, aber ich spürte keine bedeutsamen Unterschiede zwischen uns. Er ermöglichte mir, um Jahre älter zu werden als ich es allein war, und ich erlaubte ihm, hemmungslos so ein Kindskopf zu sein wie ich einer war. Beim ersten Treffen – ich vermag mich nicht zu erinnern – soll er am Gartenzaun gestanden, meine Mutter ins Auge gefasst und mit einem tiefernsten

Gesicht gesagt haben: »Du hast einen Kopf wie ein Kabis.«
Ich neben meiner Mutter, nicht älter als zwei Jahre. Meine
Mutter, deren Kopf nichts Kohlartiges aufwies, freute sich
über das Kompliment, und Migger wurde ein ständiger
Gast bei uns. Er nahm mich in die weite Welt mit, in die
hineinzugehen ich bis dahin nie erwogen hatte. Die fernen
Häuser, die Wälder, die Wiesen, die Gärten: Dass ich da
hingehen könnte, ich, selber, allein und einfach so, das war
ein undenkbarer Gedanke gewesen. Mit Migger schlich ich
durch alle Gärten, ging über die Felder, in den Furchen
zwischen den Kartoffeln und zwischen Löwenzahnblüten
oder Mohn durch die Wiesen, bestieg den Kirschbaum neben dem Hundezwinger – Carino hilflos zu mir hochbel-
lend – und auch die bezwingbaren Äste des Nussbaums.
Ich trat jetzt selber Labyrinthe, in die Maisfelder nun aber!,
und fürchtete mich trotzdem, wenn ich raschelnd und rau-
schend zwischen den hohen Stauden ging, in denen ich ja
tatsächlich einem Wildschwein begegnen konnte. Wir lau-
erten am Steinmäuerchen von Herrn Kramers Garten Eidechsen auf, die so scheu waren, dass ein kleines Hauchen,
ein Augenblinzeln genügte, sie in ihre Steinhöhlen zurück-
zuscheuchen. Ihr Kopf, ihre aufmerksamen Augen. Auf
den Seiten des Halses pulsierte das, was ich für das Herz
der Eidechse hielt. Manchmal traute sich doch endlich eine
ins Freie, und ich versuchte, sie mit einem schnellen Griff
zu erhaschen. Es misslang mir immer, glaube ich. Gewiss
jedenfalls machte ich die Erfahrung, dass Eidechsen in Not
tatsächlich ihren Schwanz abkoppeln können. Schwänze
fingen wir nämlich einige, Migger und ich. Nur keine ganzen Eidechsen. Da saßen wir dann, wir Wilderer, mit einem

Schwanzstummel in der Hand, dessen Schuppen, als wir sie unter einer Lupe ansahen, denen eines Drachen glichen. – Wir aßen die reifen Kirschen auf den noch nicht abgeernteten Bäumen, und einmal, Ehrenwort!, schoss der Bannwart auf uns mit dem Schrotgewehr, besoffen grölend und die Arme verwerfend. Wir rannten davon wie die Hasen. Ich wusste ja, was der Bannwart (»Bammert«) mit Buben machte, die er angeschossen hatte. Er nahm sie an den Beinen und schlug ihre Köpfe so lange gegen die Ackerschollen, bis sie tot waren.

Der Garten der Villa von Herrn Kramer war ein Herzstück unsrer Spiele. Nämlich, Herr Kramer – ich weiß bis heute nicht, warum das so war – war nie zu Hause, tagsüber jedenfalls sicher nicht, und also gehörte der wunderbar verwilderte Garten uns. Wir konnten in ihm sogar ungesehen Nielen rauchen. Eine dichte Buchsbaumhecke verbarg uns. – Herr Kramers Garten grenzte an einen andern, der nun allerdings prächtig aufgeräumt und voller exotischer Blumen war und in den wir uns nie hineingetrauten. Erstens, weil die Nachbarin, im Gegensatz zu Herrn Kramer, *immer* zu Hause war – so kam es uns jedenfalls vor –, und zweitens, weil sie uns Angst und Schrecken einjagte. Wir hielten sie für so etwas wie eine Zauberin oder eine Hexe. Sie hatte ein stolzes Gesicht, eins aus einer andern Welt als der unsern (Adel, oder ein Feengeschlecht aus alten Zeiten), und trug weiße Kleider. Sommer und Winter: weiß. Sie hatte, in der respektlosen Sprache meines Vaters, eine Meise; während meine Mutter weit respektvoller von ihr sprach. Mit einem der Nachbarn, gar mit uns Kindern, wechselte sie nie ein Wort. Wahrscheinlich sprach sie eine Sprache, die wir gar nicht verstanden hätten. Sie hatte ihren Garten mit Stolperdrähten ausgelegt, die, wenn man sie berührte, eine Sirene (und, sagte man, einen Alarm im Polizeiposten) auslösten. Wir tappten aber nie in ihre Falle. Sie jedoch erging sich fast jeden Abend in ihrem Garten, weiß mit einem weißen Sonnenschirm in einer Hand, die von einem weißen, bis zum Ellbogen reichenden Handschuh geschützt war, beugte sich anmutig über weiße Rosen oder ein Maßliebchen oder griff nach einem Ast des Zierkirschenbaums: Und schon heulte die Sirene los. Ihr Pudel, weiß auch er, raste bellend im Kreis herum, und sie stand hochaufgerichtet da und suchte mit flackernden Augen den Eindringling zu entdecken. – Als ich sehr erwachsen war, vor ein, zwei Jahren erst, erfuhr ich, dass sie die Schwester von Herrn Kramer war. Fräulein Kramer! Eine Ärztin! Vielleicht behandelte sie nur weiße Krankheiten. Den weißen Fluss, den Milchschorf, den Albinismus, die Weißglut.

In einem glühenden Sommer (nach dem Krieg gab es zwei oder drei Sommer, in denen die Wälder von selber explodierten und Getreidefelder einfach so in Flammen standen) wollte Franzjoggi mir und sich beweisen, dass es bei dieser Sonne möglich war, mit einer gewöhnlichen Lupe (die, mit der wir uns auch die Eidechsenschwänze angesehen hatten) Gras in Flammen zu setzen. Es zeigte sich, dass das sogar leicht möglich war. Wir hatten das Gras vor der Eidechsenmauer der Villa Herrn Kramers ausgewählt, über dem der Buchsbaum wuchs. Die Böschung stand sofort in Flammen, und ein paar Minuten später brannten schon die ersten Buchsbäume. Qualm, Prasseln, ein Inferno. Wir rannten davon, jeder in sein Haus. Irgendwer, der kein Kind war, bemerkte den Brand auch und rief die Feuerwehr. Diese kam nach etwa einer Viertelstunde – nun brannte die ganze eine Heckenseite – in Form eines gelassen dahertuckernden Motorradfahrers, der angesichts der Flammen nun doch angemessen aktiv wurde und ins Telefon meiner Eltern hineinrief, er brauche einen ganzen Löschzug, und zwar subito. Ich zog mich auf die kleine Terrasse hoch oben zurück (die, von der aus ich Bea Geiser nassgespritzt hatte) und sah auf die haushohen Flammen, die nun ernsthaft drohten, die Kramer'sche Villa in Brand zu setzen. In ihrem Garten zeterte die weiße Dame, und ihre Sirene heulte für einmal mit gutem Grund. Die Feuerwehr kam, ein Dutzend Männer rannten herum, rollten Schläuche aus, spritzten aus allen Rohren und löschten den Brand. Der Garten sah jetzt aus wie nach einer Katastrophe. Das Gras ein nasser Schlamm. Die Buchsbäume schwarze Stummel. Rauch immer noch, da und dort. Die Großen standen auf der Straße beieinander und sagten, was das für ein Sommer sei, wo die Bäume ganz von selber anfingen zu brennen. Ich, ich traute mich noch lange nicht von meinem Balkon hinunter.

Es gab keinen Tag, an dem Migger und ich nicht zusammensteckten, und ich war mit einer Selbstverständlichkeit in seinem Haus, als sei ich ein Teil der Familie. Seine Eltern waren so anders als meine. So normal. Seine Mama war dick und lachte ununterbrochen – Migger nannte sie »Motte« –, und der Vater, ernster, arbeitete im Elektrizitätswerk, kam abends im Blaumann nach Hause, hieb mit einem Handkantenschlag eine Bierflasche auf und ließ Migger und mich den Schaum trinken. – Einmal bestritten wir einen Marathonlauf mit Massenstart. Die Masse bestand aus Migger, seiner Schwester Ursula und mir, aber wir hatten eine Start- und Ziellinie quer über die Straße gezogen und trugen sehr offiziell aussehende Startnummern, die wir mit Sicherheitsnadeln auf das Trikot geheftet hatten. Ich hatte, obwohl wir ja nur drei waren, die 122. Gewiss wegen unserer Hausnummer. Marignanostraße 122. Der Start war um fünf Uhr früh, Gott weiß warum. Entweder damit uns niemand sah oder weil die Sonne später zu heiß brannte. Die Route führte die Marignanostraße hinunter, durch die Novarastraße, die ganze Bruderholzallee hoch bis zur Schule und zurück. Franzjoggi – jetzt zeigten sich seine vier Jahre Vorsprung deutlich – fegte wie eine Kampfmaschine davon, und mir gelang es immerhin, Ursula auf Distanz zu halten, die gleich alt wie ich, aber doppelt so dick war. Die Streckendistanz war zwar nicht 42,532 Kilometer, wie es sich für einen echten Marathonlauf gehört hätte, sondern eher so was wie drei oder vier Kilometer. Eine tüchtige Distanz dennoch. Es tat weh, noch weit auf dem Hinweg (vor dem Haus, in dem später Walter Muschg, mein Universitätslehrer, wohnen sollte) dem zurückkommenden Franzjoggi zu begegnen, der ohne einen Blick oder gar ein Lächeln an mir vorbeischnaufte. Er trug die Nummer 42, obwohl er in der 110 der Marignanostraße wohnte. Ich traute mich nicht, einfach auch umzukehren. Ich hatte meine hohen Ideale als Langstreckenläufer, und zudem lief Ursula unermüdlich hinter mir (mit der 12 auf der Brust). Ich rannte ebenfalls ohne eine Regung an ihr vorbei, als ich ihr auf dem Rückweg begegnete. Sie benutzte die Begegnung allerdings sofort dazu, das Rennen aufzugeben und im Tempo eines

Mädchens zum Ziel zurückzubummeln. Natürlich holte ich Franzjoggi nicht mehr ein, Migger, aber einen Podestplatz hatte ich auf sicher. Bei der nachfolgenden Siegerehrung, an der als applaudierendes Publikum auch Nora, Regeli, Vreni Fuchs, Maja Staufer, Agi Geiser und sogar Bea teilnahmen, musste Ursula, von einer Teilnehmerin zur Ehrendame auf- oder abgestiegen, uns Medaillen umhängen. Franzjoggi eine goldene, mir eine silberne. Er hatte sie – und auch eine kupferne – am Abend vorher aus Büchsendeckeln gebastelt. Nescafé, Leckerli, Zigarillos. Ursula kriegte nichts, nicht einmal einen Trost. Aufgegeben war aufgegeben. Immerhin durfte sie ihre Basler Tracht anziehen und uns, die wir auf zwei verschieden hohen Podesten standen, die Wangen küssen.

Irgendwann war unsere gemeinsame Zeit vorbei. An einem Sommertag (1948, ich war jetzt zehn) alberten wir ein letztes Mal herum – so als lägen noch unzählige gemeinsame Jahre vor uns und voller Ahnungen, dass dem nicht so war –, denn während wir so taten, als sei alles wie immer, trugen Männer in Übergewändern unsere Möbel in einen roten Lastwagen, auf dem »Keller« stand. Migger und ich warfen eine Matratze aus dem Fenster der Mansarde in die Garageneinfahrt hinunter und hörten, während wir uns hinter der Fensterbrüstung versteckten, meine Mutter hinaufschimpfen. – Einmal später sah ich Migger noch, meinen Migger. Er kam mit der Straßenbahn an den Ort, an dem ich nun war (das war weit weg, aber Migger war jetzt vierzehn Jahre alt und konnte allein Straßenbahn fahren). Auch er hatte Sehnsucht nach mir. Wir sprengten zusammen einen Brunnen in die Luft, das heißt, Migger sprengte, und ich schaute billigend zu. Noch einmal rannten wir wie die Hasen. – Ich habe Migger seither nie mehr gesehen. Er lebte und lebt sein Leben, ich lebe meines. Wir haben jedoch einen Briefwechsel. Um genau zu sein, wir wechselten einen Brief. Er schrieb mir, und ich antwortete ihm. Oder umgekehrt. Einmal, vor nicht allzu langer Zeit erst.

NATÜRLICH ging ich auch in die Schule. Ich habe keine sonderlich tiefen Erinnerungen an sie. Eine Ausnahme: mein erster Schultag. Mein erster Tag im Kindergarten, um genau zu sein, dessen Gebäude neben den beiden Gebäuden der Schule der Großen stand und genau gleich aussah. Eingeschossige Trakte mit Flachdächern und Fenstern, die bis zum Boden hinabreichten. Zwischen den Gebäudeflügeln Grasflächen voller Blumen und mit einem Wasserbecken, in dem Seerosen schwammen. Bienen, Schmetterlinge. Es war fürchterlich. Völlig entsetzlich, tödlich. Meine Mutter schleppte mich – ich war fünf oder bald sechs Jahre alt – an einem steifen Arm (*mein* Arm war steif) die Marignanostraße hinunter (ich wehrte mich und schrie), durch die Novarastraße (ich brüllte), vorbei am Restaurant Bruderholz (ich war blind vor Angst), die Bruderholzallee hinauf (ein Vieh, das man zur Schlachtbank führte), durch die Peter-Ochs-Straße (befreite mich denn niemand?) und einen namenlosen Weg, eine Art Hohle Gasse zwischen Gebüschen. Mein späterer Schulweg, der dann auch die Marathonlaufstrecke war. Inzwischen hatte ich einen puterroten Kopf, einen schräg nach hinten gelehnten brettersteifen Körper und starre Beine mit Schuhen, deren Absätze sich in den

Kies des Fußwegs gruben, wenn meine Mutter versuchte, mich wieder ein paar Meter weiterzubringen. Als wir beim Kindergarten ankamen, waren wir natürlich viel zu spät. Ich schrie nun wie am Spieß und konnte nur deshalb nicht fliehen (panisch, durch die Felder, in die Wälder), weil meine Mutter mich mit Eisenhänden festhielt. Es dauerte lange, bis sie mich über die Schwelle des Kindergartenraums gezerrt hatte, wo Fräulein Vögeli, mein Schicksal, ihre Einführungsrede an die versammelten Kinder unterbrach, die alle mit großen Augen zu diesem tobenden Buben hinsahen, der seinen Kopf in die Röcke seiner Mutter wühlte und »Nein! Nein!« heulte. – Trennungen sind bis heute nicht meine Stärke. Lange löste ich das Problem, indem ich besonders unbesorgt aufbrach, ohne Abschiede und vor mich hin trällernd. Ich wurde ein entschlossener Nestflüchter, weil ich ein so zäher Nesthocker gewesen war. – Irgendwann erschöpfte sich mein Widerstand. Durchs Fenster sah ich, wie meine Mama davonging, ohne sich noch einmal umzudrehen. Sie trug ihren braunen Mantel, der aus Kamelhaaren gemacht war. Das war das. Ich wusste, dass ich von nun an mit Fräulein Vögeli und diesen völlig fremden Kindern durchkommen musste. Dabei war Ursi, die Schwester Franzjoggis, eines von ihnen.

(Es war eine Niederlage. Kurz zuvor hatte ich einen Trennungskampf noch gewonnen. Nämlich, meine Eltern wollten sich ein paar lustige Tage machen und schoben mich zu Tante Nettel ab. »Sie freut sich so auf dich, das wird sicher wunderschön!« Dabei mochte ich Tante Nettel, eine alte Dame mit einem sabbernden Hund namens Gryff, nicht sonderlich. Sie verbrachte ihre Sommer in Mettenbach im

Kanton Bern, in einem dumpfen Chalet aus schwarzem Holz. Ich weinte zwei Tage lang am Stück, am Fenster stehend. Vor mir, verschwommen in den Tränenschlieren, ein Weg, der zu einem fernen Gartentor führte. Als dieses am Abend des zweiten Tags aufging und mein Vater sichtbar wurde, schiss ich in die Hosen vor Glück.)

Sonst weiß ich vom Kindergarten nicht mehr viel. Vielleicht, dass wir Kinder alle dachten (ich dachte es jedenfalls), dass Fräulein Vögeli blöder als Fräulein Moog war, ihre Kollegin im andern Raum, denn was immer die Kinder von Fräulein Moog bastelten – einen Sankt Nikolaus, einen Weihnachtsstern, einen Osterhasen –, fertigten wir Vögeli-Kinder drei Wochen später auch an. Den Nikolaus zu Weihnachten, den Stern im neuen Jahr und den Osterhasen zu Pfingsten. Nie waren *wir* die Ersten. Auch lächelte Fräulein Moog sanft, wenn sie eines ihrer Kinder an den Ohren zog, und Fräulein Vögeli schaute auch streng, wenn sie bester Laune war. – Umso besser erinnere ich mich ans In-die-Schule-Gehen oder ans Aus-der-Schule-Heimkommen. Das war ein langer Weg. Ich brauchte, als ich ihn kürzlich ging, zwanzig Minuten. Aber wir waren ja Kinder. Kurze Beine und voller Spiele, die uns zwangen, Umwege aller Arten zu gehen. Die Bruderholzallee war von ihrem Anfang bis zum Ende mit Bäumen bepflanzt, die in von niedrigen Miniaturzäunen umsäumten Grasgevierten wuchsen. Auf diesen Zäunen, schmalen Metallleisten, balancierten wir die ganze Allee hinauf, die immerhin so lang war, dass wir an zwei Straßenbahnhaltestellen vorbeikamen. Wer es nicht bis zum Ende eines Gevierts schaffte, musste zurücklaufen und nochmals beginnen. Die andern – Ursi, Franzjoggi zuweilen, auch Richi – waren da unbarmherzig; ich war es ja auch, wenn Ursi einen Meter vor dem Ziel scheiterte. Zudem geschahen noch andere Dinge unterwegs. Die Straßenbahn, auf deren Geleise Franzjoggi Knallkapseln legte. Wir dann hinter einem Gebüsch auf der Lauer, bis die Bahn kam und ein Maschinengewehrfeuer auslöste. Oder einmal ein Lieferauto der Firma Bell (das war, zugegeben, ein einsamer Höhepunkt), das die Reservoirstraße herabgefahren kam und, direkt vor unsern Augen, die 180-Grad-Kurve vor dem Restaurant Bruderholz so forsch nahm, dass es umkippte und auf dem Dach ein Dutzend Meter weiterschlitterte. Ein verdutzter Mann entstieg dem Fahrzeug, verkehrt herum und unverletzt. Die rückseitige Tür war aufgegangen, und Hunderte von Wiener Würsten lagen auf der Straße verstreut, bis zur Treppe, die zur Terrasse des Restaurants Bruderholz hochführte. (Auf diese Terrasse lud ich einmal Nora, als ich irgendwie an zwei Franken herangekommen war, zu einem Glas Süßmost ein. Wir saßen an einem grünen Metalltisch, wurden lieb bedient und plauderten wie die Erwachsenen, als aus der Straßenbahn, deren Haltestelle direkt unter uns lag, mein Vater ausstieg. Hut, Mantel, Mappe, alles da. Wir tauchten, bevor er uns sehen konnte, hinter die Brüstung hinab; als seien wir dabei, etwas Verbotenes zu tun. Heute bedaure ich, dass ich meinen Vater nicht, zur Straße hinunterrufend, auch zu einem Most einlud. Er hätte sich sicher gefreut, auch wenn er – ich hatte ja nur das Geld für zwei – seinen Most selber hätte bezahlen müssen. – Aus dem Restaurant Bruderholz wurde später, viel später, das Restaurant Stucki, ein hell leuchtendes Lokal mit drei Michelin-Sternen, in das eine

Weile lang die Reichen und Schönen der Stadt Basel nur so strömten. Aber da gingen Nora und ich nicht mehr hin.) – Klar, dass wir am Tag mit dem auf dem Dach fahrenden Bell-Auto besonders spät im Kindergarten waren. Aber auch sonst kamen wir oft an, wenn die andern sich gerade von Fräulein Vögeli verabschiedeten. Mehrere Male trauten wir uns gar nicht mehr ins Schulhaus und lugten durch die Fenster in den Saal, in dem die Kinder Ringelreihen tanzten. – Einmal war ein wirklicher Winter (1944?), wie es ihn heute kaum noch in den Bergen gibt. Die Straßen zugeschneit, die Bäume weiße Gespenster. Ich weiß heute noch nicht, welcher Teufel meine Mutter ritt – der Teufel der Phantasielosigkeit am ehesten –, mich am frühen Morgen in diesen Schnee hinauszuschicken, in diesem Sibirien ohne jede Kontur meine Schule zu suchen. Es war noch dunkel draußen, und ein Sturm tobte. Schnee fegte mir ins Gesicht. Ich stapfte also vor mich hin, der Schnee ging mir bis zum Bauch. Ich hatte eine Mütze (den Watutin, einen russisch anmutenden Pelzhut, den ich hasste, weil mein Vater ihn den Watutin nannte), die hohen Schuhe und Wollhandschuhe, das schon. Aber schon nach den ersten Schritten war alles an mir steifgefroren. Ich wusste nicht mehr, ob ich vorwärts oder rückwärts oder bergauf oder bergab ging. Ob ich überhaupt vorwärtskam. Ich war in einem Himmel, der rings um mich herum gleichermaßen weiß war. Stille, in der nur der Schnee zu hören war, wenn ich den Fuß bis zum Gürtel anhob und ihn mit einem möglichst weiten Spreizschritt weiter vorn in den noch unberührten Tiefschnee versenkte. Als ich endgültig nicht mehr wusste, wo ich war, blieb ich stehen. Ich stand so eine Weile und wurde mehr und mehr zu einem Teil dieser arktischen Natur. Kurz bevor diese mich ganz aufgenommen hatte, schüttelte ich mich, drehte mich um und ging in meiner Spur zurück. Die war kaum mehr zu sehen, bald gar nicht mehr, aber ich fand – an der Hand meines Schutzengels – trotzdem heim und fiel klirrend ins Haus. Meine Mutter schimpfte nicht mit mir, obwohl auch der ganze Korridorteppich voller Schnee war. Vielleicht, weil ich zu blau im Gesicht war und meine Augen zu glasig blickten.

Von der großen Schule (der Primarschule) weiß ich noch weniger. Die Schuljahre gingen halt so hin. Im Schreiben war ich nie viel mehr als knapp genügend, weil ich zwar *Die Dame Dora* oder *Tut tut ein Auto, nein, es ist der Autobus* ganz gut schreiben konnte, die Buchstaben aber unweigerlich mit dem Ärmel verwischte und das Ganze mit einem Tintenspritzer quer über das Blatt abschloss. Meine erste Lehrerin war Fräulein Gass (der Name ist in meinem Gedächtnis, das Gesicht nicht), die bald verschwand (in einer psychiatrischen Klinik). Ihr folgte Frau Wyss, die ausschließlich von Vögeln sprach, von unsern gefiederten Freunden, so dass ich für einige Monate eine Passion entwickelte, verletzte Amseln heimzubringen oder auf dem Fensterbrett Finken und Meisen zu füttern. Fräulein Leu dann! *Sie* liebte ich, sie war mir so lieb (sie *war* so lieb), dass ich, wenn ich sie in späteren Jahren – längst anderswo in einer andern Schule – auf der Straße traf, für den Rest des Tags gestärkt war durch unser herzliches Plappern ein paar Minuten lang. Sie hieß jetzt Frau Moosbrugger und hatte, Herrn Moosbruggers wegen, kurz nach mir unsere gemeinsame Schule auch verlassen und war, wie ich, auch in Riehen gelandet, nicht aber in meiner neuen Schule, denn diese, eine strenge Bubenschule, duldete keine Frauenlehrer. Erst als ich in Riehen war, keimte in mir eine erste Ahnung auf, dass es unterschiedliche Schulen gab und dass ich mit der auf dem Bruderholz ziemlich Schwein gehabt hatte. – Von den Mitschülern erinnere ich mich an Rosemarie Fasnacht, weil sie neben mir saß. Mir kam das seltsam vor, neben einem Mädchen zu sitzen; ein Bub wäre mir lieber gewesen; und ich hatte keine Ahnung davon, dass ich just in der einzigen Schule Basels war, die mit der Koedukation herumprobieren durfte und auch sonst ein Modell moderner Pädagogik war. – Ich verehrte auch ein Mädchen, das Heidi hieß. Heidi Rufli. Ihr Vater war rechter oder linker Verteidiger der Fußballnationalmannschaft, der beste Ausputzer weit und breit. Ich war ein paar Mal bei ihr zu Hause, wo wir mit ihren Puppen spielten oder Butterbrote mit Zucker drauf aßen. Weil aber ihr Vater nie auftauchte, schlief meine Liebe wieder ein. – Ja, und Vreneli Wanner. Sie war ein ungeschicktes Mädchen mit einer Brille. Wir Buben verfolgten sie auf dem Heimweg, umringten sie mit unserm Gejohle und ließen sie erst wieder frei, wenn sie »Schuemächerli, Schuemächerli, was koschte dini Schueh« gesungen hatte. Sie hatte eine kleine, zitternde Stimme und war den Tränen nahe. Scham überflutet mich heute noch, wenn ich an sie denke.

AN einem Tag sagte meine Mutter zu mir, wir sollten einen kleinen Spaziergang zusammen machen. Sie hatte ein ernstes Gesicht, verweint, kann sein. Ich war auf der Hut. Eltern, die kleine Spaziergänge mit ihren Kindern machen wollten, hatten selten eine gute Nachricht. Das war mir schon mit meinem Vater passiert, der vor ein paar Wochen erst mit mir spazieren wollte und mir sagte, dass mein Großvater gestorben sei. Ich hatte meinen Vater noch nie mit so einem Gesicht gesehen. Er, der aus allem einen Witz zu machen verstand, war einfach nur traurig. Meine Mutter eröffnete mir, dass wir das Haus verlassen mussten. (Hinter meinem Rücken waren die Streitigkeiten zwischen Erwin und meinen Eltern eskaliert. Vor allem zwischen Erwin und meinem Vater. Sie brüllten sich an – ich kriegte das nicht mit, oder falls doch, ignorierte ich es – und schrieben sich bald, von Stockwerk zu Stockwerk, lange Briefe, die an Deutlichkeit nichts zu wünschen übrigließen. Ich habe sie später gefunden. Die einzige Vernünftige in diesen absurden verbalen Raufereien war meine Mutter. Realitätsgerecht, besonnen, lebensklug.) – Sie und Papi hätten, sagte meine Mutter, in Riehen eine schöne Wohnung gefunden. Schön, ja, ganz schön. Sie brach in Tränen aus. Für sie war es die Vertreibung aus dem Paradies, und für mich auch. – Der Möbelwagen kam, von der Firma Keller, unser Hab und Gut wurde eingeladen, und wir fuhren zu viert mit der Straßenbahn quer durch die ganze Stadt an ihren nördlichsten Rand. Nach Riehen. Hand in Hand gingen wir auf das Haus zu. Der Vater hielt Nora an der Hand, und ich beschützte meine Mutter.

IN den Vierzigerjahren wurde die Schweiz für ihre Bewohner zu einem fragilen Schutzort, der sehr einem Gefängnis glich. Niemand mehr konnte das Land verlassen, für die Dauer des Kriegs sowieso nicht; aber auch in den Jahren danach war es durchaus schwierig, nach Deutschland, Frankreich oder Italien zu gelangen. Nicht einmal Care-Pakete mit einem Pfund Kaffee und einer Tafel Schokolade drin waren erlaubt.

Die Schweizer mussten lernen, mit sich selber und ihrem Land zu leben, und nur mit diesem. Kinder mochten damit gut klarkommen; für Erwachsene wurde es durchaus eng auf diesem winzigen Stück Erde, wo überall unbewohnbare Berge den Weg versperrten. Damals war der vielzitierte Begriff der Enge angemessen, nicht heute. Ringsum Feinde: im Norden die Deutschen, im Westen und Osten bald auch, im Süden Mussolini. Die alliierten Freunde waren, als sie sich dann zu regen begannen, für lange Zeit noch weit weg. Es sah damals so aus – es war so –, dass die Schweizer ihre Neutralität ganz allein verteidigen mussten. Dass dies zuweilen mit fragwürdigen Mitteln geschah, ist seither klarer geworden als es dies damals war.

Jedes Leben war, direkt oder indirekt, auf die Kriegsereignisse bezogen, die unsichtbar waren und trotzdem gut hörbar hinter dem Horizont dröhnten. Jede Familie hatte in irgendeiner Form mit dem Militär zu tun (»Aktivdienst«, jeder, der noch halbwegs gehen konnte, wurde aufgeboten), und jede und jeder erlebten, dass Rohstoffe, Elektrizität und vor allem die Lebensmittel knapp wurden. Es gab bald von sozusagen allem zu wenig, und bald brauchte man für alles und jedes Marken. Sie schränkten den Verbrauch von Fleisch oder Zucker massiv ein. Brot war nun mindestens einen Tag alt, wenn man es kaufte. (Man aß so weniger davon.) Wenn man zum Essen eingeladen war – das Porzellan von früher, das Beefsteak darauf winzig –, legte man zum Abschied seine Marken hin. Der Plan des Bundesrats Traugott Wahlen, die Schweiz in einem kollektiven Kraftakt autark zu machen, betraf jeden, der wenigstens einen Vorgarten hatte. Er musste seine paar Begonien ausreißen und zwölf oder zwanzig Kartoffelstauden pflanzen und pflegen. Jede Verkehrsinsel war mit einer Handvoll Getreide bewachsen; mitten in Zürich ein Weizenfeld; jede Parkanlage produzierte ein paar hundert Laibe Brot. Auch unser Garten wurde requiriert. Er war so groß, dass der Bund ihn in eigener Regie bebauen wollte, aber Norina, Erwin, meine Mutter und mein Vater überzeugten die Beamten – die die Entlastung vermutlich gern annahmen, die Ergebnisse aber dennoch genau kontrollierten –, dass sie das selber könnten. Wir wurden im Krieg Selbstversorger und gaben das überschüssige Gemüse an andere weiter.

Die Berge, die keine Nahrungsmittel liefern konnten, bekamen eine andere Funktion. Zum einen wurden sie der Ort, an dem der Generalstab seine Réduit-Strategie Wirklichkeit werden ließ (die Alpen als schwer bewaffneter und unüberwindbar gemeinter Riegel), zum andern wurden sie für viele ein ins Ideale erhobener Ort der Reinheit und der Unschuld, in den sie sich, wann immer das möglich war, zurückziehen konnten. Gerade weil der politische Alltag so fürchterlich war, wurden die Alpen auch für die urbanen Schweizer zu ihrem Rettungsort. Sie waren ja auch noch nicht das touristische Gewimmel und Gewusel von heute. Wer in jenen Jahren auf einen x-beliebigen Berg stieg, war mit Garantie allein. Die schier zeitlose Schweiz, bis in die Fünfzigerjahre an vielen Orten zu finden, ist heute mehr oder minder verschwunden. Auch versteckte Maiensässe sind heute keine Orte der Unschuld mehr.

Im Übrigen vergessen wir heute leicht, dass die Menschen in der Schweiz damals nicht wussten, dass sie heil aus der Katastrophe herauskommen würden. Die Prognosen waren nicht gut, und mindestens bis Stalingrad musste jeder, der seine fünf Sinne beisammenhatte, damit rechnen, dass die Wehrmacht früher oder später einmarschieren würde. »Die Schweiz, das kleine Stachelschwein, das nehmen wir beim Rückweg ein«: Dieser deutsche Landser-Vers wurde auch in der Schweiz in einer Mischung aus Angst und Spott oft zitiert. Der Rückweg bedrohte dann, Ironie des Schicksals, tatsächlich die Schweiz ein letztes Mal, weil aus Italien heimwärts fliehende Truppenteile versucht waren, sich durch die Schweiz hindurch nach Norden zu schlagen. Wieso Hitler den Angriff auf die Schweiz mehrmals wieder abblies, ist eine bis heute nicht ganz beantwortete Frage. Es gab wohl einfach andere Prioritäten, und plötzlich war's dafür zu spät.

Parallel zu diesem Gang der Geschichte verlief die innenpolitische Stimmung der Schweiz. Solange die Wehrmacht triumphal erfolgreich war, gab es manchen, den diese Siege verführten. Es gab die Fröntler, und es gab die ängstlichen Anpasser bei den Behörden und in der Industrie, die es sich mit niemandem verderben wollten. Der Schweizer Botschafter in Berlin, Hans Frölicher, war ein Musterbeispiel solcher Anpassungsdiplomatie, die zwischen einem Nazi und einem Demokraten keinen Unterschied machte, wenn es dem Verhandlungsziel diente. Auch der Bundesrat war nicht über jeden Verdacht erhaben. Bundespräsident Pilet-Golaz hielt – im Namen des Gesamtbundesrats – im Juni 1940 eine Rede, die man nur als eine Vorbereitung auf einen Anschluss ans Deutschland der Nazis deuten konnte. Die Gefahr schien tatsächlich so groß, dass Teile der Armee – Offiziere alles in allem – einen demokratischen Putsch planten, der in dem Augenblick, da die Regierung tatsächlich den Anschluss hätte vollziehen wollen, durchgeführt worden wäre. Durch eine Panne flog die Verschwörung auf. Es gab einen heftigen Aufruhr (der Bundesrat sprach von Hochverrat und Militärprozessen), und das Ganze wurde nur deshalb halbwegs gütlich beigelegt, weil sich der General sofort energisch auf die Seite der Putschwilligen schlug und ihnen einzig vorwarf, dass sie ihn nicht eingeweiht hätten. Statt zu exemplarischen Strafen (es gab im Militärrecht die Todesstrafe, und sie wurde während des Kriegs auch mehrfach ausgesprochen und vollstreckt) kam es zu disziplinarischen Verweisen und kurzen Arreststrafen, die die Hauptschuldigen gemeinsam in der Kaserne Thun verbrachten.

Die Schweiz hatte ihre Fröntler, und sie hatte ihre Linke. Die Kommunistische Partei war, im Gegenwind des mächtigen Faschismus, immerhin so groß geworden, dass der Bundesrat es zu vermeiden versuchte, Hitler mit einer im *parlamentarischen System zugelassenen* KPS *zu provozieren, und sie 1940 verbot. Sie existierte nun also im Untergrund und hatte scheinbar wenig Einfluss auf die öffentliche Meinung. Als aber die Kriegsgeschicke sich wendeten, der Roten Armee die Herzen auch von Schweizern, die mit dem Kommunismus gar nichts am Hut hatten, zuflogen (wäre Stalin auf die Idee gekommen, nach der ersten Niederlage der Wehrmacht in Stalingrad durch die Bahnhofstraße von Zürich zu paradieren, hätte das Volk ihm zugejubelt), konnte die Bundesregierung gar nicht mehr anders, als die kommunistische Linke in irgendeiner Form wieder zuzulassen. Die* KP *durfte nur den Begriff »Kommunismus« nicht mehr im Titel tragen und musste »Partei der Arbeit« heißen, und die paar Platzhirsche von ehedem durften nicht mehr kandidieren, als die Partei 1944 erstmals wieder zu Wahlen zugelassen wurde. Die Ergebnisse waren triumphal. Die Schweizer Städte, Basel allen voran, wurden »rot«. Die Begeisterung für die Linke kühlte allerdings Ende des Jahrzehnts wieder ab, als die Greuel der Moskauer Schauprozesse mehr und mehr sichtbar wurden und die Informationen darüber nicht mehr als bürgerliche Propaganda gelesen werden konnten. Der Kalte Krieg, der die nächsten Jahrzehnte prägen sollte, begann seine ersten Wirkungen zu zeigen.*

Sonst vielleicht nur noch dies: Die Schweiz war bis zum Ende der Vierzigerjahre kein reiches Land. Noch nicht. Gewiss gab es da und dort ein paar Wohlhabende. Sackreiche sogar. Die Kanonen, die Herr Bührle nach Deutschland geliefert hatte, hatten diesen nicht arm gemacht. Aber überall sonst lebten die Menschen in einer Bescheidenheit, die allge-

*mein war und noch nichts mit der bald einsetzenden Kon-
sumwut zu tun hatte. Die meisten kamen gerade so durch,
und viele waren regelrecht arm. Das war auch damals
schlimm, weil arm sein immer entsetzlich ist: Es war aber
besser auszuhalten als heute, weil so mehr oder weniger alle
in ähnlichen Verhältnissen lebten. Die reiche Schweiz und
die immer größer werdende Schere zwischen Arm und
Reich sind ein Phänomen der folgenden Jahrzehnte.*

1948–1958

DAS Jahr fängt nicht mit dem Frühling an. Zu seinem Beginn herrscht Kälte, Frost. Kaum Licht. Kein Mensch kann einsehen, warum er denn nun in dieses neue Jahr hinein soll. Der Atem geht eng, jeder verkriecht sich in sich selbst. Hasen erfrieren. Vögel stürzen von den Bäumen. Die Rehe stehen eisblau unter Tannen. Der Bär in seiner Höhle hat sich so zusammengerollt, dass seine Nase zwischen seinen Hinterbeinen liegt. Er atmet so flach, dass ihm die Luft seines unter meterhohem Schnee vergrabenen Schlaflochs für den ganzen Winter reicht. Er bewegt sich nicht, du aber, draußen, klirrst, wenn du nur den Kopf hebst. Lawinen rutschen von den Dächern. Die Tage sind fahl, und die Nächte sind aus Eis.

Dann plötzlich. Du gehst vor die Tür, du weißt nicht, warum, noch nicht. Alles ist eigentlich wie die ganze letzte Zeit über. Und doch. Da ist eine jähe Ahnung, ein ferner Jubel, dem stattzugeben du dich kaum getraust und der dir doch ins Herz hochschießt. Er ist's! Du atmest tief ein, ja, das ist sie, die allererste Frühlingsluft, jene junge Frische, dieser neue Zauber. Du gehst, deine Augen sind ganz andere als eben noch. Sie leuchten, sie blitzen, sie glänzen blau, wo sie doch sonst grau sind. Wir ziehen die Luft in unsre Lungen hinein, wir hatten vergessen, dass wir so tiefe große Lungenflügel haben. Frei, befreit!

Noch bleiben wir in unserer Winterhaltung, nach außen hin. Nur nicht den Mantel zu früh wegwerfen! Der sterbende Winter kann tückisch sein! Aber wir sind aufmerksam: Unsern Nüstern entgeht nun der kleinste Hauch neuen Lebens nicht mehr, und unser Auge sucht Feld und Wald nach jenem jungen Grün ab, das beweist, dass das Leben beginnt.

Und tatsächlich, an *einem* Tag ist's wie eine Explosion. Es ist nicht zu glauben. Jetzt allerdings lassen wir den Mantel, dieses Ungetüm, für alle Zeiten da liegen, wo uns der Ausbruch des Schönen begegnet ist; und wenn er, wie ein Toter, mitten auf dem Gehsteig liegt. Wir brauchen ihn ja nie mehr. – Schau um dich. Ein Licht, ein Grün, eine Wärme auf der Haut, ein Glänzen! Vögel zwitschern, alle durcheinander, und wenn auch der Kuckuck nie am ersten wahrhaftigen Frühlingstag singt – er ist ein Langschläfer –, kommt's uns doch so vor, als hörten wir ihn schon. Wir atmen, atmen, atmen. Aus allen Winkeln und Ecken kommen auch die Menschen wieder hervor. Frauen, es gibt plötzlich wieder Frauen mit Beinen, Hintern, Brüsten, Gesichtern, die leuchten. Kinder! Wo waren all die Rollschuhe, Skateboards, Trottinetts die ganze Zeit über? Die jubelnde Welt ist sogar da schön, wo sie uns sonst, aus guten Gründen, hässlich vorkommt. Auch der Parkplatz des Einkaufszentrums strahlt in wunschlosem Glück. Das Leben kann beginnen.

DIE neue Wohnung an der Bettingerstraße 7 in Riehen war so: vier Zimmer im ersten Stock, eine Küche, an die ich mich kaum erinnere, und, vermutlich doch, ein Badezimmer, von dem ich gar nichts mehr weiß. Alles war klein: die

Räume, der Korridor, der Balkon, auf dem ich ratlos stand und auf einen asphaltierten Hof und eine Reihe von Garagentoren blickte. Das winzigste der vier kleinen Zimmer wurde meins. Immerhin, denn Nora kriegte gar keinen eigenen Raum. Sie schlief im Wohnzimmer, so dass, weil sie um acht schlafen ging, meine Mutter nach dem Nachtessen in der Küche war, auch wenn sie vielleicht lieber im Fauteuil des Wohnzimmers sitzend genäht oder meine Hosen geflickt hätte. Mein Vater tippte in seinem Arbeitszimmer. Er bemerkte das Luxusleben gar nicht, das er führen durfte. Ein ganzes Zimmer, das größte vielleicht gar?, nur für ihn und seinen Schreibmaschinenlärm. Der Marconi war allerdings verschwunden. Keine Musik mehr.

Ich verkroch mich in mein Zimmerchen. Es war so klein, dass der Kleiderschrank, der auf dem Bruderholz ein normaler Kasten gewesen war, hier wie ein Monstrum aussah. Er stand frei im Zimmer, so weit von der Zimmertür, dass ich diese gerade einen Spaltbreit öffnen und mich, einem Schlangenmenschen gleich, ins Zimmer hineinwinden konnte. Dicke Menschen mussten draußen bleiben; mein Vater, der nicht dick war, ist wohl kein einziges Mal in diesem Raum gewesen. Meine Mutter, die gelenkiger als er war und den Schrank als einen Teil *ihrer* Welt betrachtete, tauchte hie und da auf, jäh, ohne anzuklopfen; jedes Mal rumste die Tür in die Kastenhinterwand, und ich, auf der andern Seite, stellte mich erschrocken vors Fenster, so weit weg von der Tür, wie's eben ging, die Hände auf dem Rücken, als hätte ich etwas Verbotenes getrieben. – Ins Schlafzimmer der Eltern ging ich auch in dieser Wohnung nicht. Auch diese waren nur dort, wenn sie schliefen (Vater früh,

Mutter spät). Auch aus dem neuen Schlafzimmer hörte ich nie einen Laut.

GEGENÜBER, auch im ersten Stock, wohnten Monsieur und Madame Schaub. Ihr Name wurde französisch ausgesprochen – »Schoob« –, denn Monsieur et Madame stammten aus einer Gegend, die der unsern kulturell überlegen war. Paris oder Yverdon-les-Bains. Ich habe sie nie ein deutsches Wort sprechen hören, vermutlich kannten sie tatsächlich keines. Nicht einmal »guten Tag«. Monsieur arbeitete irgendwo in der Stadt und ging zu Fuß zu seinem Arbeitsort. Acht oder zehn Kilometer, und am Abend zurück. Er war Stunden unterwegs, war aber aus unbekannten Gründen nicht in eine Straßenbahn zu bringen. Wahrscheinlich fürchtete er, in ihr auf einen *sale communiste* zu treffen, denn alles, was in der Welt Böses geschah, fand für ihn im unheilvollen Wirken der Kommunisten seinen Ursprung. (Auch als mein Cousin Thomas und ich einmal die Namensschilder aller Briefkästen vertauschten und das Ehepaar Schaub zu Mr. und Mrs. Hutton machten, sah er darin einen Anschlag der Kommunisten; so dass Thomas und ich nicht auf der Liste derer standen, die er verdächtigte; mein Vater sehr wohl.) – Madame Schaub war dick. Sie war wirklich sensationell dick, an der Grenze der Bewegungsunfähigkeit. Und sie war fürs Saubere. Sie war imstande, mit einem Gesicht wie Medea unmittelbar vor ihrem Mord meine Mutter in die Waschküche zu zitieren, weil sie diese in einem Zustand angetroffen hatte, für den *sale* ein viel zu schwaches Wort war. *Crasseux* kam der Sache näher, und

Madame Schaub rief das vernichtende Wort mehrmals. *»Crasseux, tout est crasseux, regardez vous-même!«* Sie strich mit dem Zeigefinger ihrer rechten Hand über den Rand der Zentrifuge. Meine Mutter sah auf den Finger, den sie ihr anklagend entgegenhielt, die Zentrifuge und das Waschbecken, voller Schuldgefühle, obwohl sie wusste, dass sie sie vor kaum einer Stunde blitzblank gerieben hatte. *»Mais tout est propre«*, murmelte sie dann doch. »Jetzt, ja, jetzt!«, donnerte Madame Schaub und hielt den Zeigefinger in die Höhe. »Weil ich Ihren Dreck weggeputzt habe!« Sie wischte den Finger an ihrer Schürze ab.

Einmal, mitten am Tag (Monsieur Schaub noch bei der Arbeit oder auf dem Heimmarsch), hörte mein Vater, der an der Schreibmaschine saß und auch im neuen Heim gegen Außengeräusche aller Art (Kinder, Pressluftbohrer) immun war, ein gellendes Hilfegeschrei aus der Wohnung der Schaubs. Es war so absolut, dass mein Vater gar nicht anders konnte, als quer über den Treppenabsatz in die Schaub'sche Wohnung zu eilen. Die Tür war nicht verschlossen. Er stand witternd und auf einem Fuß im Korridor, fluchtbereit. Die Schreie waren nun viel lauter. Sie klangen wie die eines harpunierten Seelöwen oder eines Flusspferds, das ein Krokodil am Bein hatte. Madame Schaub, kein Zweifel. Sie steckte in der Badewanne fest, ein Gebirge aus rosa Fleisch in einem Wasser mit weißem Schaum, und sah meinen Vater entsetzt an. Keine Scham, Todesangst. Sie kam nicht mehr aus der Wanne raus, die sie so vollständig füllte, dass zwei Becher Schaumwasser genügten, sie bis zum Hals zu bedecken. Mein Vater, der sonst wegsah, wenn eine Dame sich den Schuh band, schämte sich auch nicht. Er packte sie an beiden Händen, stemmte die Füße gegen den Wannenrand, und nach ein paar Fehlversuchen – Madame Schaubs Hände waren glitschig – fuhr die gesamte Madame mit einem Geräusch, das so klang, als habe ein Riese einen Riesenkorken aus einer Riesenflasche gezogen, aus der Wanne und begrub meinen tapferen Vater unter sich. Da lagen beide, er unter Madame Schaub um Atem ringend, sie ebenso atemlos schnaufend, dass sie kaum spürte, wer oder was da unter ihr lag. Irgendwann wälzte sie sich weg, und mein Vater lebte noch.

Über uns wohnten die Deschwandens, die einen Sohn hatten, der ähnlich alt wie ich war und mit dem ich trotzdem kaum sprach, keine Ahnung, warum. Er war ganz nett. Wer in der andern Wohnung des zweiten Stocks wohnte, weiß ich gar nicht mehr. Im Parterre war nur eine Wohnung (kann das sein?), in der die Familie Hutton wohnte. Eine Mutter, zwei Kinder, vermutlich auch ein Vater. Sie sprachen englisch, aber es war nicht das Englische, das auch hier ein gemeinsames Spielen verhinderte. Fremdelte ich, oder fremdelten die andern? – Am meisten noch war ich mit Peterli von Arx zusammen, der eine hübsche Schwester hatte (Margrit?) und später, als ich ihn nicht mehr kannte, ein Star in der ersten Mannschaft des Eishockey-Clubs Basel wurde. (Da ging ich schon nicht mehr zu den Spielen. Ich hatte das früher getan – gratis, das heißt gesetzeswidrig; ich zwängte mich durch eine Lücke des Sichtblenden-zauns –, weil die Kunsteisbahn keine zehn Minuten von unserm Haus auf dem Bruderholz stand. Ich habe Bibbi Torriani spielen sehen! Trepp und die Brüder Poltera! Und einmal pro Spiel brach der Basler Verteidiger Handschin

[»Händsche«], ein Schrank von einem Mensch, zu seinem legendären Sololauf übers ganze Feld auf, den Puck am Stock, als sei er angeleimt und eine Schneise aus gefällten Gegenspielern hinterlassend. Ob daraus dann ein Tor wurde [zuweilen wurde es eins], war nicht so wichtig. Aber der Sololauf musste sein, und Händsche wusste das.) – Im Übrigen war das Haus an der Bettingerstraße eine Bleibe, die ich vergaß, noch während ich sie bewohnte. Ich lebte in einem schwebenden Provisorium. *Das* konnte ja nicht das Leben sein.

NICHT nur das Jahr, auch das Leben beginnt nicht mit seinem Frühling. Mit der Explosion der Triebe und ihrem Jubel und Schmerz. Zuvor ist auch da ein Warten, ein schönes Warten oft, eins voller Ängste auch – Monster vor dem Fenster, Räuber unterm Bett –, eine Zeit ohne Zeit, denn noch ist diese unendlich. Noch gibt es keinen Tod, oder nur den sehr fernen: Großmütter, greise Nachbarn. – Für die Erzählung, wie der Trieb in mir erwachte, ist es an dieser Stelle eigentlich zu früh (ich bin ja gerade erst zehn Jahre alt und habe noch nicht einmal meine neue Schule, einen Ort des Grauens, betreten), aber dieser Trieb selber, in mir alt geworden wie der ganze übrige Urs, will offenkundig unbedingt, dass ich jetzt, jetzt!, von seinem ersten triumphalen Auftreten berichte. Er benimmt sich, mein Trieb, heute noch genauso wie einst, er denkt nicht daran, sich nach mir zu richten. *Er* sagt, wann, was, wer und wie; ich werde nicht um meine Meinung gefragt. Nun denn. Ich berichte also jetzt, was später berichtet werden müsste, sehr viel später, denn ich war, glaube ich, auch in Triebfragen ein Spätzünder. Jedenfalls verbinde ich das erste Auftreten des Triebs – eine Hitzeüberschwemmung; eine Explosion von tief innen her – mit meinem ersten legalen Kinobesuch. Ich war also schon sechzehn, kann das sein? Dass es mein sechzehnter Geburtstag war, weiß ich noch, weil ich unaufgefordert meinen Ausweis herzeigte und der Mann an der Kasse lachte und mir viel Glück wünschte. – Das hatte ich dann auch, das Glück, denn der Film war *Roman Holiday,* in dem Audrey Hepburn mit Gregory Peck die Liebe entdeckt. Die Liebe und das Vespa-Fahren, das sehr bald auch in meinem Leben eine große Rolle spielen sollte. (Wenn ich einmal in einen *Gegenstand* verliebt gewesen sein sollte, dann war es meine erste Vespa.) Jedenfalls, ich hatte mit Audrey Hepburn meinen ersten Orgasmus. Nicht im Kino, das dann doch nicht. Es war so: Ich stehe in der Mitte meines Mansardenzimmers (im nächsten Haus längst), erhitzt, ohne zu wissen, warum, blind nach außen, dafür umso erregter nach innen schauend, ins Hirn, wo ich Audrey Hepburn sehe, meiner Erinnerung nach nicht einmal nackt, sondern so, wie sie im Film war. Hinreißend, entzückend. Wir schauen uns lange an, gegenseitig, ich in diese braunen Rehaugen, sie in meine. Ihr Lächeln. Und plötzlich spüre ich, dass ich pinkeln muss wie noch nie (dringend, imperativ), fliege die Treppe hinab bis ins Klo, kriege auch die Hose noch auf, und dann entlädt sich mit ungeheurer Wucht (Lust, denke ich heute) *etwas,* ein Ereignis, das ich im Augenblick, da es geschieht, nicht im Geringsten verstehe. Es ist auch nicht der Augenblick zu *denken.* Es spritzt aus mir, wieder und immer wieder und noch mal.

Das ganze Klo ist verspritzt, und es ist ein Wunder, dass der weiße Schmier es nicht bis zur Decke hoch über mir geschafft hat. – Ich knöpfte die Hose zu, wischte alles sauber und stieg in meine Mansarde zurück. Ich glaube, ich hatte dann doch eine Art Ahnung, was mir eben geschehen war. – Es kann im Übrigen doch sein, dass ich da zwei Erlebnisse verbinde – erstes Mal, Audrey Hepburn –, die nicht zusammengehören. In dem Bücherregal in meinem Zimmer – das mein Vater ganz für sich in Anspruch nahm; *meine* Bücher lagen irgendwo herum – gab es nämlich auch einen Stapel mit Fotojahrbüchern. Die besten Fotos des Jahres, schwarzweiß alle. Mein Lieblingsband war der von 1938, weil das mein Geburtsjahr war vielleicht, sicher aber, weil darin eine nackte Dame (eine *Dame,* das war sie auch ganz ohne Kleider) auf einem Seidentuch lag. Ein Akt, *un nu,* perfekt ausgeleuchtet. Die Dame lag auf dem Rücken, ein Bein gerade, das andere angewinkelt. Die Arme ausgebreitet auf der kostbaren Unterlage. Sie schaute zur Seite hin, nicht zu mir. *Sie* erregte mich wie eine Sucht, und es kann sein, dass sie meine Erste war, nicht Audrey. Ich holte das Fotobuch jedenfalls immer wieder hervor und fand die richtige Seite auf Anhieb. – Auf der Seite davor war ein Kind in seinem Sarg. Blass, klein, tot. Dieses Bild wollte ich nicht sehen und warf, die Dame suchend, doch jedes Mal einen schnellen Blick darauf. – In unserem religionsfernen Haus gab es weder Sünde noch Hölle. Aber ein Gefühl der Schuld hatte ich trotzdem, dass ich *jeden* Tag, jede Nacht eher, meinem Trieb seinen Auftritt erlaubte. Dass ich ihm derart ausgeliefert war. Ich hatte ein kompliziertes System aus Frotteetüchern, die ich heimlich wusch und hinter Koffern verborgen im Estrich trocknete. – Ich brauchte eine Weile, um zu begreifen, dass man den Trieb nicht loswerden kann. Er ist treu, er hat mich seither keinen Tag verlassen, er begleitet mich bis heute. Er macht noch immer, was *er* will.

ICH musste auch gleich wieder in die Schule. Mir fehlte noch ein kleines Stück Primarschule – so etwas wie ein halbes Jahr –, das sich aber als eine Wegstrecke erwies, die schwerer als die dreieinhalb Jahre auf dem Bruderholz zu bewältigen war. Das Schulhaus war ein finsteres Gebäude am Erlensträßchen. Nur Buben. Der Lehrer hieß Herr Lachenmeier, ein dürrer Mann, den ich nie habe lachen sehen. Überhaupt wurde an dieser Schule nicht gelacht. Herr Lachenmeier griff immer wieder einmal zu einer langen, schwarzen Holzlatte, auf der Zahlen standen und die dafür gedacht war, zusammen mit andern ähnlich gestalteten Leisten immer neue Rechenaufgaben zu kombinieren ($28 \times 12 = ?$), und hieb den Unbotmäßigen unter uns damit auf die Finger. Ich kriegte nie eine Tatze, ich war so eingeschüchtert, dass ich mich kaum rührte. Von da an wurde die Schule etwas Furchtbares, und sie blieb es bis zum Ende meiner Schulzeit. Das halbe Jahr war unendlich. – Ein einsamer Lichtblick war, als zwei meiner Schulfreunde (einer von ihnen Hansi Rotzler?) mich mitnahmen – sie vertrauten mir –, als sie Zucker in den Benzintank von Herrn Lachenmeiers Velosolex taten. Ich war für so etwas zu feige, sah aber mit großer Begeisterung, wie der schreckliche Lehrer nach Schulschluss davontuckerte. Zuerst fuhr er triumphal wie immer, hochaufgerichtet im Sattel, aber als er vorn beim Polizeiposten war, immer noch in unserm Blickfeld, begann der Motor zu stottern und gab auf. Herr Lachenmeier stand erst ratlos neben seinem Vehikel und versuchte dann, mit wilden Pedaltritten den Motor wieder zum Laufen zu bringen. Vergeblich. Wir waren inzwischen bei ihm, und Hansi Rotzler sagte: »Probleme, Herr Lachenmeier?« Ich versteckte mich hinter ihm und sah über seine Schulter hinweg das rotglühende Gesicht Herrn Lachenmeiers. – Das war Glück, das war so etwas wie Glück. – Jahre später, als ich längst einen Citroën 2CV besaß, fuhr ich vor dem Kunstmuseum der Wettsteinbrücke entgegen, als ein Mann mir unvermutet vors Auto rannte. Herr Lachenmeier, den ich erkannte, während mein Fuß schon aufs Bremspedal drückte, so kräftig er nur konnte. Ich spürte, während ich weiterbremste, fern, fern in mir die Versuchung, diesen elenden entsetzlichen bösartigen Herrn Lachenmeier über den Haufen zu fahren. Wenn er schon so saublöd auf die Straße rannte. Ich tat es nicht, und Herr Lachenmeier überlebte. Er hatte die Gefahr, in der er geschwebt hatte, kaum richtig erkannt und hastete in die Rittergasse hinein, zum Münster hin.

IN dieser Rittergasse – ich erledige jetzt das Thema Schule ein für alle Male; und dann sprechen wir nie mehr von ihr – war dann auch meine nächste Schule, das Realgymnasium. Die Schule, in der auch mein Vater Lehrer war. Er war aber nie mein Lehrer, Gott sei Dank nicht. Es war peinlich, der Sohn eines Lehrers zu sein (andere Väter waren Bahnhofsvorstand, Kantonsgeometer, Chemiker), und die eine

Stunde, in der er einmal für einen erkrankten Kollegen einsprang und lustige Geschichten erzählte – alle andern bogen sich vor Lachen, nur ich nicht –, war eine einzige Schamüberschwemmung. Mein Vater machte den Kasper, und meine Mitschüler fanden das auch noch komisch. – Ich war ein elender Schüler, vor allem in den mathematischen und naturwissenschaftlichen Fächern. Dies auch, weil ich ein hochneurotisches Verhältnis zu Hausaufgaben hatte und bald einmal einen Sport daraus machte, ganz ohne Schulmappe in die Schule oder nach Hause zu gehen: So waren die einen Schulbücher oder Hefte unterm Pult im Klassenzimmer (1b bis 8b), die andern bei mir zu Hause. Nie waren die, die ich für die Hausaufgaben benötigt hätte, da, wo sie sein sollten. Ich vermisste sie auch gar nicht, ich erledigte die unabweisbar notwendigen Arbeiten in der Schule, während der Lehrer schon hereinkam, mit Hilfe meiner Schulfreunde, deren Gunst ich merkwürdigerweise nie verlor. Dabei war ich auch sonst die Pest. Vorlaut, frech und blöd auch für die, die mich mochten. Einzelne Lehrer konnten mich verständlicherweise nicht ausstehen, am deutlichsten der Klassenlehrer, Herr Dr. Bäschlin, der uns sowohl in Englisch als auch in Deutsch unterrichtete – und in Geschichte auch noch! – und mir im zweitletzten Schuljahr eröffnete, er werde nie mehr mit mir sprechen, *nie mehr,* und das auch durchhielt. – Zuvor war mein Deutschlehrer Herr Graber gewesen, Rudolf Graber, der ein Schriftsteller war, ein Dichter, und die *Fährengeschichten* geschrieben hatte, die in Basel ein jeder kannte. Ihn mochte ich – ich war ein Bub; noch kein Schnösel –, und er gab mir jeweils die Aufsätze mit einem Augenzwinkern zurück, das ich als ein heimliches Zeichen des Einverständnisses unter Eingeweihten deutete. Als wüssten wir beide etwas, wovon die andern keine Ahnung hatten. Ich musste oder durfte meine Aufsätze jedenfalls oft vorlesen, und Rudolf Graber verdanke ich jene Textdramaturgie, die heute noch tief in mir wirksam ist. Rudolf Graber war für das Lebendige. Ein Schulaufsatz – zum Beispiel »Der erste Ferientag« – durfte *nicht* so anfangen: »Als am frühen Morgen der Wecker klingelte, wälzte ich mich schläfrig aus dem Bett«, sondern so: »Brrr, klingelte der Wecker. Freudig sprang ich aus dem Bett und begrüßte den jungen Tag mit einem Juchzer.« Ich beherrschte die Technik des Lebendigen bald perfekt. »Hurra, rief die Mutter. Du darfst heute endlich wieder in die Schule!« Wenn wir vor der Klasse Gedichte aufsagten – wir lernten viel auswendig –, konnten wir wählen, ob wir »ohne Gebärden« oder »mit Gebärden« rezitieren wollten. Ohne Gebärden, das war der Text, nur der Text, ohne eine Betonung, die einen Sinn machte, und schon gar nicht mit Bewegungen der Hände oder des ganzen Körpers. Blicke zum Himmel, das Legen der rechten Hand auf das Herz. »Ohne Gebärden«: mehr als eine 5 kriegte man da nicht. Nie eine 6, auch wenn man den Text makellos draufhatte. Natürlich sagte ich meine Gedichte immer mit Gebärden auf. »Guten Tag, Herr Gärtnersmann« – ein zurückhaltendes Nicken, denn die Sprechende war eine feine Dame – »haben Sie Lavendel?« – fragendes Heben der Augenbrauen – »Majoran und Thymian« – dito – »und ein bisschen Quendel?« Neue Stimme, tief, denn nun sprach der Gärtner: »Ja, Madame, das haben wir, draußen in dem Garten. Will Madame so gütig sein und ein wenig warten?« Und so weiter, ich habe das ganze Gedicht bis zum Schluss im Kopf. Heute noch fuchtle ich bei meinen Lesungen mit den Händen herum, als säße Herr Graber im Publikum. – Ich überlasse die Lehrer, die mit mir nicht gut auskamen – oder ich mit ihnen –, der Nacht des Vergessens. Herrn Tschudin zum Beispiel, bei dem wir auf eine Art Kopfrechnen übten – ich habe vergessen, wie genau –, bei der zu Beginn die ganze Klasse neben den Sitzbänken stand und die, die ihre Aufgabe gelöst hatten, sich setzen durften. Ich weiß nicht, wie und warum, ich stand am Schluss jeweils als Einziger neben meinem Pult und wurde von Herrn Tschudin mit einigen besonders vertrackten Kopfnüssen bedacht. Wenn ich mich endlich setzen durfte, waren die Probleme nicht gelöst; Herr Tschudin – *Doktor* Tschudin, er legte Wert auf seinen Titel – gab einfach auf und winkte müde mit einer Hand. Herrn Rosenthaler (es gab keine einzige Frau an der ganzen Schule), den Chemielehrer. Herrn Schindler, der – leider, leider nicht während er *uns* unterrichtete – mitten in einer stinknormalen Schulstunde, als ein Schüler schon wieder das Passé simple mit dem Imperfekt verwechselte, sich langsam hinter seinem Pult erhob, »Jetzt reicht's mir aber« murmelte, die Schule verließ und sie nie mehr betrat. Ein Schüler musste ihm seinen Hut nach Hause bringen, den er im Lehrerzimmer liegengelassen hatte. Ich sah ihn zuweilen bei Konzerten des Basler Kammerorchesters, die er zusammen mit seiner uralten Mami besuchte, mit der er in einem gemeinsamen Haushalt lebte. – Herrn Meier, den übelsten von allen, Herrn Max Meier, der der Rektor der Schule und ein erklärter Feind meines Vaters war (er hatte eine braune Kriegszeit hinter sich, mein Vater eine rote) und der, weil Schuldirektoren allenfalls vier, fünf Wochenstunden unterrichteten, sich mich extra ausgesucht hatte, um auf mir, wenn es schon mit meinem Vater nicht recht geklappt hatte, herumzureiten, was er mit einem übelgelaunten Sadismus in sozusagen jeder Schulstunde auch tat. Ein kleiner runder Mann mit einem Schnäuzchen, von dem mein Vater sagte, es habe früher *genau* wie das Hitlers ausgesehen, nicht, wie inzwischen, nur ein bisschen. Einmal, nur zum Beispiel, hatte ich in einer schriftlichen Prüfung genau gleich viele Fehler wie mein Banknachbar, aber eine wesentlich schlechtere Note. Ich protestierte. »Ich zähle die Fehler nicht«, sagte Herr Meier. »Ich wäge sie.« – Einige Lehrer mochte ich. Herrn Barth, den Zeichenlehrer, der brüllte statt sprach, die Farben aus ihren Tuben drückte wie Gott die Urmasse bei der Schöpfung und mir den *nickname* Ulle gab, den einige Uraltfreunde heute noch gebrauchen, wenn sie mit mir sprechen. Herrn Sieber! Herrn Gutmann, der mich – in der Oberstufe – just in Mathematik unterrichtete, der verwundbarsten meiner vielen Achillesfersen. Er schleifte mich irgendwie durch, einmal wirklich wundersam, weil ich am Ende der siebten Klasse mir allenfalls eine 2 (»schlecht«) erarbeitet hatte und er die im Lehrerzimmer schon notierte und für alle Kollegen einsehbare Note 3 (»ungenügend«) halsbrecherisch und in letzter Sekunde in eine 4 (»genügend«) umwandelte, weil er realisierte, dass ich sonst die Klasse wiederholen musste. Kann sein, dass eine Rolle spielte, dass er ein Freund meines Vaters war. Kann sogar sein, dass dieser Vater, zweifellos schamübergossen und stotternd, ihn darum gebeten hatte. Bei Herrn Gutmann machte ich in der Folge sogar meine

Hausaufgaben. (Ich bekam auch Nachhilfestunden, von Werner Lesslauer, einem kaum älteren und um viele Jahre reiferen Freund, der einer der Lieblingsschüler meines Vaters war oder gewesen war, ein Sorgenkind auch er, aber kein verhemmtes und lerngestörtes wie die andern, sondern ein blitzgescheites, dessen Probleme in seinem Schicksal begründet waren. Er war, vaterlos, aus dem zerbombten Deutschland nach Basel gekommen und ernährte, als Schüler!, seine Mutter und sich, indem er in den Nächten im Auftrag irgendwelcher Firmen auf einer Drehbank Werkzeugteile herstellte, deren Toleranz im Zehntelmillimeterbereich lag. Bolzen für Präzisionsgeräte, die pro Stück bezahlt wurden. Er hatte immer zu wenig geschlafen – ach ja, Cello spielte er auch noch, und zwar sehr gut – und bewirkte bei mir wahre Wunder, weil er mir die Angst vor den Zahlen und Zeichen nahm, die bis dahin wie Ungeheuer auf mich gewirkt hatten.) – Ein Gutmann wog einen Meier vielfach auf. – Beim Abitur (Matura, in der Schweiz) stand ich bei der mündlichen Prüfung vor der Wandtafel, auf die Herr Gutmann eine Aufgabe notiert hatte, die trotz Werner Lesslauers Therapie sehr einem böhmischen Dorf glich. Er stand neben mir, Herr Gutmann, mit einer Kreide in der Hand, und ich diktierte ihm, hilflos herumstotternd, meine Lösungsschritte. Mit zunehmender Zuversicht sah ich, dass er jedes Mal erfreut nickte und etwas ganz anderes auf die Wandtafel schrieb. Ich sprach immer leiser, denn da war ja ein fremder Experte, ein älterer Herr, der hinten im Zimmer saß, meist aus dem Fenster sah und vielleicht taub war. War er gar ein Komplize? Eher nicht. – Im Nu war die Aufgabe gelöst, und ich hatte im Matura-Zeugnis eine vier bis fünf, ich, der ich heute kaum noch Bruchrechnen kann und meinen Visa-Card-Auszügen, die mir die Bank schickt, blind glaube. Danke, Herr Gutmann. Danke, Werner.

IN den Sommern gingen wir nun nicht mehr nach Weißenried, sondern in einen Ort, der ebenfalls in den Bergen lag, allerdings viel südlicher, und den man auf einer Karte der Landestopographie mit einer noch viel stärkeren Lupe hätte suchen müssen, wenn nicht just das Blatt der Fünfundzwanzigtausender-Karte, auf dem unser neuer Sommerort versteckt war, auf dem Titelblatt seinen Namen getragen hätte: La Rösa. 1871 M.ü.M., hoch oben im Puschlav, wo die Einheimischen ein Italienisch sprachen und sprechen, das nur sie selber verstehen. Keiner aus Mailand, und einer aus Basel schon gar nicht. Selbst meine Mutter, deren Heimatort Brusio war, hatte ihre liebe Mühe; dabei war ihr Italienisch tadellos.

Nach Weißenried waren wir jeweils – oder glaube ich das nur? – einfach so aufgebrochen, mit zwei Rucksäcken mit dem Nötigsten drin (ich war ein Teil des Nötigsten gewesen und hatte Papas Rucksack alleine gefüllt; meine Mutter hatte den ganzen Rest geschleppt). Als wir nun aber zum ersten Mal nach La Rösa aufbrachen, in die Herzlandschaft meiner Mutter, packte diese zuvor tagelang Koffer und Kisten. Der ganze Haushalt schien nach diesem La Rösa zu müssen. Hosen, Gläser, Scheuerlappen, die Federballschläger, Leintücher und Kissenbezüge, und natürlich Papis *Littré,* der *Sachs-Villatte,* ein Stapel Papier und die unverzichtbaren Bücher. Die Schreibmaschine wollte mein Vater in der Hand mittragen, denn er konnte zwei, drei Tage lang ohne den *Littré* und den *Sachs-Vilatte* sein, das allenfalls. Aber nicht ohne seine Schreibmaschine.

In mehreren Fuhren transportierten meine Mutter und ich unsere Expeditionsausrüstung zur Post, auf unserm Leiterwagen, meine Mutter an der Deichsel ziehend, ich achtern schiebend. Der Weg war nicht weit, so nah in der Tat, dass ich aus dem Wohnzimmerfenster in die Räume der Post hineinsehen konnte. Postalltag in der Regel, Briefträger, die ihre Tour vorbereiteten oder mit den Frauen an den Schaltern schäkerten. Und einmal, an einem hochsommerlichen Hitzetag, spritzten sich zwei Pöstler in Uniform, ausgelassen herumalbernd, mit einem Schlauch nass und setzten dabei die ganze Briefpost des Tages unter Wasser. Ich sah zu, wie sie, etwas betreten, aber dennoch weiterblödelnd, die ineinander verklebten Briefe mit den Füßen zu einem Haufen zusammenschoben. Am nächsten Tag war der Haufen verschwunden, wer weiß, wohin. Wir haben jedenfalls nie einen Brief mit einer verschmierten Adresse erhalten.

Schon Weißenried hatte uns jedes Jahr zu einer Initiationsprüfung gezwungen, die auch beim zehnten Mal nicht leicht zu bestehen war (die düstere Felswand, der donnernde Bach, der Tunnel). La Rösa machte es uns noch schwerer, beim ersten Mal jedenfalls. Als wolle es sichergehen, dass wir würdig waren, das Paradies zu sehen. Schon in Chur, Stunden noch von unserm Ziel entfernt, regnete es in Strömen. In Pontresina dann goss es, als begänne eben die Sintflut, und als wir in der Berninabahn saßen – wir waren die einzigen Passagiere, als sei es *gefährlich,* an einem

solchen Tag in die kahlen Höhen des Berninapasses hoch-
zufahren –, fegten Schneeschlieren an den Fenstern vorbei.
Im Juli! Felsklötze lagen wie Tiere auf den steilen Weiden,
und da und dort sah ich tatsächlich Kühe, die, Felsen gleich,
im Schneetreiben auf ihren Tod warteten. Ein Schaffner war
auch nicht da; dass der Zug einen Lokführer hatte, konnten
wir nur hoffen. Immerhin hielt er halbwegs normal an der
Station Ospizio, und wir stiegen mit all unsern Säcken und
Packen aus, die wir, trotz der Postfuhre, mit uns trugen.
Nora und ich hielten unsere Lieblingszwerge in der Hand,
zeigten ihnen die furchterregende Landschaft – einen milch-
grauen See, über dem aus schwarzen Wolken ein Gletscher
hing – und erklärten ihnen, dass sie sich nicht fürchten
müssten, denn wir würden sie beschützen. Weder Nora
noch ich glaubten das, und die beiden Gummizwerge auch
nicht. Wir hatten selber Zuspruch nötig, den wir – das sah
ich, als wir uns im Schneeregensturm zum Postbus hin-
überkämpften – mindestens von unserm Vater nicht erwarten konnten. Der sah entschieden verzweifelt aus und biss
auf seinen Mundspitz, in dem eine nasse Zigarette dabei
war, in Stücke zu fallen. Er umklammerte mit beiden Händen den Kasten mit der Schreibmaschine. Nur meine Mutter, die als Einzige La Rösa schon kannte, zeigte eine etwas
verkrampfte Zuversicht und lachte, als ihr ein Windstoß die
Segeltuchtasche aus der Hand fegte. Der Bus war abge-
schlossen, kein Chauffeur weit und breit. Eine Minute vor
der offiziellen Abfahrtszeit kam er aus dem Stationsgebäude – da war ein kleines Restaurant, das zu betreten wir
nicht erwogen hatten, weil wir nie in Restaurants gingen
und weil der Bus ja gleich abfahren sollte –, begrüßte uns,

als sei so ein Wetter das Selbstverständlichste der Welt, ließ uns in den Bus und fuhr auch gleich los. Null Grad Celsius, wohlmeinend geschätzt, auch im Bus drin. Bis zum Hospiz hoch fuhren wir auf einem Schotterweg, der schmaler als der Bus war und eine so enge Haarnadelkurve hatte, dass der Chauffeur zweimal zurücksetzen musste und wir trotzdem so über dem Abgrund hingen, dass ich keinen Straßenrand mehr sah. Auf der Passstraße dann, die ebenfalls geschottert und voller Schlaglöcher war, konnten zwei Autos kreuzen, wenn sie sich millimeternah aneinander vorbeischoben. Es kam aber kein Auto, als wir ins Tal hinabfuhren, das von Wolken erfüllt war und wie ein Meer aussah, in das wir auch gleich hinabtauchten. Der Chauffeur erriet nun den Verlauf der Straße eher als er ihn erkannte. Zuweilen, in engen Kurven an Felswänden vorbei, betätigte er das Dreiklanghorn, das gurgelte, als schwämmen wir unter Wasser.

Dann standen wir im Freien. Alles milchweiß. Wo war vorne, hinten, unten, oben? Papa, Mama und Nora kaum zu sehen! Der Bus hatte gerade so lange gehalten, dass wir hinausklettern konnten, und war sofort weitergefahren. Seine roten Schlusslichter noch einen Augenblick lang, und weg war er. Noch einmal, fern, das Horn. Die Mutter führte uns wie drei Blinde über eine Brücke, unter der ein Wasser rauschte, das wir nicht sahen, vor ein Steinhaus, das erst aus dem Nebel auftauchte, als wir direkt vor ihm standen. Es sah unbewohnt aus, obwohl alle Fensterläden offen waren. Auf seiner Vorderfront stand wie zum Hohn *S'oggi seren non è, diman sarà seren. Se non sarà seren, si rasserenerà.* (Ich las das nicht an diesem ersten Abend. Und ich verstand es erst Jahre später: »*Wenn's heute nicht schön ist, wird's morgen schön sein. Und wenn's morgen auch nicht schön ist, wird's irgendwann mal wieder schön.*«)

Wir gingen um das Haus herum – der Haupteingang, der am Ende einer wuchtigen Steintreppe im ersten Stock lag, war nicht unserer –, schräg im Wind uns die Nordseite entlangkämpfend und endlich, während der Regen uns peitschte, eine morsche und ewig lange Holztreppe hochsteigend, die der Außenwand der Rückseite des Hauses entlang in den zweiten Stock führte, bis unters Dach, wo meine Mutter lange mit einem riesengroßen Schlüssel an einem Türschloss herumfummelte, das den Schlüssel nicht als den seinen erkennen wollte. Endlich gab es nach. Innen ein lichtloser Korridor. Eine Luft vom letzten Jahr. Nackte Kalkwände, Holzbohlen, der Teppich – brauner Rupfen – lag am Korridorende aufgerollt. Meine Mutter – »Ja, ja, alles wie früher!« – machte Licht in der Küche, mit einer über dem Tisch baumelnden Leuchte, zu der hin, der Wand und der Decke entlang, ein Gummischlauch führte, der an eine rotbemalte und trotzdem rostige Butangasflasche angeschlossen war. Das Licht anzuzünden war auch später, nicht nur bei diesem ersten Mal, eine Mutprobe, denn das Gas entzündete sich immer erst nach einer langen Weile, dafür aber mit einem heftigen Wummern. Meine Mutter floh mit einem Sprung, auch weil das Streichholz in ihrer Hand ihre Finger ansengte. Außer meiner Mutter traute sich keiner, die Lampe anzuzünden. Sie gab zwar ein helles Licht, dieses war aber das Einzige in der ganzen Wohnung. Für alle andern Zimmer brauchten wir Kerzen, die wir in Haltern aus Blech vor uns hertrugen. – Meine Mutter zündete im Holzherd ein Feuer an – Brennholz lag in einer Kiste bereit –, während wir andern, jeder auf seine Art verzweifelt, hin und her stampften, damit uns die Füße nicht abfroren. Als wir endlich dachten, nun sei's doch ein bisschen wärmer geworden, die Mäntel, Halstücher, Handschuhe und Mützen auszogen und uns an den Küchentisch setzten, stieß mein Vater den Eimer um, dessen Wasser sich über den Boden ergoss. Es gefror auf der Stelle. Blankeis. Wir fanden es nun doch nicht so warm und begannen erneut, die Arme gegen unsere Körper zu schlagen. – Irgendwie kriegte meine Mutter die Küche dann doch warm. Sie kochte Spaghetti, während wir am Tisch saßen und der Papa schon wieder versöhnt rauchte. *Spaghetti alla bolognese,* sie hatte sogar das Hackfleisch im Rucksack mitgenommen. Sie hantierte mit den Ringen der Herdplatten so virtuos herum, als habe sie das ein Leben lang gemacht. Die Flammen schossen in die Höhe, sanken wieder in sich zusammen. Das Knacken und Krachen des brennenden Holzes. Der Geruch. Am Ende des Essens waren wir alle beinah so etwas wie fröhlich, schließlich waren ja Ferien, und ein Rotwein für die Großen war auch da. Nun war auch Lea aufgetaucht, und mit ihr ihr Lachen. Auch sie trank ein, zwei Gläser; eher drei. Vielleicht hatte sogar Delia kurz hereingeschaut, aber wenn, hatte sie Lea kaum eines Blickes gewürdigt und den Wein abgelehnt. – Wir gingen ins Bett, Nora in dieses Zimmer, Mami und Papi in jenes, und ich in ein drittes, auf dessen Tür eine 16 stand, denn unser Haus war früher einmal ein Gasthof gewesen. Wenn ich mit meiner Kerze da- und dorthin leuchtete, sprangen die Schatten von Monstern und Räubern über die Wände. Es war schwer einzusehen, dass ich das war. Das Bett war mächtig und so hoch, dass ich hinaufklettern musste. Die Leintücher knirschten, als seien sie gefroren, und fühlten sich auch eisig an. Kissen für Riesen und ein turmhohes Deckbett, das eine Tonne wog. Ich ließ die Kerze brennen und rang, kann sein, in der Nacht nach Atem, weil die Flamme mir allen Sauerstoff wegfraß. Draußen noch eine Weile lang das Heulen des Winds. Dann schlief ich ein.

AM nächsten Morgen war der Himmel blau. Eine helle Sonne und eine Luft, die die Lungen liebkoste. Die Berge strahlten, und die Wiesen glänzten. Es war das Licht für die Erwählten. Für uns. In meiner Erinnerung gab und gibt es fortan nur dieses frische Leuchten. In den Nächten so viele Sterne am Himmel, dass es gewiss *alle* waren. Das gesamte Universum über uns, bis in seine fernsten Tiefen. Die Galaxien überlagerten sich. Ich sah durch die näheren hindurch die Signale der ferneren, hinter der blass eine noch entferntere schimmerte. Dahinter, gerade noch zu sehen, der Schein des Urknalls. Sternschnuppen rasten über den Vordergrund, während wir zur *grande curva* hinabbummelten, zur großen Kurve der Passstraße, die der magische Umkehrort für unsere Spaziergänge war, wenn wir Lust auf die Nacht hatten, auf den Mond, auf die schwarzblauen Silhouetten der Berge. Vorne, zu dritt untergehakt und – wenn wir nicht schnatterten – *Addio la caserma* oder *Quattro cavai che trottano* singend, Mami, Lea und ich, und hinter uns, in ihre eigenen Gespräche vertieft, zuweilen auch Papi, der nachtblind war und Noras Hand hielt, als sei sie seine kleine Antigone. Kaum je Delia. (Wir spazierten auf der Passstraße, weil nie ein Auto kam. Mach das mal heute! Sogar tagsüber waren die Autos so selten, dass jeder, der eins kommen sah, »Auto!« rief und wir alle, auch Papi, an die Fenster stürzten, um dem Wunder nachzuschauen.) – Am Tag Sonne. Eisenhut und Enziane, Arven und Lärchen, an deren Fuß Alpenrosen wuchsen (am Beginn der Ferien) und Heidelbeeren (an ihrem Ende). Auf den Wiesen sammelten wir faust- und manchmal sogar kindskopfgroße Boviste (auf die ganz alten traten wir drauf, auf die schon gelben, so dass sie stiebend zerplatzten und ihrem Namen, *petalufi*, Wolfsfürze, alle Ehre machten). In den Wäldern Steinpilze, die meine Mutter briet oder unter einen Risotto mischte. Bergfinken flogen auf, Frösche sprangen weg, im Steilhang des Carden pfiffen Murmeltiere. Vipern hie und da, unter Steinen verschwindend. Ich fürchtete mich vor Vipern.

Wir sammelten Brennholz für den Herd, und wenigstens ich trachtete danach, einen schier untragbar großen Ästehaufen zu schleppen. Ich ging unter so vielen Ästen vergraben, dass gerade noch meine zwei Beinchen zu sehen waren, und taumelte eher, als ich ging. Ich musste den Kopf so gebeugt halten, dass ich nur den Boden direkt unter mir sah. Aber ich kannte jeden Stein des Fußwegs, jede Felsplatte, jeden Tritt. Ich wusste immer, wo ich war. Äste stachen mich in den Rücken, vor allem, wenn ich einen heftigeren Schritt tat. Erst wenn ich einen Bach auf einem Brett überquert hatte und beim Spaltstock hintern Haus angekommen war – so ein Holzweg war glattweg einen Kilometer lang –, warf ich die Arme in die Höhe wie ein Atlas, der

Feierabend hat. Meine Last – Brennholz für eine Woche – polterte hinter mir zu Boden. – Dann kamen auch Mami mit einem immer noch respektablen Bündel und Nora mit ihren zwei Ästen. – Holzhacken mochte ich auch. Ich tat es *gern*. Unnötig zu sagen, dass mein Vater beim Holzsammeln nie dabei war. Das Holzhacken versuchte er einmal, ein Ast fegte ihm ins Gesicht und schlug ihm die Zigarette aus dem Mund. (Es gibt aber ein Foto vom jungen Vater, da hängt er, wo nur?, an einem Seil in einem Steilhang und ist dabei, eine riesige Tanne zu fällen. Ein Rätsel. Wozu brauchte er eine Tanne?) – Jetzt lag dieser Papi, in einem Buch lesend, auf dem Rücken vor der Bretterwand, die quer zum Nordwind zwischen dem Haus und dem Bach stand und hinter der es so warm werden konnte, dass er seine Strickjacke auszog, die Ärmel hochkrempelte und seine Glatze eine Färbung annahm, die er gebräunt nannte, die aber einen handfesten Sonnenbrand anzeigte. Mein Vater war auch bei Sonnenbränden eigensinnig, kein Mensch hätte ihn dazu gebracht, eine Mütze zu tragen.

Nora und ich spielten mit unsern Gummizwergen oder fischten mit Angelruten, die Spazierstöcke waren. Die Angelleine war eine Paketschnur, der Haken eine zurechtgebogene Büroklammer. Der Köder ein Stück Karotte oder Brot. Wir konnten uns nicht erklären, wieso wir nie eine Forelle fingen. – Wir durchquerten den Bach in einem Laufschritt, der einerseits nicht so hastig sein durfte, dass wir ins Wasser fielen, andrerseits aber auch nicht so langsam, dass uns die Krämpfe schon während des Laufens überwältigten. So oder so hüpften wir dann mit schmerzenden Füßen am andern Ufer herum, stöhnend und lachend in einem. Der Bach hieß Poschiavino und rauschte auch; er war ja auch respektabel breit; aber wer einmal die Lonza gehört hatte, ließ sich von ihm nicht beeindrucken. Von seiner Gletscherkälte allerdings schon.

Um zehn Uhr morgens kam die Post, der Postbus, der im Sonnenlicht freundlich aussah. In jenem ersten Jahr war er grau. Später dann wurde er grün – ein scheußliches Grün! – und endlich, wie es sich gehörte, postgelb. Auch der Chauffeur hatte sich schon am ersten Morgen in einen lustigen Mann verwandelt, der mit uns Kindern Scherze machte und bald einmal – für ein, zwei Sommer – von der Bildfläche verschwand. Weswegen, das verstand ich nur halb. Er hatte etwas Böses mit einer jungen Frau aus Poschiavo getan, einem Mädchen fast noch, und musste ins Gefängnis. Aber alle in La Rösa bedauerten ihn, sogar Delia, die einen Hang zur Gnadenlosigkeit hatte. Ich glaube, er heiratete das Mädchen dann; jedenfalls saß er eines Tages wieder am Steuer, als sei nichts gewesen. Er war der Beste. Wie er aus seinem Bus kletterte, wenn der wieder einmal Front an Front mit einem Auto aus Holland oder Belgien stand, den schweißnassen Fahrer von seinem Sitz scheuchte und das fremde Fahrzeug mit unnachahmlicher Eleganz an seinem Bus vorbeibugsierte! Kein Bleistift hätte auf dem verbleibenden Raum zwischen Reifen und Abgrundkante Platz gehabt! Er stieg aus, legte die Hand an die Pöstlerkappe, die er nicht trug, kletterte wieder hinter sein Steuer und fuhr weiter, als sei so ein Manöver das Natürlichste der Welt. (Klarerweise war er das Vorbild für meine hitzigen Phantasien im Kopf.)

Am Morgen, bevor die Post kam, formierte sich ganz

von selber und ohne jede Absprache ein kleiner Trupp – Papi, Nora, ich –, der im Gänsemarsch vor dem Haus vorbei, am Pingpongsaal, über die Brücke, über die Straße zum Hotel ging, in dem auch das Postamt war, das aus einer kleinen Kammer mit einem Schalter zum Hotelkorridor hin bestand und das Reich der Wirtin war. Frau Isepponi, die alle Schura Fausta nannten. Frau Fausta. Schura Fausta nahm jeden Morgen den Postsack entgegen, den ihr der Mädchenschänder in spe in die Hand drückte, mit einem Scherz, den nur die beiden verstanden, denn sie sprachen jenen herrlich unverständlichen Dialekt. Lauter Üs und Ös, und das auf Italienisch. Dazu lachten sie, Schura Fausta ohne Zähne und der Postautofahrer, ohne das Streichholz, auf dem er immer herumbiss, aus dem Mund zu nehmen. – Dann warteten mein Vater, Nora und ich eine weitere halbe Stunde und sahen durch das Fensterglas der Schalteröffnung, wie Schura Fausta die gesamte Post aller Bewohner von La Rösa las, auch unsere. (Später einmal schrieben wir aus Riehen eine Postkarte an eine meiner Tanten und grüßten Frau Isepponi, »falls sie das liest«. Sie antwortete postwendend und bedankte sich für die Grüße.) – Wie schon im Lötschental machte mein Vater achtzig Prozent des Umsatzes, und das Postamt wurde nur deshalb nicht geschlossen, weil an dem Tag, an dem die Verwaltung der PTT in Chur seine Tätigkeit überprüfte – das Datum sickerte jedes Jahr ein paar Tage vorher durch –, mein Vater Dutzende von Briefen und auch ein paar Pakete aufgab. Die aufgeklärteren der andern Bewohner La Rösas (Lea, Claudio Gisep, vielleicht auch die Aargauer aus der Villa auf dem Felshügel, deren Namen ich vergessen habe) hielten es ebenso. Für ein weiteres Jahr hielt Chur die Post von La Rösa für unverzichtbar, und tatsächlich wurde sie erst nach dem Tod meines Vaters geschlossen, obwohl ich da, erwachsen geworden, ebenso viele Briefe wie er einst zu versenden versucht hatte. Da war auch Schura Fausta längst tot, und alles nützte nichts mehr. – Schura Fausta hatte einen so guten Risotto gekocht, dass an den Abenden, nach Arbeitsende, oft am einen Tisch die Zollbeamten vom Posten von La Motta (eine halbe Fußstunde höher am Pass) ihren Risotto aßen und am andern die Schmuggler, die den Reis aus dem Veltlin hergebracht hatten. Waffenstillstand, gemeinsames Genießen, ein freundlicher Abschied. »Bundí!«, guten Tag. Das verstand sogar ich.

GUIDO. Onkel Guido war der König im Haus, das, tatsächlich einem Palast ähnlich, einem bäurischen Bergschloss, so viele Zimmer, Kammern, Korridore, Treppen, Küchen, Scheunen und Ställe hatte, dass ich auch jenen Hausbewohnern, die immer da waren – Lea, Delia, Reto, Ginggi, Wanda; und für mich unsichtbar auch Elsa –, nur zufällig begegnete. Auf Guido traf ich kaum je, denn er war zwar der Patriarch und der Besitzer all dieser Herrlichkeit, aber nur selten da. Er tauchte wenige Tage nach unserer Ankunft plötzlich und unvermutet aus dem Nichts und Nirgendwo auf, und so geräuschlos, dass ich ihn erst wahrnahm, als er vor dem Haus stand und hupte. (Auch später materialisierte er sich stets völlig unerwartet; zack, war er da; als habe er sich aus unbekannten Welten hergebeamt.) Da stand er, mit den Gedanken noch anderswo, neben seinem Auto, während wir alle zu ihm hinstürzten, jeder seine Treppe hinunter. Guido nickte uns mit einer Kopfbewegung, die alle einschloss, zu und strich Nora über die Haare, wie ein Monarch auf Staatsbesuch. Er hob eine Hand und winkte zu einem Fenster im ersten Stock hin. Ein Schatten hinter der Glasscheibe hob eine Hand. Er war ein alter Herr, Guido, in einem untadeligen Maßanzug, der nun auch sprach, und zwar so leise, dass alle an seinen Lippen hingen. Ich schaute bewundernd zu ihm auf, dies natürlich, weil er der Chef unsres Klans und vermutlich des ganzen Tals war. Ich wusste, dass er im Rotary-Club war und in Zürich ein eigenes Restaurant hatte. Den Veltlinerkeller. Meine Mutter sagte es immer wieder, voller Ehrfurcht. Guido war stets voller Pläne, an die andere nicht einmal zu denken wagten und von denen er, begeistert murmelnd und den Großen ein Glas Wein nach dem andern einschenkend, den einen oder andern am selben Abend noch an uns ausprobierte. Wir saßen in seinem Salon, Mami, Papi und Lea. Nora und ich, scheu für einmal und still. Über dem Tisch brannte eine altehrwürdige Ölfunzel. Abseits im Schatten saß eine alte Dame. Ich hatte ihr die Hand gegeben, sogar so etwas wie einen Kuss gekriegt, begriff aber nicht, wer sie war. Die andern fanden die Dame abseits jedenfalls nicht ungewöhnlich. Mit Guido an einem Tisch sitzen zu dürfen, ja zu spüren, dass er uns an diesem Abend um sich brauchte, war eine hohe Ehre, die uns, mag sein, in all den kommenden Jahren nie mehr zuteilwurde. – An diesem Abend wollte er die Berninastraße ausbauen, asphaltieren und wintersicher machen (Papi schaute skeptisch), La Rösa in eine touristische Attraktion mit einem Schwimmbad und einem Erstklasshotel verwandeln (sogar meine Mutter war entsetzt) und, das dominierende Thema an diesem Abend, einen Bundesrat dazu überreden, sein Weingut im Veltlin zu besuchen. (Es hieß La Gatta und hatte zwei Katzen im Wappen.) Der Bundesrat kreuzte tatsächlich im gleichen Sommer noch in La Gatta auf. Ich hatte erwartet, dass *er* stolz war, von Guido empfangen zu werden. Aber es war umgekehrt. Guido katzbuckelte so sehr vor ihm – anders als seine stolz aufgerichteten Wappentiere –, dass sogar ich es aus seinem Bericht heraushörte. Er beschrieb immer erneut, wie der Bundesrat einen Schluck von seinem 38er San Domenico getrunken hatte, dem Besten, was sein Keller hergab, und mit der Zunge geschnalzt hatte. Er kostete auch den Grappa, gleich mehrere Male, wenn wir Guido glauben durften. Zum Beweis zeigte er uns sogar ein Foto, auf dem wir den Bundesrat von schräg hinten sahen, mit einem Glas in der Hand, und in die Kamera strahlend Guido, wie er, am Bundesrat vorbei, die Etikette der Flasche dem Fotografen und uns Betrachtern zeigte.

NOCH mehr als Guidos göttergleiche Autorität bewunderte ich aber sein Auto. Gleich, sofort, wie es mächtig vor dem Haus stand und vor Hitze dampfte. Es war ein Jaguar, ein damals schon ehrwürdig alter Jaguar, dessen Kühlergrill dem Gatter eines mittelalterlichen Burgtors glich. Ich strich, während Guido den Erwachsenen noch die neuesten Nachrichten aus dem Tal zuflüsterte, bereits um sein Auto herum. Es roch nach Öl, Benzin und dem fernen Britannien. Ein Armaturenbrett aus Edelhölzern, Sitze aus einem braunen Leder, ein Lenkrad mit einer ebenholzfarbenen Mitte, die die Hupe war, mit einem springenden Katzentier geschmückt. Einem Jaguar doch wohl. Das Nummernschild allein schon bewies, dass Guido zur Aristokratie des Kantons gehörte. GR 16. *Grigioni sedici.* (Meine Zimmernummer im Haus; auch das sah ich als ein Zeichen.) Warum mein Vater lachte, als er das sah, begriff ich erst später. *Sedici* heißt nicht nur sechzehn, es heißt auch Scheißhaus. – Mein Gott, *das* war ein Auto! Es stellte sogar Onkel Erwins Wanderer in den Schatten, der auch schon zweifarbig gewesen war: auch er, wie Guidos Jaguar, lindgrün mit olivfarbenen Kotflügeln. Auch der Jaguar hatte Weißwandreifen, wie einst Erwins Cabrio. Aber er war eine Limousine und rechtsgesteuert, weil englische Autos ihr Lenkrad auf der rechten Seite hatten und weil Guido das für die einzig geeignete Art hielt, die steile und schmale Passstraße hinaufzufahren. Es war *seine* Entscheidung, das Steuer rechts zu haben, und als mein Papa sagte, es gebe ja gar keine linksgesteuerten Jaguars, schaute er ihn aus leeren Augen an. Wie auch immer, so sah er den Straßenrand, den Abgrund und die Felsen besser als einer, der links sitzen musste. (In der Tat hatte auch der Postbus von damals, ein Saurer, sein Steuerrad auf der rechten Seite.) – Gleich am nächsten Morgen durfte ich Guido auf einer seiner *Goodwill*-Touren ins Engadin begleiten. Er hatte die Angewohnheit, alle paar Wochen bei seinen besten Kunden vorbeizuschauen – im Steffani, im Misani, im Müller –, ohne ihnen etwas verkaufen zu wollen, nur so zu einer kleinen Plauderei bei einem Glas La Gatta oder Grumello, zu so vielen Plaudereien im Lauf dieses Tags in der Tat, dass er den Jaguar am Abend in würdiger Trunkenheit über den Pass zurück nach La Rösa steuerte. Ich, nüchtern, saß neben ihm, auch jetzt noch völlig begeistert. Wie er das Lenkrad sacht und unaufgeregt drehte! Der Motor war kaum zu hören. Und entgegenkommende Autos verkrümelten sich angesichts unserer britischen Majestät in den Straßengraben.

DIE Dame im Nachtschatten war Guidos Frau. Elsa. Sie war die Silhouette gewesen, die am Fenster des ersten Stocks – da, wo wir jetzt waren – eine Hand gehoben hatte, als Guido ihr zuwinkte. Sie saß in einem schwarzen Kleid an ebendiesem Fenster und sah, weil sie im Dunkeln saß, wie ein im Raum schwebender bleicher Schädel aus, ohne Körper. Große Augen, die Guido anstarrten, während dieser voller Kraft und ohne sich um sie zu kümmern auf Mami, Papi und Lea einredete, die ihn anstrahlten. Ein einziges Mal sagte sie etwas, unvermittelt und mit einer klaren Stimme. Guido verstummte sofort. Ich verstand nicht, was sie sagte, obwohl sie keinen Dialekt sprach, sondern ein piekfeines Italienisch mit einem *Erre lombardo*. Guido wandte sich ihr zu, mit einem jäh verdunkelten Gesicht. Er sprach auch italienisch, er im Dialekt. Seltsamerweise wechselte Elsa nun in ein ebenso feines Deutsch ohne jeden Akzent hinüber. Guido antwortete ihr erneut, auch er deutsch; *bündnerdüütsch* allerdings. »Nein«, sagte er. »Es ist das Beste so.« Alle schwiegen, auch Elsa. Ihr Gesicht war noch weißer geworden, und auch Guido sah plötzlich wie der alte Mann aus, der er ja war. Dann, mit der Stimme von vorhin, nahm er das Gespräch wieder auf, und auch

Mami, Papi und Lea schwatzten wieder. – Guido fuhr am nächsten Morgen weg, und Elsa blieb schwarz am Fenster sitzen, den ganzen Sommer über. Sie starb noch in diesem Jahr, oder vielleicht im nächsten.

(WARUM denke ich, zwischen Guido und Lea, die seine Tochter war und von der ich jetzt erzählen will, an die Hälfte des Lebens? »Hälfte des Lebens«? Sie wäre ein kostbarer Augenblick, erkennten wir diesen nur. Aber bei der Hälfte meines Lebens sind wir jetzt noch nicht, und ich, schreibend, bin darüber hinaus. Hälfte des Buchs vielleicht? Ich kenne auch *seine* Dauer nicht so genau. Immerhin ahne ich inzwischen die Vorzüge und Nachteile meines halsbrecherischen Plans, ausschließlich mit dem Material meines Lebens zu arbeiten. Mit echten Namen, den Erinnerungen an das Wirkliche, und nur mit ihnen. Der Gewinn ist: Ich lebe längst abgelegte Zeiten nochmals, mit bestürzender Heftigkeit. Ich lebe ein zweites Mal. Und jene, die doch längst tot sind, leben auch wieder, zusammen mit mir. Noch einmal die Freude, das Glück und der Schmerz. – Nachteile dennoch: die Gattung selber, die Autobiographie, scheint mir jede große Sprachgeste zu verbieten. Und ich liebe sie doch so, die erhitzte Sprache für den heißen Moment; das Pathos. Hier, angesichts meines Stoffs – das banal schmerzhafte und gewöhnlich-glückliche Leben –, würde sich eine solche Sprache lächerlich machen. Schade.)

JETZT also Lea. Sie kam, gleich am ersten Abend, in unsere Küche gestürmt. Großes Juchzen, Gelächter, Umarmungen. Um genau zu sein: Es war Lea, die juchzte und lachte und umarmte. Meine Mutter, auf die sie zustürmte – »Anita! *Che piacere!*« –, freute sich auf ihre stillere Weise. Aber sie lächelte und breitete die Arme aus! Lea tanzte mit ihr, die so etwas wie ihre Tante war, durch die Küche, warf sich dann über meinen Vater, der seine Zigarette gerade noch in Sicherheit bringen konnte, und zerdrückte Nora und mich schier. Ich staunte zu ihr hoch, in dieses lachende Gesicht, aus dem die Wörter nur so heraussprudelten. Italienisch, deutsch, gleich geläufig und wild vermischt. Lea schielte. Sie schielte – wie soll ich das formulieren? – absolut. Ein Auge nach Nord, das andere nach Süd. Es war unmöglich zu sagen, ob sie mich ansah oder in die Gegenrichtung blickte. Wahrscheinlich hatte sie ein Gesichtsfeld von 360 Grad. Sofort saß sie an unserm Tisch, mir gegenüber, und kippte ein Glas Hügelwein. (Sie war *keine* Trinkerin; sie musste einfach den herrlichen Augenblick feiern.) Sie prostete mir zu – »*Salute, Orsino!*« – und blickte dazu rechts und links an mir vorbei.

Wo Lea war, schien die Sonne heller. Sie hatte ein so großes Talent zur Fröhlichkeit, dass ihr Schielen unsichtbar wurde. Nach der ersten Verblüffung nahm ich es nicht mehr wahr, nie mehr. Niemand, hätte er sie beschreiben müssen, hätte gesagt, dass sie schielte. Sie, die nun tatsächlich keine Schönheit war, wurde von jungen Männern umschwärmt, die einzeln, zu zweit und auch im Pulk in La Rösa auftauchten (Woher? Und wie? Autos hatten sie keine) und sich von Leas Lebenslust so anstecken ließen, dass sie schon alberten, während sie über die Brücke des

Poschiavino aufs Haus zumarschierten. Pierino, Luigi, Sandro, Marco, Francesco. Nie allerdings war einer der wirkliche Favorit. Mit dem Lea auch etwas tat, bei dem sie nicht lachte. (Oder war sie eine so gute Komödiantin, dass sie sogar ein zehnjähriges Kind hinters Licht führen konnte?) Pierino vielleicht am ehesten noch, der an der *grande curva* unten wohnte und bald starb. Krebs, kann sein, dass ich bei Pierino das Wort »Krebs« zum ersten Mal hörte. Ein Tier, das ihn von innen her auffraß, bis er ganz ausgemergelt war. Lea weinte, als sie uns Pierinos Tod berichtete. Aber es gab ja noch Francesco, Marco, Sandro, Luigi. – Sie wohnte im ersten Stock, ihr Schlafzimmerfenster war unter dem *diman* von *diman sarà seren,* und zuweilen schaute sie heraus und winkte mir, wenn ich, direkt unter ihr, den Fußball gegen das Garagentor trat. Sie lachte und rief »*Bravo*«, wenn ich einen besonders scharfen Hammerschuss aufs Garagenholz placierte. Hie und da allerdings schimpfte sie, den Kopf schräg zurückgelegt, zu Delia hinauf, ihrer Schwester, die aus einem Fenster des zweiten Stocks hing und etwas nach unten bellte, was ich nicht verstand. Irgendeinen Vorwurf. Delia, die mit ihrer Schwester immer *pusciavin* sprach, hatte die Begabung, aus einer Mücke einen Elefanten zu machen. *Da ün muschit ün elefant,* oder so ähnlich. Sie hatte eine Stimme, mit der sie Glas schneiden konnte. Vielleicht war der wunde Punkt dieser ständigen Auseinandersetzungen Elsa, ihre Mutter, um die sich beide kümmerten und die im Salon vor sich hin starb. »Und Schluss mit dem Fußball«, rief Delia, auf Deutsch nun, und fasste mich ins Auge. »Das gibt Flecken. Das weißt du genau. Aber weißt du auch, wer sie dann wieder wegwischt? Du etwa?«

Sonst aber füllte Lea ganz La Rösa mit ihrer Fröhlichkeit. Sie zwitscherte und sang den ganzen Tag über. Sie sang sogar, in Poschiavo unten, in einem Chor, der Platten machte. Echte Schallplatten, die im Radio gespielt wurden. *La Poschiavina* war fast noch schöner als *La Montanara*, so kraftvoll klangen die Bässe und Tenöre und so rein strömten die Sopranstimmen der Frauen, von denen eine die Leas war.

Dann verdüsterte, von einem Tag auf den andern, ein schwarzer Schatten das Tal und das Leben Leas. Sie hatte einen Mann gefunden oder dieser sie – keine Ahnung, wann, wo, auf welche Weise –, der anders als alle andern war. Kein lustiger Pierino, kein munterer Luigi, kein Witze reißender Francesco. Er hieß Primitivo – echt wahr! – und war so mächtig, dass er sich in den Poschiavino hätte stellen und diesen allein mit seiner Brust hätte stauen können. Er vertrieb die lustigen Liebhaber, vielleicht ohne es zu bemerken. Sie kamen nie mehr. Er wurde Leas Einziger, und sie sah ihn innig an, verliebt, auch wenn ihre Augen die seinen verfehlten. Primitivo hatte so oder so Augen wie Steine. Er sprach wenig, und wenn, dann kurze Befehle, oder Vorwürfe. Lea sauste dahin, dorthin, fraß ihm aus der Hand, den Händen, die Pratzen waren und einem Kaninchen mit einem Handkantenschlag das Genick brechen konnten. Guido vergleichbar – das war aber auch die einzige Ähnlichkeit –, tauchte er unerwartet in La Rösa auf und verschwand ebenso plötzlich wieder. Wenn er da war, hielt das Leben den Atem an. Lea ging auf Zehenspitzen, Mami verschanzte sich in der Küche, und Nora und ich spielten mit zusammengekniffenen Lippen. Nur Papi ignorierte Primitivo und tippte auf seiner Maschine, als sei dies ein Tag wie jeder andere. Primitivo spaltete zuweilen Holz oder polierte an seinem Auto herum, einem Mercedes, den er jeden Frühling gegen einen neuen umtauschte, einen sogenannten Jahreswagen, den er in Stuttgart abholte und dessen Rabattgewinne ihn so stolz machten, dass er sie sogar mir, dem zwölfjährigen Buben, vorrechnete. Der Mercedes, all die Mercedesse waren linksgesteuert, nicht rechts wie Guidos Jaguar. So oder so ließ er sich von Guido nichts sagen. Er war jung genug, um gelassen auf dessen Tod und das Erbe warten zu können, und Guido starb ja auch bald. Vor Primitivo konnte man nur *einen* Weg wählen, den von ihm weg, und wenn da der Abgrund war. – Ihm haftete immer etwas Gewalttätiges und Illegales an. Keine Ahnung, ob das stimmte. Er war ein Geheimnis. Einmal traf ich ihn unvermutet – ich vermutete nichts, und er sah mich gar nicht – in einem Restaurant (Jahre später, in Poschiavo unten), und er war völlig anders, als ich ihn kannte. Er schien der König des Lokals zu sein, lachte, röhrte, hieb auf Schultern, nahm große Schlucke und aß ein Sandwich mit einem Biss. Zu Hause, in La Rösa, war er immer düster.

Er verschwand jedes Jahr für ein, zwei Monate auf sein Gut, das eine große Hazienda im Norden Spaniens war. (Er war Spanier und sprach fließend Schwyzerdütsch. Italienisch sowieso.) Auch Lea hatte die Hazienda nie gesehen, und mein Vater sagte, es gebe sie gar nicht. Andrerseits schien sie Geld einzubringen, denn etwas anderes – für uns Sichtbares – arbeitete Primitivo nicht.

Einmal war er auf einer Wanderung mit dabei. So etwas war vorher nie geschehen, und es passierte auch später nie mehr. Wir wanderten – oben auf dem Berninapass – dem Lago bianco entlang, dessen milchweißes Wasser direkt aus dem Gletscher stammt, der über ihm hängt. Ich tauchte eine Hand hinein, in so etwas wie flüssiges Eis, und zog sie sofort wieder heraus. Sie war, nach diesen paar Sekunden, starr und fühllos. Primitivo lachte – dieses Lachen, das wie ein Raubtierfauchen klang –, zog sich aus und sprang mit einem flachen Kopfsprung in die Fluten. Lea schrie auf, und Mami, Nora und ich standen sprachlos da. Primitivo kraulte eine Weile lang herum und kam endlich ans Ufer zurück. – Da bewunderte ich ihn. Wie er dastand und sich schüttelte, dass die Tropfen mich nassspritzten. Ein Gottungeheuer mit einem blaugefrorenen Gemächte.

Lea kriegte ein Kind. Jolanda. Sie wurde Leas Ein und Alles – Lea hatte mit ihren beinah vierzig Jahren nicht mehr mit diesem Glück gerechnet – und bald das größte Geheimnis in diesem Rätselhaus. Denn nach wenigen Jahren – ach, eigentlich von allem Anfang an – war Jolanda so verstört, so seltsam, so wund, dass sie mich nicht sah und ich sie scheu anblickte, wenn sie dann doch einmal vor die Tür kam. Ich redete nur wenig mit ihr, sie war ja auch manche Jahre jünger und schien kein Deutsch zu sprechen. Es war ein Glashauch um sie, der sie unberührbar machte. Sie, umgekehrt, war – selbst wenn sie dann doch etwas sagte – abwesend wie ein Besucher, der nur zufällig gerade hier war und eigentlich in eine andere Zeit, in eine andere Welt gehörte. – Lea wurde ein Schatten, der nur noch wenig sprach und noch weniger lachte. – So ging das weiter, Jahr für Jahr. – Kaum war Jolanda so etwas wie bewegungsfähig, verschwand sie. Auch Lea wusste nicht, wo sie war; Primitivo schon gar nicht, vermute ich. Es gab Lebenszeichen aus Südamerika. Brasilien wohl. Sie war endgültig weg, die Heldin oder eher das Opfer eines Albtraums, den sie oder ein anderer träumte und aus dem sie zu fliehen versuchte. Ob erfolgreich, weiß ich nicht.

MEINE Mutter hatte immer – verschiedene Zeiten, andere Orte – *einen* Menschen, von dem sie sich terrorisieren ließ. Vor dem sie zitterte und dessen hingemurmelte Bemerkungen sie auch dann für Befehle hielt, wenn sie das gar nicht waren. Sie suchte sich aber schon die Geeigneten aus. Solche, die zu herrschen und auch ein bisschen zu quälen wussten. Die Besitzer der Häuser, in denen sie wohnte, alles in allem. Zuerst war es wohl ihr Vater gewesen – ich habe meinen Großvater nicht kennengelernt; er starb vor meiner Geburt; er hatte sich in die Badewanne gelegt und sich die Pulsadern aufgeschnitten; meine junge Mutter fand ihn –, dann wurde es Erwin. Später, als Lückenbüßerin, Madame Schaub. Bald aber und für die restliche Lebenszeit Fräulein Doktor – ich komme auf sie zurück; es ist unvermeidlich –, die seltsamerweise auch Schaub hieß, allerdings deutsch ausgesprochen, und die Besitzerin des nächsten Hauses war. (Franzjoggi hatte schon Schaub geheißen. Ist mein Leben von Schauben begleitet?)

In La Rösa fiel diese Rolle Delia zu. Wie eine Ferienvertretung. Immerhin war sie, nachdem Guido gestorben war, zusammen mit Lea die Besitzerin des Bergpalasts, in dessen Gesindewohnung wir sein durften. Wenn wir zurück in Riehen waren, übernahmen Madame Schaub oder dann bald Fräulein Doktor ihre Funktion erneut und ohne Mühe. Delia tauchte zu den ungelegensten Zeiten in unserer Wohnung auf. Am frühesten Morgen, wenn nur Papi auf den Beinen war und Mami, wie von Nachtmahren gehetzt, aus ihrem Bett schoss und »Ich bin schon da, Deli!« rief. Wenn wir gerade mit dem Essen anfangen wollten oder die Tschau-Sepp-Karten eben verteilt hatten. Sie hatte Zähne wie ein Biber, plauderte, während der Risotto kalt wurde, übers Wetter und dass ihr Auto, ein Fiat 600, hier vielleicht klein wirke, ärmlich, aber auf den italienischen Straßen ideal und den dicken Kisten, wie sie Primitivo oder Loris oder auch Guido führen, weit überlegen sei. Nicht, dass sie sich solch ein Auto nicht auch leisten könnte. Beim Abschied merkte sie an, dass die Schuhe da draußen etc., und dass wir Kinder usw. Wir sollten nicht so laut herumrennen und am besten gar nicht atmen. Das sagte sie zu meiner Mutter, nicht zu uns Kindern, die wir mit am Tisch saßen. Sie kannte die Wege der Hierarchie, sie war im Krieg Korporalin oder Leutnant bei den Rotkreuz-Fahrerinnen gewesen und hatte schwere Laster voller Verletzter über Gebirgswege gesteuert. Sie hätte, wäre der Kriegsfall eingetreten. Es gibt ein Foto von ihr, auf dem ich auch drauf bin, ich bin etwa zwei und rolle einen Kohlkopf über einen Kiesweg, und sie steht gütig lächelnd neben mir, mein Tun billigend, in einer schmucken Uniform mit schwarzen Stiefeln. – Auch musste das Brennholz sauberer geschichtet sein, und die Zahnputzgläser durften nicht neben der Spüle stehen. Natürlich, Delia, sagte meine Mutter und räumte schon einmal die Gläser mit den Zahnbürsten weg. Delia nickte und verschwand. Wir begannen den kalten Risotto zu essen oder ordneten unsere Karten zu einem Fächer. Das heißt, Mami schichtete das Brennholz um, während wir andern stumm aßen oder in unsere Karten stierten.

Delia war die, die, wenn ich um neun Uhr früh mit vom Schlaf immer noch verklebten Augen vor dem Haus vorbeischlurfte, oben aus ihrem Fenster heraus »Na, du Schlafmütze!« rief, lachend und strotzend vor Frische, und es stellte sich heraus, dass sie eben vom Piz Palü oder wenigstens vom Piz Cambrena zurückgekommen war. Halb vier Uhr Abmarsch in La Rösa, halb sieben auf dem Gipfel, zwei Minuten Rast, und dann im gestreckten Galopp wieder nach Hause. An jenem Tag war sie allein unterwegs gewesen. Sie war eine sehr gute Alpinistin, sie hielt sogar mit ihrem Mann mit, Fritz, der ein spektakuläres Palmarès von Erstbesteigungen und 10-Grad-plus-Wänden hatte und mit dem sie heftig rivalisierte. Er nahm es gelassen und machte die schwierigeren Touren mit andern. Er war bei den Sprints auf den Palü nie dabei, er arbeitete den Sommer über in Mailand – er war Chemiker – oder war auf einer Expedition im Himalaya. Er war Instruktionsoffizier bei den Gebirgstruppen, was sonst. So ruhig wie er wollte ich auch einmal werden. Besonnen angesichts schier unüberwindbarer Schwierigkeiten. Nur das Nötigste sagen – und das mit einer Frau, die auch das Unnötigste formulierte! –, das aber eindeutig. Diese ersten Schritte am Berg, auch wenn ein Hüpfen und Springen durchaus möglich gewesen wäre. Aber eben, einer wie er ging dann diese Schritte auch nach zehn Stunden noch, und auf 7900 Meter Höhe. – Ich machte nie eine Tour mit Fritz, ich meine, auch keinen Spaziergang. Mit Delia Dutzende. Es ging früh los, aber nicht so früh wie wenn sie ihre einsamen Gipfelstürme unternahm. Wir machten Kindertouren, auf die Gessi zum Beispiel, einen Kalk- oder Gipsberg, der auf der einen Seite steil abfiel und aus mehreren weißen Gipfelsäulen bestand, die wie Finger in den Himmel ragten. Auf der andern Seite war er eine nicht einmal steile Wiese, auf der so viele Edelweiß wuchsen, dass man eine Sense gebraucht hätte, hätte man sie alle pflücken wollen. Wir steckten uns jeder eins ins Knopfloch, oder ein Männertreu, das auch selten war und wunderbar duftete. Abwärts ging es dann den steilen Kreideabhang hinunter, zwischen den Bergfingern. Wir rutschten und lachten, Kieslawinen mit uns reißend, und standen im Nu, weiß bestäubt, auf dem Fahrweg tief unten, der zur Forcla di Livigno führte. Das war schon schön! – Wir waren auch auf dem Piz Campascio, dem Piz Lagalb (da gab's noch keine Seilbahn) oder am Lago di Saoseo und am Violasee. Einmal gar auf dem Piz Sassal Masone, dem Palü fast auf Augenhöhe gegenüber. (Nora kriegte einen herabkullernden Stein auf einen Daumen und blutete und weinte.) Mit uns (Mami, Nora und mir also) waren immer Delias Kinder. Reto, Ginggi und zuweilen auch die kleine Wanda. Reto war jünger als ich, Ginggi jünger als Reto (seine Mutter nannte ihn Ginggi, weil er ihr Fußtritte gab), und Wanda war das Nesthäkchen, das schmollte, sich von Delia am Arm schleifen ließ und später, wenn ich das recht sehe, keinen unnötigen Schritt mehr tat. Wir Buben, und mindestens auch Nora, wurden von Delia unablässig angehalten, den Ball am weitesten zu werfen, den Fels am schnellsten zu erklettern und den schwersten Holzklotz in die Höhe zu stemmen. Alles war ein Wettbewerb, bei dem es der

Erste zu sein galt. Wir konnten noch nicht einmal einen Apfel in Ruhe essen, denn auch einen Apfel kann man schneller, langsamer, schöner, vollständiger als die andern essen. – Bei Reto und Franco (dem Ex-Ginggi) schlug das auch an, sie wurden beide Spitzensportler, Skifahrer von Gottes Gnaden, und Franco raste die Skeletonbahn in St. Moritz in Rekordzeiten hinunter. Er war, glaube ich, auch Weltmeister im Windsurfen. Jedenfalls ging er auf den See von Silvaplana, wenn die andern Cracks ihn entmutigt verließen, weil die steife Maloja-Brise ein veritabler Sturm geworden war. Da fegte er dahin, schräg über dem gischtenden See hängend und auf dem Brett von Welle zu Welle klatschend. – Ja, es war schön, wunderbar, dass Delia mich zum Auf-die-Berge-Steigen verführte. Ich wurde einfach nie der Erste und lernte, ohne allzu großen Schmerz der Zweite oder Letzte zu sein. – Delia wusste immer den rechten Weg. Es gab auch dann nur *einen* richtigen Weg – den, den Delia ging –, wenn alle andern Wege auch zum Ziel geführt hätten. Und wenn ich mit meiner Mutter loszog, die vertrauten Touren allein zu machen – Piz Campascio, Lagalb, Gessi –, verweißte diese unablässig, ob wir jetzt tatsächlich richtig gingen oder ob die Kante dort doch nicht eher die sei, die Delia gewählt hätte. So war Delia auch dabei, wenn sie nicht mit uns war.

Einmal war in der Nacht eine große Unruhe im und vor dem Haus. Lichter, huschende Gestalten, ein Auto mit brennenden Scheinwerfern und laufendem Motor, als ich aus dem Fenster sah. Ich ging vors Haus – im Nachthemd, mit meinem Anorak um die Schultern –, und es stellte sich heraus, dass Fritz und Loris eben, mitten in der Nacht, zwei verunglückte Engländer aus der Südwand des Corno di Campo geholt hatten. Die Engländer waren jetzt im Spital, und Fritz und Loris rollten Seile zusammen und räumten Haken und Pickel und Lampen in die Garage, Fritz wortlos hantierend, während Loris Delia das ganze Rettungsdrama schilderte, und damit auch mir. Auch für ihn war Fritz ein Ideal, und also versuchte er so ruhig wie möglich zu sprechen, japste aber an den paar extremen Stellen der Schilderung doch aufgeregt. Wie er, mit der Stirnlampe den Fels ableuchtend, den ersten Engländer, der ein Bein und mehr gebrochen hatte, abseilte, während Fritz weiter oben den zweiten Engländer sicherte, der ein zermatschtes Gesicht hatte. Wie sie den beiden, im Abgrund hängend, Schmerzspritzen gaben, durch alle Kleider hindurch. Auch Delia war im Nachthemd: Sie trug noch nicht einmal einen Anorak und war viel zu erregt, um zu frieren. Wenn sie nur dabei gewesen wäre! Das wäre etwas nach ihrem Geschmack gewesen! (Nach meinem auch.) Fritz war nun fertig und ging schweigend die Treppe zum Haupteingang hoch, während Loris in den Wagen kletterte, einen Jeep oder so etwas, und davonfuhr. Auch Delia ging grußlos, und ich rannte ums Haus herum und die Hintertreppe hinauf und schlüpfte ins Bett zurück. – (Loris war der Bruder Delias und Leas. Er war, wie ich in dieser Nacht begriff, ein guter Alpinist, ein sehr guter offenbar, aber er war, anders als Fritz, dem genussvollen Leben zugetan. Frauen, Autos. Autos vor allem. Einmal fand auf der Passstraße ein Rennen für Tourensportwagen statt. Ein Bergrennen mit Einzelstart. Jede Minute einer. Der gesamte Verkehr zwischen Poschiavo und dem Ospizio war gesperrt, den ganzen Tag über und aus guten Gründen, denn die Rennwagen fuhren mit jedem möglichen Risiko um die vielen unübersichtlichen Kurven. Mami, Nora, ich und – kann sein – auch Lea und Delia bezogen rechtzeitig einen Aussichtsfelsen hoch über La Rösa, gleich beim Zollhaus von La Motta, von dem aus wir ein schönes Stück der Straße tief unter uns sahen, und dann wieder die Straße ganz nah bei uns, die in einer schier ewigen Kurve rund um uns herum führte und weiter oben hinter Felsen verschwand. Ein Wagen nach dem andern raste, mit heulendem Motor und Staubwolken aufwirbelnd, den Berg hinauf und an uns vorbei. Die Kiesel fegten bis zu uns hoch, und Nora kriegte sogar einen ab, auf den gleichen Daumen wie am Piz Sassal Masone, weinte aber diesmal nicht, begeistert dem um die Kurve schlitternden Übeltäter nachsehend. Die meisten Autos waren Cabrios, ihre Fahrer trugen Rennfahrerbrillen und Lederkappen. Große Startnummern auf den Türen. In der Kurve vor dem Zollhaus stellte es die meisten Wagen quer – die Fahrer wollten das! –, sie schlitterten die Felswand entlang, fassten wieder Fuß und heulten mit verdoppelter Kraft die Rampe hinauf. Weg waren sie, Staubwolken noch, die sich langsam lichteten. – Bis dann, weit unten, *zwei* Autos dicht hintereinander die Kehren hochfegten. Hatte der hintere Fahrer die ganze Minute wettgemacht? Das zweite Auto fuhr gleich schnell wie das vor ihm, in einer so dichten Staubfahne, dass wir es kaum sahen, und so nah aufgeschlossen, dass sein Fahrer die Strecke gut kennen musste, um von der nächsten Kurve – links oder rechts – nicht überrascht zu werden. Zwischen den beiden lagen kaum fünf Meter Abstand. Die Wagen verschwanden im toten Winkel, hinter

Arven und Alpenrosenstauden, und tauchten, nah nun und mit röhrenden Motoren, dicht unter mir wieder auf. Ein roter Bugatti vorn, und hinter ihm, zugenebelt, ein Auto, das ich, je näher die beiden kamen, mit immer größerer Sicherheit erkannte. Das war der BMW von Loris! »Loris!«, rief ich, bevor es die andern begriffen hatten. Nun standen wir alle, erregt, und sahen zu, wie der BMW beim Zollhaus drüben ausscherte und hielt. Ihm entstieg tatsächlich Loris, strahlend und mit erhobenen Armen winkend wie ein Sieger. Ich sah ihn mit den Zöllnern lachen. Er hatte, gegen alle Regeln, in La Rösa unten mit laufendem Motor gewartet, bis er einen geeigneten Wagen fand, an den er sich anhängen konnte. Nun kam er auf uns zu, immer noch winkend, ein Bub, dem ein guter Streich gelungen war.)

UND sonst noch? Vieles. Wie ich auf dem Felsen über dem Haus saß und Mundharmonika spielte, stundenlang. Wie meine Mutter die ganze Ferienzeit über sagte, dass wir unbedingt Herrn von Tscharner besuchen müssten (er hatte ein Haus weiter oben am Pass), er würde es uns sehr verübeln, wenn wir nie hereinschauten, und wie dieser Herr von Tscharner, als wir ihn wirklich aufsuchten, sehr höflich war und durchaus froh, als meine Mutter sich nach einer Stunde oder so verabschiedete. Wie, am 1. August, eine lange Zottelreihe mit rotleuchtenden Lampions durch die Nacht nach Agüzon stolperte, eine Alp, von der aus wir bis nach Poschiavo und noch viel weiter sehen konnten – die im Tal unten sahen auch uns – und wo der Holzhaufen fürs Erst-August-Feuer stand, den wir den ganzen Nachmittag über aufgeschichtet hatten und den Claudio Gisep so ungestüm in Brand setzte – das Holz war feucht –, dass die Flammen in die Benzinflasche zurückschlugen, die er in den Händen schwenkte, und der ganze Claudio, einem panischen Irrwisch gleich, mit einem Flammenschweif im Dunkel der Alp verschwand, wo er sich löschen konnte. – Wie der kleine Guidino das einzige Mal, da das Feuer auf unserm Hausfelsen brannte, über die Abgrundkante stolperte – weg war er, ohne einen Laut –, die ganze Steilwand hinunterstürzte, zwanzig oder dreißig Meter, und alle schreiend und heulend nach unten rannten, und wie Guidino verdutzt am Fuß der Wand saß, unverletzt. – Wie, gegen Ende der Sommerzeit, die Veltliner kamen, ein Trupp junger Männer mit sonnenverbrannten Gesichtern, blitzenden Augen und wilden Haaren, und wie sie im allerersten Sonnenlicht schon die Wiese mähten – sie war sehr groß und führte bis beinah zum Fuß der Gessi –, in einem präzise choreographierten Ballett, jeder um einen Sensenschwung versetzt hinter dem andern gehend und die Sensen im immergleichen Rhythmus schwingend, links, rechts, breitbeinig vorwärtsschreitend, und dass so gegen neun Uhr endlich Egidio (»Dschiding«) aus der Tür des Stalls trat, in dem alle schliefen – und durch den, unter der einen Wand herein und unter der andern hinaus, ein Bach floss –, denn Dschiding hatte aus irgendeinem Grund das Privileg, faul zu sein, und also brachte er seinen Kollegen als Erstes das Vesperbrot, so dass er seinen Arbeitstag immer mit einem Imbiss begann und ihn dann damit fortsetzte, dass er *O sole mio* oder *Santa Lucia* schmetterte, denn er hatte eine wunderbare Tenorstimme; so lange, bis die Mähder sich erhoben, zu ihren Sensen griffen und »*Adesso basta, Dschi-ding*« sagten. – Wie am La-Rösa-Fest Männer, Frauen und Kinder aus dem ganzen Tal aufkreuzten – für einmal war die Straße bis weit den Pass hinauf zugeparkt –, wie die Drei-Mann-Kapelle spielte (Akkordeon, Klarinette, Kontrabass), wie alle tanzten, auf dem Tanzboden im Freien zuerst (auch wir Kinder) und später im Saal des Hotels, wo mein Vater zum eifrigsten Tänzer wurde und sogar mit Schura Fausta walzerte, die doch eigentlich in der Küche sein musste und der er in seiner Begeisterung mit voller Kraft einen Klaps auf den Hintern gab, was Schura Fausta, die damals schon so aussah, als sei sie einer alten Sage entsprungen, als ein Kompliment verstand, so dass sie mit verdoppelter Energie durch den Saal wirbelte, meinen Vater wie eine Beute mit sich schwingend. – Wie ich Tischtennis spielte, auch das stunden- oder wenigstens so lang, als ich Gegner fand, die sich meinen Schmetterbällen stellten, Mami und Papi und Nora, die ich alle vom Tisch fegte, und Claudio, der die Bälle viel raffinierter als ich anzuschneiden vermochte – ja, ich lernte diese Teufelstechnik erst von ihm – und gegen den ich, glaube ich, kein einziges Spiel gewinnen konnte. – Wie wir den Pingpong-Saal neu anmalten und die kaum noch als Schatten erkennbaren, schimmligen Darstellungen von Schäfern, Säumern und Maultieren (spätes 19. Jahrhundert) mit einer plumpen Ockerfarbe übermalten; ein Verbrechen am Weltkulturerbe. – Wie wir, spät in der Nacht, mit Klaus Nonnenmann (*Die sieben Briefe des Doktor Wambach, Teddy Flesh oder die Belagerung von Sagunt*) in der Küche saßen, Klaus, Nora und ich, und Brecht-Lieder sangen, alles was uns einfiel, von *Mackie*

Messer über den *Alabama Song* bis zum *Surabaya Johnny*, und wie plötzlich mein Vater im Pyjama unter der Tür stand, wütend, tatsächlich abgrundtief gekränkt, dass wir Kinder es mit *seinem* Freund lustig hatten. – Wie Werni und Hilly Rihm sich vor dem Einschlafen lieben wollten, und wie ihr Bett – übrigens *mein* Bett; ich hatte ihnen mein Zimmer abgetreten und schlief im Salon – mit einem gewaltigen Getöse in Stücke fiel, und wie dann die beiden, kaum bekleidet, mit viel Gelächter aus dem Zimmer kamen. – Wie Ivan Engel, ein Pianist aus Budapest, der auch einmal mit uns in den Ferien war, Ohrenweh hatte und tagelang mit einer Hand das schmerzende Ohr zuhielt, und wie ich ihn am dritten Tag seiner Krankheit beim Spazierengehen auf der alten Römerstraße antraf, und dass er da mit der andern Hand das andere Ohr schützte, so dass ich ihn fragte, warum, und er antwortete, ja, der ursprüngliche Arm tue ihm weh, noch mehr als das kranke Ohr, und so nehme er eben eine Weile lang den andern Arm und das andere Ohr, obwohl dieses nicht schmerze.

Die Tage von La Rösa endeten mit einem zweitägigen Putzen, dessen Beginn mich überrumpelte, erschreckte, denn er machte mir von einer Minute auf die andere deutlich, dass es bald wieder eine Zeit geben werde. Es war aus mit dem ewigen Leben. Mami hatte das Kommando, Nora und ich machten uns so nützlich, wie Kinder das können, und sogar Papi tippte nicht und las auch in keinem Buch, sondern klopfte die Teppiche aus und half, sie zusammenzurollen. Mami putzte den Herd, schrubbte die Böden, zog die Betten ab, reinigte die Fenster, wusch die Vorhänge, schichtete Brennholz fürs nächste Jahr ordnungsgemäß auf, stellte das Wasser ab, blies den Hahn aus. Am Ende kam Delia und nahm die Wohnung ab. Zählte die Teller und Gläser und sah nach, ob im Klo kein Restwasser mehr war.

Dann schloss meine Mutter die Haustür ab, und wir gingen ums Haus und umarmten die, die gerade da waren. Lea, alles in allem, und drüben im Hotel Schura Fausta. Zum Abschied war das Wetter strahlend schön. Der Postbus kam, und wir stiegen ein. Ich saß auf dem Sitz neben dem Chauffeur, dem lustigen Mädchenschänder, der für mich das Dreiklanghorn vor mehr Kurven erklingen ließ, als er das üblicherweise tat. Ich stimmte im Kopf – ein harmloser Zwang, der mich bis heute begleitet – den falschen richtigen Ton um eine halbe Note nach unten, auf die Tonhöhe jenes archaisch verstimmten Posthorns von Grimentz. Weit oben, nah der Passhöhe, gab es eine Stelle, von der aus wir das Haus nochmals sehen konnten. Mindestens Mami und ich schauten aufgeregt aus dem Fenster – ein Blinzeln, und man verpasste den kostbaren Augenblick – und sahen tatsächlich, tief unten, winzig und für den Hauch einer Sekunde nur, das Haus noch einmal. Mami hatte Tränen in den Augen, ich vielleicht auch. Nora erklärte ihrem Zwerg, dass es jetzt heimwärts gehe, und Papi grinste in sich hinein, weil er, wahrscheinlich, für sich ganz allein einen besonders grauenvollen Kalauer oder Schüttelreim gefunden hatte. Ich sah wieder nach vorn und genoss den Rest der Fahrt, den steilen schmalen Weg vom Hospiz zum Bahnhof hinunter, bei dem der Chauffeur im ersten Gang fuhr und gerader als sonst saß.

ICH frage mich, warum die Mutterfamilie so viele Geschichten bereithält, Mythen beinah, die erzählt werden wollen, und die Familie des Vaters kaum eine. Bei der Mutter, da war etwa Smagga, ein Urverwandter, der so stark war, dass er den Wein aus dem Fass trank, das er mit einer Hand hochhob, und der nebenbei auch noch gegen oder für Napoleon kämpfte. Es gab den *negro,* unser aller Vorvater, der aus Afrika oder wohl doch eher aus dem damals afrikafernen Süden kam, aus Sizilien vielleicht, und dem wir unser Kraushaar verdankten (Lea, meine Mutter, ich). Oder auch die Geschichte mit den Klavieren – Flügeln! – von Viano, dessen Bewohner sich reichgeschmuggelt hatten und die, als ein Erster ein Piano kaufte, alle auch so einen Steinway oder Bösendorfer erwarben. Einer sogar, behauptete Lea, habe, weil der Flügel keinen Platz im Raum fand, ein Loch in die Hauswand geschlagen, durch das das Flügelende Sommer und Winter ins Freie hinausragte, wie eine Terrasse, auf der die Vögel hockten und von der sie erst aufflogen, wenn der Schmuggler einige Akkorde mit seinen Fäusten in die Tasten hieb. – Und so weiter. Dutzende von Geschichten. – Bei meinem Vater finde ich, auch wenn ich mich sehr anstrenge, gerade zwei karge Anekdoten aus alten Zeiten. Die eine ist, dass seine drei Tanten, als der geliebte Dorfpfarrer starb und durch einen ersetzt wurde, dem sie nicht grün waren, flugs eine eigene Religionsgemeinschaft gründeten, eine Sekte, die gleich auch noch mit ein paar Glaubensdissensen zwischen den Tanten und dem protestantischen Kirchenalltag aufräumte. Die erste Tante – so sagte es mein Vater – predigte, die zweite spielte das Harmonium, und die dritte war das Glaubensvolk. – Die andere alte Geschichte war, dass wir mit Heiri Suter verwandt waren, jenem ersten Radsportgott der Schweiz, der in den Zwanzigerjahren die Fernfahrt München–Zürich mit einer Stunde Vorsprung oder so was gewonnen hatte. – Das ist aber auch schon so ziemlich alles. Mein Vater sprach nie von seiner Familie, kaum je, und noch seltener, nämlich gar nie, fuhren wir in das Dorf seiner Vorfahren, das trotzdem jahrzehntelang als meine Heimat in meinem Pass stand, Gränichen AG, bis es eines Tags, als ich einen neuen Pass kriegte, begründungslos verschwunden war. Nun stand Basel BS da. – Meine Mutter erinnerte sich und uns andauernd an ihre Familienmythen, Lea sowieso. Guido *war* ein Mythos, schon zu Lebzeiten. Und so wurde ich, ohne es zu wollen, mehr ein Mascioni als ein Widmer. Oder nein, ich wollte es schon auch: Denn die Widmer (das erkannte ich früh) kränkelten oft und neigten zu frühen Toden (Elsi, Otto, Monika, mein Vater dann), während die Mascioni kaum wussten, was ein Schnupfen war, und steinalt wurden.

WIR kriegten tatsächlich bald eine neue Wohnung. Sie war ein ganzes Haus. Meine Mutter war beim Spaziergehen förmlich darübergestolpert, das heißt, sie traf – nach Jahrzehnten wieder – eine Schulfreundin, und der klagte sie ein bisschen – bloße Konversation, kaum mehr –, wie elend das jetzige Wohnen sei, nach dem Paradies auf dem Bruderholz. Kein Garten, kein Platz, keine Schönheit. Die Schulfreundin sagte, ja, das treffe sich gut. Sie suche einen Mieter für ihr Haus – »von dem da, ja!«, denn sie standen vor ihm –, es sei das Haus, in dem sie bis zu dessen Tod mit ihrem Vater gelebt habe, sie und der Papa, aber jetzt, wo er tot sei, sei sie in die Stadt gezogen und sehe nur noch ab und zu nach dem Rechten, jeden Abend, und meine Mutter könne es haben. Die luchste durch die dichten Büsche an der Hecke und sah weit hinten ein paar Fenster und einen großen Balkon im ersten Stock. Sie konnte das Wunder kaum glauben, vor allem, als die Schulfreundin den Mietpreis nannte, irgendetwas wie 600 Franken im Monat, weniger als für die Wohnung an der Bettingerstraße. Ein großer Garten war auch dabei! Kein Wunder, dass meine Mutter die Bemerkung der Freundin zwar hörte, aber kaum ernst nahm. Nicht wörtlich jedenfalls. Nämlich, dass sie wünsche, dass alles so bleibe, wie es der Papa noch gesehen und geliebt habe. *Alles*, alles wie es der Vater. Er war ein Arzt gewesen, so wie sie eine Ärztin war. Doktor Hedwig Schaub. Sie wollte Fräulein genannt werden, Fräulein Doktor. Nicht Frau. (Meine Mutter nannte sie Hedi.) Sie sah nicht eigentlich wie ein Fräulein aus, allerdings auch kaum wie eine Frau. Ein Wesen eher, ein Troll in unförmigen Kleidern und mit nie gekämmten Haaren. Ihr Hund hieß Nobs, sie war nie ohne ihren Hund.

Fräulein Doktors leichthin gemurmelte Bemerkung, dass das Haus so bleiben solle, wie es gerade war, war allerdings tiefster Ernst gewesen. Papi, Nora und mir machten die Konsequenzen, die das hatte, wenig aus. Wir gehörten alle drei zu den Menschen, die, wenn ein Kirschbaumast in einem Novembersturm heruntergekracht ist, diesen so lange liegen lassen, bis der Zahn der Zeit ihn zernagt oder das Gras ihn überwuchert hat. Jahrzehnte, wenn's sein muss. Das galt auch für abgefallene Teile der Terrassenbrüstung oder schräg herabhängende Dachrinnen. Es war wie's war. Kismet. Wir waren die idealen Mieter für Fräulein Doktor. Nicht aber meine Mutter. In der Tat kämpfte *sie* an der Front, nicht wir. Dass *alles* so bleiben müsse, wie es war, bedeutete nämlich auch, dass die Brennnesseln, die auf dem Kiesweg zur Haustür wucherten, nicht ausgerissen werden durften. Dass die Türklingel, die nicht mehr klingelte, nicht repariert werden konnte. Dass die defekte Birne in der Lampe über der Haustür nicht ersetzt wurde und dass die Lampe selber das durchlöcherte Rostgetrümmer bleiben musste, das sie war. Und das war nur der Haustürenbereich! Es gab den Parterrekorridor, das Treppengeländer, die Küche mit dem Gasherd, der bald, einfach aus Altersgründen, explodierte: meiner Mutter flog ein Hammer, der auf dem Abstellblech gelegen hatte, so nah am Kopf vorbei, dass der Holzstiel sie traf und ihr ein Ohr blutig schlug, nicht aber der Metallkopf, der sie getötet hätte. (Der Herd war nicht mehr zu reparieren, und Fräulein Doktor litt Qualen, wenn sie den neuen sah. Sagte aber nur die ersten zehn oder zwanzig Mal etwas, etwa, Gott sei Dank müsse ihr Papa dieses moderne Monster nicht mehr sehen, oder, der Gasanzünder gehöre aber nicht an diesen Haken, sondern weiterhin an jenen.) Das Klo! Der Schwimmer klemmte über Jahre so, dass wir jedes Mal, wenn wir spülten, uns auf die Klobrille stellen, oben in den Kasten greifen und den Schwimmer in seine richtige Stellung zurückschieben mussten. Sonst spülte die Spülung einfach weiter, ein Sturzbach wie die Lonza. Aber *flicken,* ein für alle Male, durften wir sie nicht. Die Heizung! Vor ihr kam ich mir wie der Heizer einer Lokomotive des Orient-Express vor – Feuergedonner in ihrem Schlund –, und genauso viel Kohle verschlang sie auch. Mit dem Verbrauch eines Winters hätten wir locker mit dem ganzen Haus von Basel nach Istanbul fahren können. Dazu das Gasschwert, mit dem wir (zuerst war mein Vater der Heizer; dann übernahm ich diese Funktion) die Kohle frühmorgens in Brand setzten und das eine stummelkurze Röhre geworden war, aus der das Feuer schoss. Auch das Gasschwert war das Vermächtnis des Fräulein-Doktor-Papas und sakrosankt. *Er* hatte es kaputtgemacht, und also hatte er *gewollt,* dass ich, statt mit einer Anzündhilfe, mit einem Flammenwerfer herumhantieren musste. Fräulein Doktor (sie behielt im Parterre ein Zimmer, in dem sie und Nobs zuweilen nächtigten) scheute sich nicht, ihre Kontrolltouren in unsre gesamte Wohnung auszudehnen. Meine Mutter ging in ihrem Schlepptau zitternd vor Angst, in ihren Rücken Entschuldigungen hineinrufend, obwohl Fräulein Doktor noch gar nichts gesagt hatte. Das kam dann schon noch, schwere Anklagen, wie man so fühllos mit dem Andenken ihres Vaters umgehen könne. Der Briefkasten habe plötzlich eine andere Klappe! Beim Hinterausgang des Gartens hänge das Türchen nicht mehr schräg in den Angeln! Und wo der Blumentopf mit der verdorrten Rose hin sei? Wenn Fräulein Doktor weg war, zitterte meine Mutter noch eine Stunde lang, und wenn sie am nächsten Abend wiederkam, wurde sie bleich, bevor wir andern die auf dem Kies näherknirschenden Schritte gehört hatten.

Ich bekam ein Zimmer unterm Dach. Ich war ganz allein da oben und beherrschte auch die andere Mansarde, den

Estrich und ein Waschbecken mit fließend kaltem – im Winter sehr kaltem – Wasser. Durchs Fenster sah ich ins Blättergrün eines riesigen Nussbaums (im Sommer), und im Winter, durch die kahlen Äste hindurch, bis zur Stadt und auf die Rebberge des Tüllinger Hügels, der bereits zu Deutschland gehörte. Noch weiter hinten, blau verschwimmend, der Rhein und das gleiche Elsass, das ich vom Bruderholz aus von der andern Seite her gesehen hatte. Auf den Ästen des Nussbaums saßen, im Winter jedenfalls, Raben, ein Dutzend und mehr Raben, die schwarz zu mir hinsahen. Immer, an jedem Morgen waren die Raben da. Ich versuchte, sie gern zu haben, aber sie blieben finster. Bewegungslos, wie ein Zeichen für etwas, was ich nicht zu deuten wusste. Im Sommer war meine Mansarde glühend heiß (das liebte ich), im Winter eiskalt (das fand ich weniger schön). Die Orient-Express-Heizung schaffte es nicht, die Heizkörper im Dachstock auch nur lauwarm zu kriegen, selbst wenn sie mit voller Kraft lief. Ich saß dann eben in dicken Pullovern und Fellpantoffeln an meinem Schreibtisch, der einst der meiner Mutter gewesen war und seine Tür aus Nussbaumholz während einem der Umzüge verloren hatte. Zuweilen trug ich Handschuhe. Ich hatte eine elektrische Heizwand, die nachtsüber anzulassen mir untersagt war. Ich weiß nicht, was die Angst meiner Mutter war. Dass ich Feuer finge und das ganze Haus mit mir, oder dass es hundeteuer war, die Heizung die ganze Nacht über brennen zu lassen. Ein Gemisch von beidem wohl. Ich hielt mich jedenfalls ans Verbot. Am frühen Morgen, wenn der Wecker klingelte und die Raben noch schliefen, drehte ich als Erstes – das Federbett noch immer über beiden Ohren

und mit einer Hand in die sibirische Kälte hinausgreifend –
den Schalter der Heizwand auf die dritte Stufe. Drei Dre-
hungen. Auf der Heizwand hatte ich beim Ins-Bett-Gehen
in der Reihenfolge des Anziehens meine Unterhose, das
Hemd und die Socken bereitgelegt. Den Pullover zuun-
terst. Ich wartete also, dösend, noch fünf Minuten unter
den Daunenbergen geborgen, und schwang mich dann –
alle Empfindungen auf null gestellt – in die minus drei Grad
meines Zimmers hinaus. Die warmen Unterhosen, die heißen Socken, der glühende Hemdenstoff und der schier
brennende Pullover retteten mir das Leben. Ich war immer
zu spät, entsetzlich zu spät, und stürzte, die Hose zuknöp-
fend, die Treppen hinunter, am Frühstückstisch vorbei, auf
dem meine Mutter, eher pro forma, ein Frühstück bereitge-
stellt hatte, das zu essen ich nie Zeit hatte. Draußen war's
noch dunkel, immer eigentlich; sogar im Sommer begann
die Schule so früh, dass die Sonne unterwegs auf dem
Schulweg aufging.

(WENN meine Mutter jetzt durchs Haus streifte und mit
ihren Geistern disputierte – sie verlor diese Gewohnheit nie
ganz –, war sie so weit weg, dass ich gar nicht in Versuchung kam, sie verstehen zu wollen. Da war nur noch das
Zischeln, das Wörterrascheln, treppauf, treppab. Wie früher durchaus, aber kaum noch zu hören. Auch die handfesten Streitigkeiten von Vater und Mutter drangen aus einer
weit fernerer Welt zu mir herauf. Ihr Ablauf blieb allerdings auch im neuen Haus der gleiche: Meine Mutter, die
zuerst unentschlossen dahin und dorthin gegangen war

und ihre ersten Sätze geprobt hatte – leise, atemlos –, trat heftig ins Zimmer meines Vaters – »Walter, wir *müssen* reden!« –, schloss die Tür und sagte ihm, was ihr das Herz verbrannte. All die Sorgen und Ängste, die sich in ihr aufgestaut hatten. Ich hörte sie nur, weil ich wusste, was sich in dem Zimmer unter mir abspielte und weil die Stimme meiner Mutter durch Wände und Fußböden drang, auch wenn oder besonders wenn sie ohne Ton sprach, nur mit dem Druck ihrer Lungen. Sie wollte nicht, dass ihre Kinder ahnten, dass es zwischen ihr und ihrem Mann Unstimmigkeiten geben könnte. Sie sprach hastig, schnell, hie und da aufschluchzend, und mein Vater, von dem eine ganze Weile lang nichts zu hören gewesen war, brüllte auf einmal so laut los, dass die Fenster klirrten, und stürmte gleich darauf aus dem Zimmer und die Treppe hinab und zur Haustür hinaus. »Du gibst mehr Geld aus als du verdienst!«, rief ihm meine Mutter nun gar nicht mehr leise nach. »Jeden Monat! Bücher! Und du kaufst mehr Schallplatten, als du hören kannst!« Die Tür krachte ins Schloss, meine Mutter stöhnte noch ein, zwei Male und ging in die Küche. – An der Marignanostraße hatten Nora und ich uns noch aneinandergeklammert und uns gegenseitig die Ohren zugehalten, wenn diese unglückseligen Gewitter losbrachen. An der Bettingerstraße versuchten wir bereits zu verstehen, was meine Mutter aus sich herauszischte und was mein Vater zurückbrüllte, und waren jedes Mal bereit – denn jedes Mal schien der Konflikt endgültig zu sein –, mit dem uns vom Schicksal zugeteilten Elter wegzugehen, ohne Abschied, ohne uns noch einmal umzuwenden. An der Wenkenstraße dann [das neue Haus stand an der Wenkenstraße, Nummer 46] war ich mehr und mehr überzeugt, dass ich, nur ich die Familie beisammen- und am Leben halten konnte und dass ich deshalb das Haus nie mehr verlassen durfte, weil meine Eltern sich und einander nur dann nicht umbrachten, wenn ich bei ihnen war. [Nora spielte in meinen Überlegungen keine Rolle, und ihr gelang die Trennung später auch leichter als mir.] Ich pfiff noch immer, mehr denn je, wie ein Vogel. Jeder konnte hören, dass ich da war, dass es mir gutging und dass ich bei jedem Notfall sofort zur Stelle war. Wenn mein Vater nicht zu Hause war, schlich ich in sein Zimmer und sah nach, ob der Revolver immer noch unter den Medikamenten vergraben in der Nachttischschublade lag [er lag], und wenn von meiner Mutter nichts zu hören und zu sehen war [weil sie einkaufte, zum Beispiel], machte ich – ich gestand auch mir selber den Grund meiner Unruhe nicht ein – eine beiläufige Runde durch den Keller, um zu sehen, ob sie nicht in ihrem Blut in den Kohlen lag, und schaute kurz in den Estrich, ob sie am Dachbalken hing.)

NOCH war ich ein Bub und tat Bubendinge. Fahrradfahren, in der Hauptsache. Ich fuhr so viel Fahrrad, dass ich nur abstieg, wenn es gar nicht anders ging. In der Schule, zu Hause beim Nachtessen. Auch schlief ich nicht auf dem Rad. Sonst aber fegte ich stundenlang durch die Straßen und über alle Berge. Ich fuhr, wenn es nicht ums Tempobolzen ging, freihändig enge Kurven und elegante Spiralen, nur weil's so schön war. Ich konnte auf dem Trottoir wenden und die längste Zeit stillstehen. Ich liebte jenes Spiel, bei dem ich meinen Konkurrenten so in die Enge zu treiben versuchte, dass er, ebenfalls auf seinen Pedalen balancierend, den Fuß auf den Boden setzen *musste*. Allerdings waren die Schöpflin-Buben ebenbürtige Gegner, und ich sah oft *mich* in eine ausweglose Enge getrieben. Sie waren ja auch zwei, eineiige Zwillinge zudem, und spannten zusammen. Wenn ich René, auf den Pedalen stehend, gegen die Garagentür gedrängt hatte, tauchte Hanspi, sein Doppelgänger, auf meiner andern Seite auf und zwang mich zum Absteigen.

Schon auf dem Bruderholz war ich dem Fahrrad verfallen gewesen, obwohl ich da noch so kleingewachsen war, dass ich es nicht schaffte, auf dem Sattel sitzend mit dem Rad meines Vaters zu fahren. Selbst wenn ich auf der Querstange saß, reichten meine Beine nicht bis zu den Pedalen hinunter. Ich fuhr, indem ich unter der Stange hindurch in die Pedale trat, das Fahrrad schräg nach links, meinen Körper nach rechts hängen lassend. Es war *sehr* unbequem, und weit kam ich so nicht. Ich nahm also, so oft ich konnte, das Rad meiner Mutter, ein Damenmodell ohne Stange, obwohl es mir auch zu groß war. Aber mit ihm konnte ich wenigstens gerade und aufrecht fahren. Meine Nase war auf der Höhe der Lenkstange, und meine Hände griffen weit nach oben, um sie zu halten.

Die Räder waren zwei tonnenschwere englische Meisterwerke der Marke Strand, die schwarz funkelten und vielleicht die einzigen waren, die je von dieser geheimnisvollen Manufaktur produziert oder jedenfalls in die Schweiz geliefert worden waren. Sie sahen wie Einzelstücke aus, Teil für Teil von Hand angefertigt. Ich habe zeit meines Lebens nie einen andern Strand gesehen, obwohl ich heute noch (seltsam, zu welch absurden Gewohnheiten der Mensch fähig ist) schaue, ob ich unter den Rädern, die an Hauswänden lehnen oder an Straßenlampen angekettet sind, einen Strand entdecke. Nichts, nur No-name-Marken wie Cannondale, Konna oder Villiger. Dann wurde ich größer, und das Rad meines Vaters wurde meines. Ich liebte es. Ich fuhr immer schneller und weiter. In meinen besten Zeiten brauchte ich für meinen Schulweg neun Minuten. Die, die die Straßenbahn nahmen, mussten mit einer guten halben Stunde rechnen. Ich hielt mit der parallel fahrenden Bahn mit, obwohl die Haltestellen – die 6 zwischen Riehen und Basel war eine veritable Überlandbahn – kilometerweit auseinanderlagen. Ich fegte wie die Windsbraut dahin und beobachtete statt der Straße den kleinen Kilometerzähler, den ich an die Nabe des Vorderrads montiert hatte, der die Gesamtzahl der gefahrenen Kilometer registrierte (so etwas wie einmal rund um die Erde) und dessen Ziffern nur so vorbeiflitzten.

Ich war Hugo Koblet oder eher noch jener Fritz Schär, der immer Zweiter wurde, meist hinter Hugo, bei unzähligen Eintagesrennen und auch an der Tour de Suisse; einmal gar im Giro d'Italia. (Ich hatte es mit den Kleinen, die trotzdem gut waren; und Fritz Schär war keine eins siebzig groß.) Denn damals – Heiri Suter, der berühmte Großonkel, war tot und galt auch mir nichts – war die große Zeit des Radsports ganz allgemein (Gino Bartali, Fausto Coppi, Louison Bobet) und die Epoche der unvergleichlichen Schweizer Triumphe. Und ich kann sagen, ich bin dabei gewesen. Ich habe Hugo, Ferdi und Fritz gesehen, mit diesen meinen zwei Augen, in Fleisch und Blut. Einmal alle drei an einer Etappenankunft der Tour de Suisse in Sankt Jakob unten, wo Fritz Schär Zweiter wurde, ohne ernsthaft zu sprinten. Hugo, fast gelangweilt, für einmal hinter ihm, und Ferdi gar trödelte am Ende der Gruppe herum und wurde trotzdem mit der gleichen Zeit wie der Sieger klassiert, der ein Ausländer war, vielleicht Pasquale Fornara oder Raphael Geminiani. Göpf Weilenmann und Emilio Croci-Torti, die getreuen Helfer, waren auch irgendwo, Hugo Koblet sah ich noch einmal an einem Kriterium beim Badischen Bahnhof, das er leichtfüßig gewann und nach dem er mit einer Dame auf der Querstange und einem riesigen Blumenstrauß in einer Hand eine Ehrenrunde fuhr. Noch später taufte er im Cirkus Knie ein Kamel auf den Namen Hugo. Kurz darauf fuhr er gegen einen Baum und war tot. – Am erregendsten war die Tour de France, obwohl sie just während der Sommerferien stattfand – alle Jahre wieder – und ich, isoliert in La Rösa, alle Informationen zwei Tage zu spät kriegte. Hugo fuhr längst im *maillot jaune,* und ich dachte immer noch, dass es bei ihm in diesem Jahr nicht ganz rund lief. Ich fieberte zeitversetzt mit. Das änderte gar nichts an meiner ungeheuren Erregung, wenn ich meinem Vater den Sportteil der *National-Zeitung* aus den Händen riss und las, was meine Helden am Col d'Aubisque, am Tourmalet oder auf der Alpe d'Huez angestellt hatten. Diese magischen Namen! Einmal in der Woche kam gar der *Tip,* eine Sportzeitschrift mit vielen Fotos, auch er mit zwei Tagen Verspätung. Nun sah ich, als sei ich dabei, Ferdi Kübler, wie er verzweifelt am Straßenrand stand, mit einem platten Reifen und einer Pumpe in der Hand, die kaputt war. Oder Hugo, wie er ohne einen Schweißtropfen im Gesicht vor Rik van Steenbergen und Jean Robic den Berg hinauftänzelte.

So fuhr ich auf meinem Rad, Sommer und Winter. Ich war zäh! Ja, es war mein Rad, der Strand, der der weniger Robuste von uns beiden war. Der Sattel gab als Erster auf. Sein Leder fiel in Stücke, so dass die Stahlfedern hervorsprangen und mich in den Hintern stachen; obwohl ich die Lederteile mit Riemen und Klebebändern zu bändigen versuchte. Das ganze Rad ging mehr und mehr aus dem Leim. Es war ja inzwischen auch dreizehn oder sechzehn Jahre alt; mir immer ein Jahr voraus. Der Scheinwerfer leuchtete eines Tages nicht mehr, der Radkasten kratzte bei jedem Pedaltritt, die Schutzbleche lotterten bald. Die Gummiteile des rechten Pedals fielen ab, so dass ich auf dem übriggebliebenen Metallbolzen treten musste, der mehr und mehr in seinem Gewinde wackelte. Ich wagte kaum noch daraufzutreten und trieb das Rad ausschließlich mit meinem linken Fuß voran. Um das linke Pedal wieder nach oben zu bringen, zog ich das rechte – den übriggebliebenen Bolzen – mit dem Rist des rechten Fußes nach oben. Jedes Mal, bei jeder Pedaldrehung. Treten links, hochholen rechts. – Das Kabel der Gangschaltung riss, und ich konnte nur noch im größten Gang fahren. Bei all dem hatte ich ein merkwürdiges Tabu, mein Rad reparieren zu lassen. Gar, es über das Allernotwendigste hinaus zu pflegen. Löcher flicken konnte ich, und Luft in die Reifen pumpen auch. Aber Öl brauchte ich nur im allerhöchsten Notfall, auch weil ich gar keines in der Werkzeugtasche hatte und es mir bei René oder Hanspi Schöpflin ausborgen musste. Vor allem gingen die Bremsen mehr und mehr kaputt. Das eine Bremsklötzchen der Hinterradbremse war plötzlich weg, dann auch das andere. Ich bremste also nur noch vorn. Zuerst haute es mich ein paar

Male hin, natürlich, aber dann beherrschte ich das dosierte Bremsen mit der Vorderradbremse bald gut und setzte für die letzten Meter auch die Füße ein. Bald hatte ich nur noch *einen* Bremsklotz, vorne rechts. Auch da kam ich nie auf den Gedanken, mir neue Klötze montieren zu lassen. Ich weiß nicht, welche Tollheit mich aufforderte, mit diesem sich in seine Einzelteile auflösenden Rad herumzufahren als sei es mein unabänderliches Schicksal. (Erst heute fällt mir auf, dass weder mein Vater noch meine Mutter je einen Blick auf mein Rad warfen und mich fragten, ob ich lebensmüde sei.) Ich fuhr, obwohl ich einen Bremsweg von ein paar Dutzend Metern hatte, um keinen Deut vorsichtiger, im Gegenteil. Ich setzte auf meine Gelenkigkeit und schlüpfte durch die schmalste Lücke. Links ein Auto, rechts ein Fußgänger, dazwischen ich mit 40 km/h, ihre Reibungswärme an beiden Schultern spürend. Die tägliche Herausforderung war, von der Schule herkommend mit vollem Tempo die Bäumligasse hinunterzubrettern und unten mit selbstverständlicher Eleganz in die Freie Straße einzubiegen. Ein Bremsen gab es nicht, denn ich sah die Autos, die von der Handelsbank herkamen, erst im letzten Augenblick auftauchen. Das klappte in der Regel auch gut. Zwischen den fahrenden und den geparkten Autos war ja sozusagen immer Platz. Wenn allerdings auch noch ein Fußgänger auf die Straße hinaustrat, blieb mir nur noch zu brüllen. Das tat ich auch, ich brüllte mir den Weg frei. Man hörte mich meilenweit näher kommen, den brüllenden Urs. Wenn ein Mensch tatsächlich – die Inder oder die Indianer glauben das – dreizehn Leben hat, habe ich in jenen Jahren zwölf von ihnen verbraucht. Mit meinem letzten gehe ich seither behutsam um.

MEIN nächster bester Freund war Bachi. Peter Bachmann. Wir taten alles zusammen; in der Schule in derselben Bank sitzen (bis uns Herr Graber trennte), Fahrrad fahren (einmal bis ins Tessin), Fußball spielen (ich besaß einen echten Lederball, aber er spielte trotzdem besser), durch Wälder rennen. Einmal schlossen wir Blutsbrüderschaft mit unserm richtigen Blut, wir verbargen uns im Estrich hinter einem Kasten und stachen uns an. Während das Blut aus unsern Wunden tropfte und wir es vermischten, murmelten wir geheimnisvolle Formeln. – Das Wichtigste für uns war aber unser Land. Wir entwarfen und bauten, indem wir es in Wachstuchhefte zeichneten, ein Land, das Bubien hieß und in dem eine Eisenbahn die Ortschaften verband, die Bachi-Ulle-Bahn (BUB), denn er war Bachi, ich war Ulle, und unsere zwei Hauptstädte hießen wie wir. Bachi seine, Ulle meine. Wir waren die Staatschefs. Jeder hatte in seinem Teil das Sagen, auch wenn das Ganze ein gemeinsames Bubien war. Föderalismus, auch wenn wir das Wort gewiss nicht kannten. Wir sprachen die Spurweite und Bemalung der Eisenbahn ab, die Lokomotivenmodelle, die Schweinerasse, und wie die Kühe aussahen. Wir zeichneten jeden Tag an unserm Land, zu Hause, stundenlang oft, und zeigten uns am nächsten Morgen erwartungsglühend unsere Erfindungen. (Wir füllten mit der Zeit gewiss ein Dutzend Hefte.) Im Vordergrund, am untern Heftrand, fuhr immer die Bahn, die durch Tunnels auf die nächste Seite des Landes (des Heftes) gelangte. Wir schnitten die Tunnels mit Rasierklingen aus, sonst hätte die Bahn ja nicht in den nächsten Landesteil fahren können. (Auf die nächste Seite.) Kann sein, dass wir zu Beginn nur so daherspielten und uns mit unsern Einfällen überraschten. Bald aber bauten wir unser Land ganz bedacht auf. Wie die beiden verantwortungsvollen Staatsmänner, die wir ja auch waren. Es gab eine ähnliche Anzahl von Männern und Frauen (nach einer ersten Volkszählung hatten wir einen beträchtlichen Männerüberschuss zu korrigieren). Wir bauten genügend Getreide an, um die Bevölkerung zu ernähren, auch Gemüse aller Art. Viele Schweine, vor allem in meinem Landesteil, denn ich war gut im Schweine Zeichnen. Auch Kühe fielen mir leicht, und Rotwild. Katzen und Hunde. Wälder, meist Tannen; aber auch, an bevorzugten Orten, Palmen. Seen, Flüsse. Nach drei, vier Landschaftsseiten kam jeweils eine Ortschaft. Jedes Dorf hatte seinen Bahnhof. Straßen, die über eine Seite hinausführten, waren die Ausnahme. (Sie benötigten auch Tunnels.) Entsprechend wenige Autos auch; aber Fahrräder und Pferdefuhrwerke. Kirchen, obwohl wir beide mit der Religion wenig am Hut hatten; aber eine Kirche gehörte nun einmal zu einem Dorf, und ein schwarzer Pfarrer auch. Friedhöfe, einmal auch ein ganzer Beerdigungszug, der einem Grab zustrebte, an dem zwei Totengräber schaufelten. Auch eine Hochzeit mit einem Bräutigam im Frack und einer Braut mit einem Schleier. Fabriken mit rauchenden Schloten. Schulen, eine Apotheke, auf deren Fassade »Apotke« stand (ein von mir zu spät bemerkter Schreibfehler, der nicht mehr zu korrigieren war), Fußballfelder, auf denen immer ein Spiel im Gang war. Großstadien mit Tribünen in Bachi und in Ulle. Wir trugen eine Meisterschaft aus (eine Liga mit acht oder zehn Vereinen) und würfelten die Resultate. Sechs Tore, mehr schoss nie ein Team; aber gar keins auch keines. Ich versuchte immer wieder, den FC Ulle Meister werden zu lassen, und musste doch oft ein eins zu vier gegen Lengwil oder Bosnang einstecken, zwei Provinzvereine aus Dörfern mit kaum vier Häusern. – Bachi war im technischen Zeichnen besser als ich. Seine Lokomotiven und Waggons waren von bewunderungswürdiger Präzision, während meine zuweilen etwas schief daherkamen. Beide erschufen wir aber Landschaften von hoher Schönheit. Sonnenuntergänge, es gab mehrere Sonnen über unserm Land.

DIE Wahrheit war, dass ich alles tat, um nicht erwachsen zu werden. Ich wollte, um jeden Preis sozusagen, ein Bub bleiben. Auch als ich der Einzige in der Klasse war, der immer noch kurze Hosen trug, und sogar mein Freund Bachi, ein Kindskopf wie ich, in dicke Mäntel eingepackt war und die Straßenbahn nahm, weil es stürmte und schneite. Ich fuhr auf meinem Rad, in meinen Hosen, und kam mit blauen Beinen in der Schule an. Allenfalls ließ ich mich zu Knickerbockern überreden. (Niemand überredete mich; meine Mutter fror nie und wusste nicht, dass andere kalt haben. Und meinen Mitschülern waren meine Eisbeine egal.) Ich fand lange Hosen, wie sie die Männer und längst auch meine Klassenkameraden trugen, lachhaft oder eher wohl gefährlich, denn wer einmal solche Hosen trug, kam auch um die andern Dinge, die Erwachsene zu tun gezwungen waren, nicht herum. Mit einer tiefen Stimme sprechen, sich rasieren gar. Mit Mädchen sein. – Am Konfirmationssonntag kam ich allerdings nicht darum herum, auch so einen Anzug zu tragen. Kittel, Hose, weißes Hemd, Krawatte, wie alle. Vielleicht war das der Grund – ich hielt es später für meine erste erwachsene Handlung –, gleich in der folgenden Woche aus der Kirche auszutreten. Ich schrieb einen lakonischen Brief. (Der Pfarrer, der Pfendsack hieß, kam sehr erregt zu uns nach Hause und wollte meinen Vater, nicht mich!, davon überzeugen, dass ich dabei sei, mein Seelenheil zu verspielen. Aber mein Vater hielt zu mir und lachte Herrn Pfendsack fröhlich an. Ich kam dann auch dazu, in kurzen Hosen, und der Pfarrer gab sich geschlagen.) – Ich wehrte mich noch einige Monate gegen das Großwerden. Meine Stimme war längst tief, und ein paar Barthaare hatte ich auch. So dass ich mich von einem Tag auf den andern geschlagen gab und nun einen stinkeleganten Regenmantel und ein Seidenfoulard um den Hals trug. Lange Hosen, natürlich.

ZWEI Erinnerungen aus den Kinderzeiten muss ich aber noch erzählen, bevor ich die ersten Schritte in die Welt der Erwachsenen tue. Nämlich, erstens: Weihnachten. Weihnachten war der Tag, ein Abend eigentlich eher, der heilige Abend, an dem – durchaus anders als das restliche Jahr über – jeder von uns lieb, höflich und voller Freude war. In jedem Augenblick, ohne jede Pause leuchteten meine Augen, waren Noras Wangen rotglühend, schaute meine Mutter gütig und schmunzelte mein Vater uns zu. Er hatte seine Strickjacke mit einem Sakko vertauscht und trug Schuhe statt Pantoffeln, und meine Mutter hatte die Weihnachtsbluse angezogen, die aus roter Seide war und zarte Perlmuttknöpfe hatte. Alles war, alle Jahre wieder, so schön, dass mein Vater sogar für ein, zwei Stunden auf seine Witze verzichtete und zu meiner Mutter »Anita« und nicht »Mami« sagte. Diese strahlte (ja, beim Coiffeur war sie auch gewesen) und drückte die Hand ihres Mannes. Sie lächelten sich an, und es kann sein, dass sie sich, in den früheren Jahren wenigstens, einen Kuss gaben. Auch Nora war in einem hübschen Kleidchen, und ich hatte die Knickerbocker mit den Bügelfalten an. Es ist nicht zu verstehen, wieso ich später, als Erwachsener, an Weihnachten regelmäßig krank wurde (Fieber, Durchfall, Panik) und heute noch, nach einigen Jahrzehnten Psychoanalyse, unendlich erleichtert bin, wenn – so um den 3. Januar herum – das Jahr endlich wieder normal weitergeht oder eher neu beginnt und ich erneut wie immer zum Kiosk und ins Kaffeehaus gehen kann. Wie sehr gaben sich meine Eltern Mühe, uns Kinder glücklich zu sehen – und selber glücklich zu sein –, und wie sehr misslang ihnen das. (Einmal, als der Vater mitten aus der Bescherung heraus aufs Klo gegangen und sehr lange nicht zurückgekommen war, suchte ich ihn und fand ihn in seinem Zimmer. Er hockte auf der Couch und schluchzte. »Papa!«, sagte ich und legte ihm eine Hand auf die Schulter. Er machte mir mit der Hand ein Zeichen – »lass nur!« –, und ich ging zum Weihnachtsbaum zurück, vor dem meine Mutter noch immer leuchtete und Nora innig mit ihrem neuen Gummizwerg sprach. Bald war auch ich wieder in Weihnachtslaune, streckte meinem in einer Baumkugel gespiegelten Gesicht die Zunge heraus [ein albern dicker Kopf] oder brannte einen Tannast über einer Kerze an [der Duft!]. Mein Vater kam zurück und machte, endlich, einen seiner Witze.)

Die Vorbereitungen für das große Fest waren geheim. Nie sollten wir Kinder denken, dass ein Weihnachtsbaum *gekauft* und von Mami geschmückt wurde. Wenn es draußen dunkel geworden war, gingen Nora und ich an der Hand unseres Papi spazieren, zwei, drei Male tatsächlich im knirschenden Schnee, und staunten die glitzernden Kerzen hinter den Fenstern jener Nachbarn an, bei denen das Weihnachtskind schon gekommen war. Dann warteten wir im dunklen Esszimmer, bis dieses Weihnachtkind (ich stellte es mir blond, in einem weißen Nachthemd und mit kleinen Flügeln vor) auch bei uns die Geschenke abgeliefert hatte und uns herbeiklingelte (mit einem Silberglöckchen, das nur an Weihnachten benutzt wurde und das das Himmelskind nicht mitnahm, wenn es wieder davonhuschte, wer weiß durch welches Fenster). Wir gingen andächtig durch den ebenfalls nachtschwarzen Korridor ins Zimmer mit dem Baum. Oh, ah, es war wirklich schön, die Kerzen leuchten zu sehen, die Kugeln, den Stern ganz oben und das Engelshaar, das über alle Äste gestreut war. Um den Baum herum lagen die Geschenke. Ungeheure Mengen von Geschenken. Meine Eltern machten an *einem* Abend, diesem hier, alles gut, was sie das Jahr über schlecht und recht gemacht hatten. Ich packte aus und packte aus (nicht eingepackte Geschenke gab es nicht; sogar Noras neues Fahrrad war hinter ein paar Metern glitzerndem Papier getarnt) und war bald inmitten meiner Geschenke kaum mehr zu sehen. Einer Lokomotive für meine Märklin-Eisenbahn (einer Krokodil, die die Prunklok der Gotthardbahn war). Einem neuen Zwerg, denn auch ich hatte mir einen Zwerg gewünscht. (Ich kriegte einen Vigolette, während Nora einen

Lochnas in der Hand hielt.) Einer roten Stationsvorstands-
mütze und einer Kelle, mit der ich dem Zug die Fahrt frei-
geben konnte. Einem braunen Schuco-Auto, das einen echten Rückwärtsgang hatte. Einem Buch (*Stopp Heiri, da
dure!*). Einem Fußball. Und einem Kubikmeter anderer
Geschenke, durchaus auch sogenannt nützlicher. Pullover
also, ein Pyjama. – Ich hatte auch Geschenke gebastelt, einen buntbemalten Aschenbecher aus Tonerde für Papi und
ein Puzzle für Mami, das ich am Abend zuvor auf Laub-
sägeholz gemalt (eine Mama, ein Papa und zwei Kinder, die
sich alle an den Händen hielten) und am Nachmittag, vor
ein paar Stunden also erst, zu Puzzleteilen zersägt hatte.
Mindestens zehnmal war mir das Sägeblatt aus der Halterung gesprungen, und die Farbe war auch noch nicht ganz
trocken gewesen, so dass das Geschenkpapier am Puzzle
klebte und Mami, als sie es wegreißen wollte, rote Finger
kriegte. – Danach gab es ein Festessen, im Esszimmer und
nicht, wie sonst immer, in der Küche, mit einem weißen
Tischtuch, den Wedgwood-Tellern, dem Silberbesteck und,
für Papi und Mami, einer Flasche Corton Clos du Roi.
(»Corton Clos du Roi«, meine Mutter sprach das wie etwas aus, was aus einer Welt kam, in der es noch Sonnenkö-
nige gab.) Wir Kinder kriegten Apfelsaft. Allerlei Fischiges,
das meiner Mutter vorbehalten war. Crevetten, geräucher-
ter Lachs, auch eine Minidose falscher (später sogar echter)
Kaviar, den meine Mutter mit heiliger Andacht löffelte. Ihr
schönstes Weihnachtsgeschenk war, wenn ich mich fürs
Servieren des Horsd'œuvre in einen Kellner verwandelte,
einen Diener, und sie unendlich korrekt bediente. Eine Serviette über dem angewinkelten linken Arm. Die Speisen

von links, der Wein von rechts. Sie nahm dann, stilsicher, winzige Portionen von allem, legte das Besteck zurück und nickte mir so zu, wie dies eine Dame von Welt, die ein gutes Herz hat, einem Mundschenk gegenüber tut. – Dann Schweineschnitzel und Kartoffelstock, die sich jeder selber auf seinen Teller schöpfen musste. Wer jetzt zu denken wagt, das sei aber ein recht banales Festessen, Schnitzel und Kartoffelpüree, der trete vor und sage es laut. *Diese* Schweineschnitzel, in ihrer Buttersoße, waren einzigartig und hätten sogar den König, dem das Clos mit dem edlen Wein gehörte, beglückt. Und auch das Püree war so, wie es nur meine Mutter hinkriegte. Kein Pfanni, kein Stocki, die noch gar nicht erfunden waren. – Aber auch im Weihnachtsgebäck-Backen war meine Mutter eine Meisterin. Bei ihr musste sich sogar Norina geschlagen geben, obwohl auch deren Leckerli gar nicht so übel waren – wunderbar! – und nichts mit dem Schrott zu tun hatten, den man heute angedreht bekommt, wenn man in einem Basler Fachgeschäft Leckerli kauft. Hart, unessbar, statt mit jenem weichen Biss, bei dem man gerade so viel Widerstand spürt, dass der Honiggeschmack Zeit findet, sich im Gaumen zu entfalten. Die Weihnachtsgutzi buk meine Mutter ganz ungetarnt, ohne zu behaupten, das Weihnachtskind bringe all die Brunsli, Änisbrötli, Mailänderli, Zimtsterne, Mandelstängeli, Leckerli. Nein, *sie* war die Zauberin. (*Essen* durften wir sie erst am Festtag.) Ohne ein sogenanntes Gschiss ging es allerdings nie ab. Ein Gschiss zu machen, war etwas, wozu sich meine Mutter immer wieder einmal genötigt sah. (Auch Norina neigte, wenn sie unter Druck geriet, zum Gschiss-Machen.) Es war eine Form der Aufregung, bei der alle Handlungen, die theoretisch auch in aller Ruhe ausgeführt werden konnten, von allen Formen des Desasters bedroht zu sein schienen und endlich ihren verbalen Ausdruck fanden. »Jesses!« war der häufigste Ausruf, wenn etwas richtig schiefzulaufen drohte. Etwa wenn meine Mutter den Puderzucker suchte und plötzlich bemerkte, dass die Brunsli schon dreißig Sekunden zu lange im Ofen waren. »Jesses!« (In schlimmen Fällen mehrfach wiederholt: »Jesses, Jesses, Jesses!«) Denn die Brunsli hatten Backzeiten, die in Sekunden gemessen wurden. Meine Mutter zählte auf dreihundertzehn oder so was. Sie arbeitete mit der Briefwaage und dem Millimetermaß, denn wenn die Brunsli – die Gutzi ganz allgemein – auch nur um einen Millimeter zu dick oder zu dünn ausgewallt waren, missglückten sie. Meine Mutter hantierte mit dem Wallholz (einer Holzrolle mit je einem Griff rechts und links) wie eine Künstlerin und vermochte mit ihren Händen so wenig Druck zu geben, dass der Brunsliteig um weniger als einen Millimeter dünner wurde, dünner aber eben doch, und dies überall gleich. Als hätte sie eine Wasserwaage in sich eingebaut. Trotzdem war das Backen dann ein Hasardspiel. Auch meine Mutter konnte den Backofen des Gasherds – bald explodierte er ja auch – nicht so vorheizen, dass in ihm *genau* die richtige Temperatur herrschte. Der Augenblick, da sie die Backofentür öffnete und das Blech herauszog, war immer erneut eine Nervenprobe. »Jesses!«

UND zweitens: die ersten Bücher. Natürlich sind mir die ersten Geschichten *erzählt* worden (von meinem Vater eher; meine Mutter konnte nicht erzählen; nur vorlesen, und reden natürlich): die Geschichte vom Soldaten Jonny, der so hohes Fieber hatte, dass er die ganze Kaserne heizte, indem er durch die Räume schlenderte. Die Geschichte der frommen Nonne, die ein Leben lang – beinah ein Leben lang – Verstopfung hatte und Gott anflehte, sie zu erlösen, und endlich einen so großen Haufen Steine kackte, dass sie, zum Dank, aus ihnen eine Kapelle errichten konnte. (Solche Geschichten gefielen meinem Vater.) Und auch ein *Nonsense*-Lied, das vielleicht sogar von meinem Vater erfunden worden war und das Nora und ich sofort auswendig konnten, das wir bis vor kurzem immer wieder einmal anstimmten (jetzt, es ist schrecklich, kann meine Schwester weder sprechen noch singen) und dessen erste Strophe lautete: *Minne minne minne watschantorum, quorum king kung kai.* Meine Mutter schaffte es nie, auch nur den Anfang zu lernen (das Lied hat drei Strophen und einen Refrain), und sie wollte es wohl auch nicht. – Sie brauchte eine Vorlage, um zu erzählen: Das Märchen von dem tapferen Schneiderlein, das sieben auf einen Streich erledigen konnte, und das waren Fliegen. Rumpelstilzchen, wie es um sein Feuer tanzte und »Ach wie gut, dass niemand weiß« jubelte. Und, vor allem, Schneewittchen, die Geschichte, die mich von all diesen ähnlichen, die mit »Es war einmal« anfingen und mit »Und wenn sie nicht gestorben sind« aufhörten, am meisten bewegte. Im ersten Teil war ich Schneewittchen, dessen Mutter so bös und dessen Vater so machtlos ihr gegenüber war, dass er sein Kind nur, als Jäger getarnt, an den Waldrand führen und »Lauf, lauf« rufen konnte. Gewiss wurde er dafür von seiner Frau, der nichts

entging, bestraft. Im zweiten Teil, kaum hatte Schneewittchen das Haus hinter den sieben Bergen gefunden, wurde
ich ein Zwerg, alle Zwerge. Wie schön war das Gemeinsame
mit den sechs Freunden! Allerdings ist *mein* Märchen eher
das von Walt Disney erzählte, nicht das der Gebrüder
Grimm. *Schneewittchen* war mein erster Film, der Film
meines Lebens; er kam wohl unmittelbar nach dem Krieg
in die Schweiz. Da *sah* ich, ganz deutlich, was ich schon
geahnt hatte, als ich die Geschichte vorgelesen bekam: dass
die Königin nicht nur meiner Mutter glich, sondern meine
Mutter *war*. (Dabei las *sie* mir die Geschichten ja vor.) Als
sie eine Hexe geworden war, in den Abgrund stürzte, war
das ein unnennbarer Schrecken und eine Erlösung gleichermaßen. Und als das scheintote Schneewittchen dann vom
Prinzen wachgeküsst und mit ihm ihrem Erwachsenenle-
ben entgegenritt, blieb ich begeistert ein Zwerg und vermisste sie überhaupt nicht. – Meine Mutter liebte schier
unendlich ein Buch, das *Helenes Kinderchen* hieß und in
dem Helene, die Mutter von drei oder vier Kinderchen
(eine Britin), über die allerbesten Manieren der Welt verfügte, so liebreizend, so korrekt, so selbstverständlich. Eine
natürliche Güte des Herzens, die sie auch leitete, wenn sie
ein Hausmädchen bestrafte, die das Bett ohne die angemes-
sene Sorgfalt gemacht hatte. Sie strich ihr den freien Sonntag, das gewiss, aber sie ließ durchaus zu, dass die Magd
eine Stunde lang im Garten in der Bibel las. In der Szene,
die meine Mutter immer wieder vorlas (sie las das Buch *sich*
vor und konnte manchmal kaum weiterlesen, so sehr
musste sie lachen), saß die Familie am Tisch und aß eine
Suppe, und das kleinste der Kinder, das noch kaum spre-

chen konnte – und schon gar nicht korrekt –, hob, ohne dass jemand sonst das bemerkte, seinen Teller mit der Suppe an, um das Zeichen des Herstellers am Tellerboden zu bestaunen, eine Schildkröte, und es neigte den Kopf immer mehr und den Teller auch und sah das ersehnte Markenzeichen der Firma Wedgwood oder Stanley and Bridges, die Schildkröte eben, und rief entzückt: »Schildflöte!« Und die ganze Suppe schwappte über den ganzen Tisch. Meine Mutter konnte nicht weiterlesen vor Lachen, ja sie kam gar nicht bis zur Pointe, weil sie vorher lachte. – Helene, die Mutter, war auch in dieser Episode so wie meine Mutter an ihrer Stelle gewesen wäre: streng, aber voller Zuneigung. – Mein Vater las uns seinen *Vinzi* vor, ein Buch für Buben, dessen Abenteuer er selbst erlebt zu haben behauptete, und auch ein zweites Buch für Kinder, das er geschrieben hatte und dessen Manuskript er auf den Knien hielt. *Die Bünzlacher und die Wehracher.* Es erzählte von zwei Bubenbanden aus zwei benachbarten Dörfern – Bünzlach und Wehrach eben –, die sich mit allerlei Listen und Abenteuern bekämpften, wobei immer die Bünzlacher gewannen, denn mein Vater, der im Buch drin vorkam und, glaube ich, sogar Walti hieß, war ein Bünzlacher; und so war ich natürlich auch einer. (Was Nora war, weiß ich nicht; es war eine Bubenbande. Nora war allerdings eine halbe Kindheit lang ein Bub und wurde von meinem Vater Fritzli genannt. Auch gründete sie zu der Zeit einen Verein, dessen anderes Mitglied Regeli Schaub war und der »Schmerzen ertragen« hieß.) Später, viel später fand ich heraus – ich spüre heute noch den Schock der Enttäuschung –, dass mein Vater diese herrlichen Geschichten gar nicht selber erfunden oder erlebt, sondern aus Pergauds *Krieg der Knöpfe* ausgeliehen und auf unsere lokalen Verhältnisse umgeschrieben hatte.

Und dann las ich selber. Ich wurde, kaum war ich hinter die Geheimnisse der Buchstaben gekommen, omnivor. Ich las *alles,* was irgendwo an Wände oder auf Plakaten angeschrieben war. Oder im Tram. »Kafapulver gegen Schmerzen« (eine violett angelaufene Frau, die sich schmerzverzerrt den Schädel hielt). »Erwecken Sie die Galle Ihrer Leber« (eine Aufforderung voller Geheimnisse, die ich bis heute nicht ganz entschlüsselt habe). »Nicht auf den Boden spucken.« Meine ersten Bücher hatten nur wenig Wörter, oder gar keine. *Vater und Sohn* und *Adamson.* In *Vater und Sohn* lebten Vater und Sohn (nie eine Mutter, nie eine Schwester) in inniger Freundschaft, in der allerdings, wenn's heikel wurde, der Sohn der geschicktere und listigere der beiden war. Der Vater war aber gar nicht beleidigt, wenn ihm der Sohn wieder einmal aus einer Not heraushelfen musste, sondern freute sich herzlich. *Adamson* war ein einsamer älterer Herr mit drei einzelnen Haaren auf dem Kopf und einer Oberlippe, die sehr der meines Vaters glich. Auch er war ein lieber Tolpatsch. – Dann: *Stopp Heiri, da dure!*, ein richtiges Buch, ein echter Roman, glattweg ein Hundertfünfzigseiter, in dem Heiri den andern Buben zeigte, wo's langging (»da durch!«), weil er einfach cleverer als sie war. Wenn er sehr verblüfft war – immer wieder einmal –, rief er: »Heiderabad!« – Auch in *Emil und die Detektive* war Emil schlauer als die andern Bubendetektive, aber vor allem liebte ich *Pünktchen und Anton,* vielleicht weil Pünktchen ein so bubenkompatibles Mädchen war. Sie hatte meist ihren Dackel dabei, der sich, statt zu gehen, hinsetzte und sich von Pünktchen schleifen ließ. Pünktchen sagte: »Piefke rodelt mal wieder!«, und Anton nickte verständnisvoll. – Dann, anders, geheimnisvoller: *Sally Bleistift in Amerika*, ein Buch aus einer ganz andern Welt, aus einem gefährlichen Amerika. Sally Bleistift (komischer Name) war eine Schwarze, dick, gütig, robust, die den Buben, denen es dreckig ging und die immer wieder einmal von der Polizei erwischt wurden, aus der Patsche half. Es ging um das Ankleben von Plakaten oder das Verteilen von Flugblättern, das tödlich verboten war und auf denen immer eine Sichel und ein Hammer zu sehen waren. Ich zitterte mit den Buben, wenn sie nachts unterwegs waren und über die Hinterhöfe, Mauern überspringend, den Polizisten zu entkommen versuchten. Gerade, gerade noch schafften sie es, durch Sallys Hintertür ins Haus zu schlüpfen, und Sally legte einen unschuldigen Teppich über die Falltür, unter der die Druckerpresse stand. Schon polterten die Polizisten gegen die Tür, und Sally bezirzte sie in kurzer Zeit so sehr – »Wo sollen denn hier irgendwelche Lausebengel sein?« –, dass sie bald, höflich salutierend, wieder abzogen. – Jim Strong und John Kling waren die Helden von zwei Groschenromanserien (Hansi Rotzler lieh mir die Hefte) und bestanden die gefährlichsten Abenteuer. In eine Grube voller Giftschlangen geworfen zu werden; an einem Finger über dem Abgrund zu hängen, während der unglaublich heimtückische Gegenspieler schon den Fuß hob, um mit seinen Stahlstiefeln auch auf diesen letzten Rettungsanker zu treten; dem Mann mit der schwarzen Maske den Revolver aus der Hand zu schlagen, während der Schuss schon losging.

Dann entdeckte ich Karl May. Ich glaube, ich fing tatsächlich mit *Winnetou* an, *Winnetou* eins, zwei und drei. Hier war ich wiederum (wie bei Hugo Koblet und Fritz Schär) keineswegs Old Shatterhand – oder gar Winnetou –, sondern der kleine Sam Hawkins, ein Trapper (was für ein Wort mit seinem rätselhaften Sinn: Trapper), der immer »Hi, hi, hi« sagte, und »Wenn ich mich nicht irre«. Er ritt auf einem Klepper (noch so ein Wort), war stets mit Will Parker und Dick Stone zusammen (Trapper auch sie) und mochte zuweilen ein bisschen lächerlich wirken. Aber wenn es galt, seinen Mann zu stehen, war er der mutigste und schoss, in einer Felsspalte steckend, Schuss um Schuss auf die tückischen Kiowas, die seinen Skalp wollten. Das heißt, sie waren hinter seiner nachgewachsenen Glatzenhaut her, weil sie ihn in alten Tagen schon einmal skalpiert hatten. Und er schnitt sich für jeden erlegten Indianer eine Kerbe in den Schaft seines Gewehrs. – Und die Bücher, die im Orient handelten! *Durch die Wüste*! *Von Bagdad nach Stambul*! *Der Mahdi*! *Durchs wilde Kurdistan*! Diese herrlichen Umschlagzeichnungen, die schwarze Silhouette eines Kamelreiters vor einer goldleuchtenden Sandwüste oder das Tal des Todes, dessen Titel – »Im Tal des Todes« eben – bei meinem Buch *m al es odes* hieß, weil ein Vor-mir-Leser die andern Buchstaben mit einer Farbe zugemalt hatte, die genau der des Umschlags entsprach. – Hier, im Orient, hieß der Held Kara Ben Nemsi, »der Sohn der Deutschen«, und wieder hatte er einen kleinen, tüchtigen Helfer (so wie Hugo, so wie Old Shatterhand), und wieder war ich dieser und nicht der Sohn aller Deutschen. Sein beziehungsweise mein Name war Hadschi Halef Omar Ben

Hadschi Abul Abbas Ibn Hadschi Dawud al Gassorah – oder eventuell: al Gossarah. (Halef hatte eine Schwester oder Frau, Hanneh, in die ich mich verliebte.) Kara Ben Nemsis Pferd hieß Rih. Es galoppierte schneller als die Windsbraut, wenn sein Reiter ihm die rechte Hand zwischen die Ohren legte und »Rih!« rief. Auch ich, wenn ich auf dem Fahrrad zu spät dran war, legte die Hand auf die Mitte des Lenkers und rief »Rih!«, und tatsächlich kam ich dann gerade noch rechtzeitig in der Schule an. – Ich hielt in einem Wachstuchheft die arabischen Wörter fest (die vermeintlich arabischen, weil weder Karl May noch ich uns scheuten, wild durcheinander auch türkische, kurdische oder persische zu verwenden. *Gömlek* und *Kamis*, die beide Hemd hießen, *Mischwi-el-hussan-el-Bar*, Nilpferdbraten. *Sümüklü bötschekler*, in dem sogar ich das Türkische erkannte: die Weinbergschnecke. *Dschehenna* und *Giaur*, der elende Christenhund. Auch Bachi hatte so ein Heft und lernte die Vokabeln auswendig, so dass wir uns leicht auf Arabisch unterhalten konnten. – Irgendwann war auch der letzte Karl-May-Band gelesen (ich habe alle gelesen, an die ich herankam; weit über fünfzig), und meine Kindheit war vorbei.

DER Trieb, auch wenn ich mich mit Händen und Füßen gegen ihn wehrte, meldete sich wieder zu Wort, diesmal endgültig. Es kam zum ersten Kuss, zum zweiten, zum dritten. Mein erster Kuss hieß Marie-Fleur, ein Wesen wie eine Fee, eine Fee in Tanzschulkleidern, die ich nach der Tanzstunde (bei Frau Bickel, die achtzig Jahre alt war, bei der meine

Mutter schon tanzen gelernt hatte und die uns die Schritte – Walzer, Foxtrott, Tango – an Krücken vortanzte) nach Hause begleitete, an die Austraße, wo ich sie unter der Haustür küsste. Es war auch ihr erster Kuss, jede Wette. Steife schmale Lippen bei beiden, trocken aufeinanderge- presst für zwei, drei Sekunden. Keine Lippenbewegung. – Moni küsste schon kundiger, oder wir lernten es gemein- sam. Mit ihr blieb ich länger. Auch sie war eine Schülerin Frau Bickels, und wir gewannen zusammen beim Ab- schlussball im Hotel Drei Könige (die ganze Lothar-Löff- ler-Big-Band) den English-Waltz-Wettbewerb. Ich hätte zwar lieber im Foxtrott obenaus geschwungen – da durfte man, wie es hieß, »offen« tanzen; das bedeutete, dass sich die Tänzerin tanzend vom Tänzer trennte – allenfalls blie- ben die ausgestreckten Zeigefinger beisammen – und nach einer wohlchoreographierten Figur wieder an der Brust des Tänzers landete, und umgekehrt. Aber langsamer Walzer war auch gut. Ich erhielt eine Krawattennadel aus Pseudo- gold und Moni eine Halskette aus Kunstperlen. – Wir tanz- ten, aus Frau Bickels Schule entlassen, dann noch oft zu- sammen. Langsamen Walzer, sehr langsamen Walzer, einen so langsamen endlich, dass er keine Bewegung mehr brauchte, keine Bewegung der Füße, meine ich, denn un- sere Lippen und Hände bewegten sich durchaus, so sehr, dass Moni in einem jähen Entschluss einen Schritt zurück- trat und sagte, dass es, wenn wir jetzt nicht sofort aufhör- ten, tierisch werden würde. Ich hätte es gern tierisch wer- den lassen (hätte ich wirklich?), hörte aber auch auf. – Mit Moni ging ich im Wald spazieren. Sie hatte eine Art, sich bei mir unterzuhaken, die sehr einem Polizeigriff glich.

Wenn sie mich einmal in ihren Pranken hatte, konnte ich ihr nie mehr entkommen. Sie hatte große braune Augen. – Einmal gestand sie mir plötzlich – ich war gerade dabei, ihr das Funktionieren des Weltalls zu erklären oder so was –, dass sie ein dringendes menschliches Bedürfnis habe. Jetzt, auf der Stelle, es gehe nicht mehr anders. Ich nickte und ging ein paar Schritte weiter, während sie sich hinter einen Busch kauerte. Ich spürte in mir ein aus meinem Innersten aufwallendes tiefes Gefühl, das besagte, dass ich jedes Verständnis dafür hatte, dass auch Frauen scheißen müssen, nicht nur Männer, und dass ich dabei war, einen weiteren Schritt in die Welt der Erfahrungen von Erwachsenen zu tun. – Da war sie schon wieder, munter wie ein Vogel, und nahm mich in ihren Polizeigriff. (Apropos tanzen. Meine Mutter tanzte leidenschaftlich und gut. Sie war gewiss eine Musterschülerin der jungen Frau Bickel gewesen und hielt, während sie übers Parkett schwebte, ihren Kopf – ein ernstes, hochkonzentriertes Gesicht – leicht schräg und die Schultern auf immer der gleichen Höhe. Das war das, was ihr Frau Bickel eingehämmert hatte und mir einzuhämmern im Begriff war: dass die Schultern so gleichmäßig ruhig bleiben mussten, dass man zwei volle Champagnergläser auf sie stellen konnte, ohne dass ein Tropfen verschüttet wurde. Meine Mutter bestand darauf, mit mir zu üben. Sie schob die Möbel in eine Ecke und rollte den Teppich ein. Sie hatte sogar [sie; nicht ich] geeignete Schallplatten gekauft. Schellack, es war noch die Schellack-Zeit. Slow Waltz, Wiener Walzer, Tango, Foxtrott, ja sogar einen Samba, der zu ihrer Zeit noch nicht unterrichtet worden war und in dem sie denn auch nicht ihre gewohnte Souveränität erreichte. Da tanzten wir, die Mama und ihr Sohn! Sie wollte geführt werden und folgte ihrem Tänzer, mir, wie eine Feder. Ein Antippen ihres Rückens genügte. Sie tanzte wirklich gut.)

ENDLICH Anne-Marie. Ich hatte sie, von meinem Fahrrad aus, auf dem Heimweg schon ein paarmal gesehen. Ein völlig entzückendes schlankes Mädchen, das leise und unbekümmert ihrem Heim entgegentrippelte, mit einer Tasche unterm Arm, in der gewiss ihre sieben Schulsachen waren. Mädchen, sage ich, weil ich damals Mädchen sagte: Sie war ganz gewiss eine Frau! Bevor ich sie ansprach – noch nie hatte ich eine Frau angesprochen! Einfach so! –, war es so etwas wie die große Liebe als eine ferne Möglichkeit, aber als ich, auf dem vierten oder achten Heimweg – drei oder sieben Male hatte ich den Mut doch nicht gefunden und war mit brennendem Herzen und einem glühenden Gesicht an ihr vorbeigefahren – mir dann doch ein Herz fasste, neben ihr anhielt und etwas zu ihr sagte, ein Gestammel, und als sie dann so einfach antwortete wie Gretchen ihrem Faust, explodierte die große Liebe in mir, und ich stand in Flammen. – Ich begleitete sie bis zum Türchen ihres Gartens, wo wir uns die Hand gaben. »Ich heiße Anne-Marie«, sagte sie, und ich: »Urs.« Ich sah zu, wie sie zur Haustür ging und klingelte. Ich trat in die Pedale, bevor eine Mutter sichtbar wurde; eine Mutter wollte ich jetzt nicht. Wir hatten uns nicht verabredet, auf keine Weise, aber es war klar, dass wir uns am nächsten Tag wieder am gleichen Ort, in der Nähe der Haltestelle Burgstraße, treffen würden. Ich war da, und natürlich kam auch sie. Sie freute sich und plauderte fast so viel wie ich aus mir herausschnatterte. Sie fuhr immer mit der Straßenbahn zur Schule, besaß gar kein Fahrrad; aber nie kam ich auf die Idee, meinen Schulweg mit ihr zusammen zu machen. Im Gegenteil, von meinem Fahrrad trennte ich mich ihretwegen nicht, und ich fuhr, wie das alle Buben taten, die dabei waren, Männer zu werden und etwas mit Mädchen oder eben Frauen im Sinn hatten, nach Schulschluss vom Realgymnasium an der Rittergasse zum Barfüßerplatz hinunter, zu dem, von zwei andern Seiten her, auch die Frauen hinströmten. (Es gab damals noch keine Koedukation, und die Mädchen- und Bubenschulen standen rund um den Barfüßerplatz verteilt.) Ich stand locker da, an mein Fahrrad gelehnt, und versuchte, erwachsen auszusehen. Als ob ich rauchte, obwohl ich es nicht tat. Während ich mit dem oder jenem Spezi plauderte, hatte ich alle jungen Frauen im Blick, und natürlich sah ich meine Anne-Marie sofort, wenn sie, mit ein paar Freundinnen, von der Mädchenrealschule herkam. Natürlich sah auch sie mich. Wir sprachen aber auf dem Barfüßerplatz (»Barfi«) nie miteinander, wirklich nie. Ich wartete, bis ihre Trambahn (die 6) gekommen war; sie ließ zwei oder drei Bahnen vorbeifahren – sie hatte ja auch ihre Freundinnen – und stieg mit Vorliebe in den sogenannten Eilkurs, der nicht an allen Haltestellen hielt; an ihrer sehr wohl. Ich startete zusammen mit ihrer Trambahn und hetzte parallel zu den Geleisen nach Riehen. In der Stadt hatte ich bald einen tüchtigen Vorsprung, aber auf der Überlandstrecke holte die Bahn ebenso gewiss auf. Besonders wenn sie der Eilkurs war, den allerdings und Gott sei Dank oft der vor ihm fahrende Bummler bremste. Wenn ich es bis zu den Habermatten geschafft hatte, vor Anne-Maries Tram zu bleiben, hatte ich gewonnen. Selbst wenn es mich dann noch überholte – vom Niederholz bis zur Burgstraße stieg die Straße tüchtig an, und ich konnte ja nur im größten Gang fahren –, war ich auf der sicheren Seite. Von ihrer Haltestelle bis zu unserm Treffpunkt musste Anne-Marie durch einen kleinen Park gehen, und sie richtete – glaube ich – das Tempo ihrer Schritte so ein, dass wir genau zur gleichen Zeit an unserer Straßenecke eintrafen. Nie musste sie auf mich warten, ein paarmal nur ich auf sie. Doch, gleich beim ersten Mal war ich langsamer gewesen, und ich sah sie, wie sie auf dem Trottoir ihrem Haus entgegenging. Sie beeilte sich nicht, drehte sich aber auch nicht um. Unsere Liebe war noch zu jung und zu unausgesprochen gewesen, als dass sie auf mich zu warten gewagt hätte; aber sie wurde rot vor Freude, als ich doch noch auftauchte, ebenfalls rot, ich aber, weil ich den Berg hinaufgefahren war wie Fritz Schär oder der Teufel. – Es war die Zeit, wo man (wo einer wie ich) die Liebeserklärungen langsam und zögernd machte; und sie war auch keine, die sich mir an den Hals schmiss. Natürlich küssten wir uns trotzdem sehr bald, und Anne-Marie konnte es entweder schon oder lernte es sekundenschnell. Wir küssten uns hier und küssten uns dort und weiteten unsern Heimweg (nach der Schule; oft und mehr aber auch abends, nachts, wenn wir unsere Stunden irgendwo verbracht hatten), indem wir auf einem kleinen Fußweg dem Bahndamm entlanggingen oder am Bahnbord saßen, wo hie und da ein Zug der deutschen Bundesbahn auf dem Weg ins Wiesental vorbeirumpelte.

Dann hielten wir inne mit dem Küssen und schauten den erhellten Fenstern nach, unsichtbar selber; oder wir hielten auch, aus genau diesem Grund, nicht inne. Es war auch die Zeit, da ein Mann (ich), wenn er einer Frau (Anne-Marie) den BH ausziehen wollte, dies so tat, als sei seine Hand rein zufällig und absichtslos unter ihrer Bluse auf ihrem Rücken, und die Frau ihrerseits (Anne-Marie) berichtete weiterhin von dem oder jenem, als merke sie gar nicht, was der Mann (ich) da an ihr herumfuhrwerkte, auch wenn es mir nicht und nochmals nicht gelingen wollte, dieses verflixte Häkchen zwischen ihren Schulterblättern zu öffnen. Dann war endlich der Haken offen, der BH rutschte weg, und ein Zug fuhr vorbei, ohne dass wir Augen für ihn hatten. Wir hatten Augen nur für uns selber und schlossen sie, während unsere Hände (meine, auch ihre) überallhin gingen, so sie willkommen waren. Sie waren, nachdem die richtige Zeit verstrichen war, überall willkommen. Unsere Sinne kochten nun, ihre und meine, aber ich lebte in dem Wahn (wer hatte mir das vermittelt?), dass der Mann, nur der Mann, ich also, eine Frau begehrte und verführte und ihr die Sinne zu rauben versuchen musste, während die Frau jederzeit – außer in jenem letzten Augenblick, da ihr Widerstand jäh schmolz – Herrin ihrer Sinne blieb und das Liebesglück in heiterer Selbstsicherheit gewähren konnte oder nicht. So dass Anne-Marie sich meinem Begehren erst ergeben konnte, wenn ich ihr alle Sinne geraubt hatte und sie schier in Ohnmacht fiel vor Begehren und sich endlich unter der gewaltlosen Gewalt des Mannes (meiner Gewalt) hingeben *musste*. Hingeben, das war das Wort. Anne-Marie wollte sich hingeben – ich sah es und begriff es doch nicht –, ich war der Tölpel, der immer erneut, wenn Anne-Marie längst bereit und willens war, innehielt, weil irgendetwas in mir es verbot, das Herrliche zu tun, jetzt, da, hier am Bahndamm. Was hätte es die vorbeirumpelnden Wiesentaler geschert, sekundenschnell ein in sich verschlungenes Liebespaar zu sehen! Aber nein. Immer landeten wir endlich, zwei erregte auf ewig jungfräuliche Verliebte, an ihrem Gartentürchen und küssten uns ein letztes Mal zum Abschied. Auf dem Heimweg, auf dem Fahrrad, konnte ich mich kaum auf den Sattel setzen, so sehr schmerzten mich die unerlösten Hoden. – Wir waren selten bei ihr im Haus. In meinem auch kaum. Nicht dass sie mich verbarg, oder ich sie. Aber da waren, auch bei ihr, eine Mama und ein Papa (auch ein Bruder), die das Zusammensein trübten und eine Intimität verboten, auch wenn sie (die Mama vor allem) freundlich zu mir waren. Der Vater, ein Chemiker, wirkte wie frühpensioniert und war dies vielleicht auch. Er war ein finsterer Mann, dessen kurze Sätze, ein Knurren, nur schwer zu deuten waren, nahm mich kaum wahr, verpflichtete mich aber dennoch zu allerlei Arbeiten – um mich von der Tochter fernzuhalten vielleicht –, denn sein Hobby war das Papier, waren Papiere aller Arten seit den ägyptischen Papyri, und ich saß also für ihn im Staatsarchiv der Stadt Basel – mit irgendeiner Sondererlaubnis – und prüfte Hunderte von Schriften aus dem Mittelalter und der frühen Neuzeit, nicht ihrer Inhalte wegen, sondern wegen der Wasserzeichen der verschiedenen Papierhersteller – da gab es ganze Papierkünstlerdynastien –, die Anne-Maries Vater sammelte, systematisierte und in kluge Zusammenhänge brachte. Auch plante er zu der Zeit gerade ein Papiermuseum und die Re-

konstruktion einer alten Papiermühle unten im St. Alban-
loch, die später tatsächlich gebaut wurden und heute noch
existieren. – So waren wir also weder bei Anne-Marie noch
bei mir. Als ob unsere Eltern es verböten. (Einmal war ich
doch in ihrem Zimmer. Sie hatte eine Grippe, und ich saß
brav an ihrem Bett und heiterte sie mit meinen Geschichten
auf. Da erschien plötzlich – Anne-Maries Zimmer lag im
ersten Stock! – das Gesicht der Mutter im Fenster. Sie hatte
eine Leiter angestellt und war hochgeklettert. Als sie sah,
dass ich sie sah, verschwand ihr Gesicht, schnell wie das
eines Kobolds. Wir, Anne-Marie und ich, hatten also nicht
allzu unrecht gehabt, der Sicherheit des Hauses nicht zu
trauen.) – Einmal allerdings war die ganze Familie Anne-
Maries zu irgendeiner Wanderung aufgebrochen, für den
gesamten Tag, und so war ich bei ihr in ihrem Zimmer. Wir
redeten und küssten uns und lagen bald nebeneinander auf
dem Bett. Wir sahen uns zum ersten Mal ohne Kleider, und
ich inspizierte ihre Nacktheit mit heiligem Eifer. Ihre kleinen Brüstchen. Ihren Bauch. Sie öffnete die Beine ohne jede
Scham, ich schaute und schaute, und sie staunte meinen
Schwanz an, der stand wie ein Pfahl. Sie beugte sich just
über mich, um mich zu küssen – ich lag auf dem Rücken –,
als unten im Parterre die Tür aufging und der ganze Klan
ins Haus hineinrumpelte. (Irgendetwas war schiefgegangen
unterwegs, Regen, oder der Papa bzw. der Bruder, Peter,
der um ein Jahrhundert älter als Anne-Marie wirkte, obwohl er ihr nicht mehr als fünf Jahre voraus war. Beide, Vater und Sohn, neigten zu einem sonderbaren Verhalten.)
Noch nie hatte ich meine Kleider so schnell angezogen wie
ich es nun tat, und Anne-Marie war sogar noch flinker als

ich. Sie war in ungefähr zehn Sekunden tipptopp gekleidet und konnte ins Untergeschoss hinabzwitschern, was denn los sei. Mein Schwanz brauchte allerdings eine Weile, um sich zu beruhigen. So wartete ich ein Viertelstündchen, bis ich mich auch zeigte. Aber die Familie, unter dem Eindruck des Platzregens oder eventuell des bizarren Verhaltens Peters oder des Vaters, hatte keine Augen für mich. – Anne-Marie war sich bald sicher, dass wir Kinder haben würden, bälder als bald. Wenn es ein Sohn wäre, das Kind, würde er Stefan heißen. Sie sprach gern davon und malte sich und mir die Schönheiten des Familienlebens aus. Wir standen auch vor Schaufenstern von Möbelhäusern und sahen uns Betten und Fauteuils an. Küchentische. Dass mir das nicht so gefiel, merkte ich nicht und wusste es doch. (Ja, auch dies noch: Einmal blieb bei Anne-Marie die Monatsblutung aus, und wir gerieten beide in Panik, dass sie schwanger sein könnte. In meiner Not ging ich zu meinem Vater – er saß an seiner Schreibmaschine – und fragte ihn, ob eine Frau auch schwanger werden könne, wenn der Mann nur mit seinen Fingern etc., an denen ja Sperma sein könnte usw., und mein Vater kriegte einen roten Schädel und brach in einen Schweiß aus, der sein Gesicht förmlich überschwemmte, so dass ich das Zimmer verließ, ohne eine endgültige Antwort bekommen zu haben. Die Regel Anne-Maries funktionierte dann doch noch, und wir vergaßen den Vorfall.) – Im Sommer 1956 luden mich Anne-Maries Eltern ein, mit ihnen in die Ferien zu kommen. Sie hatten ein Haus in Cannes gemietet, und Südfrankreich, das Land Cézannes, Fernandels und Pagnols, war für mich das Herrlichste überhaupt. Im Zug schlief Anne-Marie an meiner

Schulter, und ihre Mutter, die uns gegenübersaß, stieß kleine gerührte Schreie aus, während sie ihrer leise schnarchenden Tochter zusah. Der Vater neben der Mutter wie ein Stein. – In Cannes genoss ich das Strandleben. Ich schwamm in den gischtenden Brechern, und einmal erwischte mich eine sich überschlagende Welle so, dass sie mich mitwirbelte und mir die Badehose wegriss. Ich hüpfte den Strand entlang und versuchte, die entlaufene Hose wieder einzufangen. Alle, die mich sahen, lachten herzlich, und auch Anne-Marie freute sich, belustigt und stolz, dass jeder sehen konnte, dass ich und meine ganze Nacktheit ihr, nur ihr gehörten. – Einmal auch biss mich eine Qualle, und mein Unterarm schwoll so an, dass ich zu einem Arzt gehen musste, einem Doktor für Reiche – so sah ich das –, denn er sah mich verachtungsvoll an und wollte für eine simple Spritze fünfzig Francs haben. – Ich versuchte auch, in einer jähen Euphorie, einen Raum zu mieten, der über einer Garage lag, völlig verdreckt und heiß wie ein Hochofen war. Ich wollte diese Hinterhofhöhle unbedingt (obwohl ich noch kaum eine Woche in Cannes vor mir und keine Ahnung hatte, ob, wann und wie ich je zurückkehren konnte), denn ich wusste plötzlich, dass ich einen Roman schreiben wollte, hier, in dieser südlichen Glut. Anne-Marie schaute ratlos, und die Vermieterin, eine lebenskluge ältere Frau, redete mir den Plan aus. – Dann kam der letzte Abend, die letzte Nacht. Ich musste vor Anne-Marie und ihrer Familie nach Basel zurückfahren, weil ich ein Aufgebot für die Rekrutenschule in der Tasche hatte. (Ich hatte die Absicht gehabt, mich bei der Aushebung so tölpelig wie nur möglich anzustellen, um einen möglichst anstrengungsfreien Posten zu kriegen, gab mir aber, kaum hatten die Prüfungen begonnen, die größte Mühe, möglichst schnell zu rennen oder ein handgranatengroßes Klötzchen möglichst weit zu werfen. So wurde ich Infanterist und für befähigt erklärt, 30-Kilometer-Märsche mit 30 Kilogramm auf dem Rücken zu machen.) Ich hatte eben meinen Pyjama angezogen, als die Tür aufging und Anne-Marie hereinhuschte. Sie war barfuß und trug einen weißen Bademantel, den sie sogleich abstreifte. Nun war sie nackt. Ich verstand sofort, hatte auch sogleich einen Steifen. Ich suchte hektisch nach einem Pariser (ich hatte also mit so etwas gerechnet) und fummelte in Panik mit ihm herum. So rum, andersrum, irgendwie rum. Anne-Marie hatte sich inzwischen auf mein Bett gelegt und wartete. Ich hatte das Präservativ nun montiert, stürzte zu ihr hin, bebend, und spritzte los, bevor ich sie überhaupt berührte. Anne-Marie stöhnte, nicht aus Lust, sondern weil sie enttäuscht war. Dann saß ich da, und auch Anne-Marie setzte sich auf. Wir wussten beide nicht, dass das, was uns eben geschehen war, weiter nicht schlimm war und dass wir ein paar Minütchen warten und uns die Zeit mit Küssen vertreiben mussten. Wir dachten, dass es aus sei mit der Liebe, wenn nicht für alle Ewigkeiten, so doch gewiss für diese Nacht. Anne-Marie zog den Bademantel wieder an und schlich so unhörbar davon, als sei sie nie da gewesen. – Am nächsten Morgen – an den Abschied kann ich mich nicht erinnern – fuhr ich mit dem Zug nordwärts, ich stand im Korridor zusammen mit der besten Freundin Anne-Maries, die nicht in mich verliebt war. Ich entdeckte ihr, während ich neben ihr stand, mein Dilemma, nämlich, dass Anne-Marie ein Kind haben wollte, einen Stefan, und dass ich, ja, dass ich eigentlich nicht wisse, was ich wolle; jedenfalls keinen Stefan, jetzt. Die Freundin versuchte, ihre Sympathien gerecht zu verteilen. Sie gab Anne-Marie recht, und dann gab sie mir recht. Sie war gleich jung wie wir und sprach mit der Weisheit einer erwachsenen Frau. Es endete dann so, dass ich Anne-Marie einen Brief schrieb, einen langen, elenden, feigen Brief, in dem ich ihr erklärte, warum und weshalb. Ich warf den Brief in den Kasten und rückte in die Rekrutenschule ein. Anne-Marie habe ich nie mehr gesehen. Ich hörte später einmal, sie habe einen Italiener geheiratet und lebe in Genua.

ICH las jetzt Bücher für Erwachsene. Ich las und las. Ich saß auf dem Felsen in La Rösa und las. Ich hockte auf dem warmen Granit des Fensterbretts, unter mir der Bach. Las. Ich las auf dem Bett liegend. Ich las sogar auf dem Kirschbaum, wo ich einen bequemen Sitz hatte, eine Astgabel, die beinah auf der Höhe meiner Mansarde war. Ich las im Fauteuil des Wohnzimmers sitzend, während meine Mutter auf mich einredete. Im Kaffeehaus, eine Schale Gold trinkend. (Einen entsetzlichen, heute ausgestorbenen Milchkaffee.) Am meisten aber las ich in der Schule, unter der Bank (Chemie, Naturkunde) oder auch offen auf ihr, weil Herr Doktor Bäschlin (Deutsch, Englisch, Geschichte) ja nicht mehr mit mir sprach und wohl froh war, dass ich wenigstens den Mund hielt. Ich las alle dicken Klötze der Weltliteratur – nicht *alle* natürlich; aber viele –, die *Brüder Karamasow*, *Schuld und Sühne*, den *Moby Dick*, den *Spieler. Die toten*

Seelen. Krieg und Frieden (zwei Mal hintereinander) und *Anna Karenina.* Alle Stendhals, die mein Vater übersetzte (mein Favorit war *Die Kartause von Parma). Madame Bovary* und die *Éducation sentimentale.* Den *Tartarin de Tarascon.* Den *Don Quixote.* Die *Liaisons dangereuses.* Den *Nachsommer,* ja, ich glaube, ich versuchte es damals schon mit Stifter. Die *Buddenbrooks* auf jeden Fall und *Effi Briest* und den *Stechlin.* Einen Poe nach dem andern. Viele, viele andere. Ich habe nie mehr so viel gelesen wie in diesen dichten Jahren. – Ich studierte auch mit heißer Begeisterung die Stilfibel von Ludwig Reiners (sie hieß irgendwie anders), die mir mein Vater geschenkt hatte und die mit Witz und tollen Beispielen ihren Lesern die falschen, lauten und verlogenen Töne auszutreiben versuchte. – Ich war zu der Zeit auch Platzanweiser in der Komödie Basel. Drei vier Mal in der Woche, für eins fünfzig pro Abend. Da stand ich in meinem Konfirmationsanzug, verkaufte Programmhefte und riss die Eintrittskarten ein. Die Komödie war eine private Bühne an der Steinenvorstadt, deren Direktor Egon Karter hieß und die, auf Teufel komm raus, ein Stück nach dem andern auf die Bühne stemmte. Klassiker, Boulevard, hemmungslos. *Faust* und *Florentinerhut.* Ich sah mir alle Aufführungen an – das war der wahre Lohn für diesen Job – und habe in der Zeit mehr Stücke gesehen als während der Jahrzehnte, die auf sie folgten. Leopold Biberti (einer der Comedian Harmonists von einst) und Blanche Aubry waren ein unzertrennliches Paar – sie spielten, immer zusammen, jede Rolle zwischen fünfundzwanzig und siebzig –, gehörten zum Inventar der Komödie, und es ist ein Wunder, dass Egon Karter Biberti nie als Lear und Blanche Aubry als seine machtgeile Tochter besetzte. (Blanche Aubry war ähnlich alt wie Biberti, spielte aber gern dessen jugendliche Liebhaberinnen.) Sonst spielten sie so ziemlich alles. – Einmal fiel, in einer Boulevard-Komödie in der Art Marcel Achards oder Robert Lamoureux', der Dritte im Bunde aus, und ein Kollege wurde aus Zürich oder Freiburg im Breisgau herbeitelefoniert. Er hatte das Stück in der Saison zuvor gespielt und kam ungeprobt und im letzten Augenblick ins Theater. Die Vorstellung ist mir deshalb so unvergesslich, weil Akt eins und Akt zwei sich verteufelt glichen (aber eben doch verschieden waren) und der einspringende Kollege stets die Antworten aus dem falschen Akt gab. Biberti und Blanche Aubry reagierten, so sinnvoll es eben ging, und manchmal saßen alle drei schweigend da, der Gast schweißüberströmt und Blanche Aubry und Biberti mit tiefernsten Gesichtern, weil sie drauf und dran waren, hemmungslos loszuwiehern. Es war ein Abend von Beckett'scher Tiefe. – In *Regen* von Somerset Maugham prasselte das ganze Stück über echtes Wasser auf die Bühne und oft auch über die Rampe, wo es die Füße der Zuschauer in der ersten Reihe nässte. – Die Sitze waren damals noch nicht wie heute nach einem idiotensichern System nummeriert – Reihe 1, Platz 1 bis 23 etc. –, sondern mäanderten sich von vorn bis hinten durchs Theater, eine Schlangenlinie von 1 bis 312. (Dazu gab es noch einen Balkon.) Da durfte der Platzanweiser kein Idiot sein, er musste, wenn ihm eine Dame den Platz 216 hinhielt, auf Anhieb sagen können, dass sie die Reihe 12 besser von der andern Seite her beträte. Als ich später, ein gutes Jahrzehnt später, selber ein Stück in diesem Theater hatte, freute ich mich schon den ganzen Tag darauf, heiter auf die Hilfe meines Platzanweisernachfolgers zu verzichten und sicher wie eine Brieftaube zu meinem Platz zu finden. Aber das Theater war umgebaut worden, und die Plätze waren nummeriert wie überall.

ES war Christel Nonnenmann, die Schwester von Klaus, die zum ersten Mal von Montpellier sprach. Wie schön es dort sei, die Sonne, das Meer, die Stadt. Ich ging inzwischen zur Uni – ich tat das lieber als zur Schule zu gehen; aber eine Schule war sie auch –, und diese legte ihren Studenten nahe, ein Jahr oder so im Ausland zu verbringen. Ich ließ mir das nicht zweimal sagen, und Christels Schwärmerei gab den Ausschlag, mich für Montpellier zu entscheiden. (Immerhin war das eine der ältesten Universitäten der Welt; schon Felix Platter, der Sohn von Thomas, hatte dort studiert.) Ich packte meine Ware auf den Gepäckträger meiner Vespa (ja, ich hatte jetzt eine Vespa, eine gebrauchte zwar, eine sehr gebrauchte, die aber treu und mit einer Höchstgeschwindigkeit von 50 km/h daherratterte, was ich wusste, weil zwar der Tacho von allem Anfang an kaputt gewesen war, ich aber in eine Kontrolle der Polizei geraten war, die das korrekte Funktionieren just dieser Anzeige prüfen wollte, und so fuhr ich also, mein Tempo Pi mal Handgelenk schätzend, mit voll aufgedrehtem Gashahn auf der Teststrecke und kriegte an ihrem Ende eine Prüfmarke aufgeklebt, die mir bescheinigte, dass mein Zeiger die Geschwindigkeit haargenau angegeben hatte). Ich fuhr mit so viel Gepäck los, dass die Vespa kaum noch steuerbar war.

Es war März, Anfang März 1958, es war kalt, saukalt, und ich trug dicke Handschuhe, eine Wollmütze und meinen amerikanischen Soldatenmantel, den ich in Stuttgart aus Armeebeständen gekauft und der über dem Herzen ein Loch hatte. »Schussloch«, sagte der Verkäufer, als ich versuchte, den Preis wegen des Schadens herunterzuhandeln. »Könnse froh sein, dass ich das nicht extra berechne.« Ich kam am ersten Tag bis Lyon. Dort zitterten meine Hände so, dass ich mein Weinglas mit beiden Händen zum Mund führen musste. Die Kopfsteinpflaster der französischen Straßen. Am nächsten Tag war es wärmer geworden, mild, und ich fuhr ohne Handschuhe und Mütze. Der US-Army-Mantel war halb offen und blähte sich im Fahrtwind. Ich kam gegen Abend in Montpellier an und fand auf Anhieb das Herz der Stadt, die Place de la Comédie, wo ich die Vespa neben ein paar ähnliche Vehikel stellte und zu erschöpft war, das Gepäck mit mir zu nehmen, als ich mich auf die Terrasse eines Cafés setzte, das *Y a bon* hieß. Ich dachte, falls ich überhaupt etwas dachte, dass sich für *dieses* Gepäck gewiss niemand interessierte. Gegenüber, auf der andern Straßenseite, war das *Y a mieux,* das ich erst bemerkte, als ich mein zweites Glas geleert hatte. (Ich blieb dann dem *Y a bon* treu.) Als ich zur Vespa zurückkam, war das Gepäck in der Tat noch da; aber der Scheinwerfer war abmontiert worden. Nur noch zwei Drähte, die auf dem Schutzblech des Vorderrads lagen. So dass ich dann den ganzen Sommer über ohne Licht fuhr, denn auch bei meiner Vespa – wie früher bei meinem Fahrrad – kam mir nicht in den Sinn, dass ich ja einen neuen Scheinwerfer montieren lassen konnte. (Hatte ich *wirklich* so wenig

Geld?) Jedenfalls, wenn es dunkel geworden war, wartete ich – einem Raubtier gleich, das seiner Beute auflauert – mit laufendem Motor am Straßenrand und setzte mich dann hinter ein Auto, das in meine Richtung fuhr. Es schützte mich und beleuchtete meinen Weg. Manchmal schaffte ich es mit einem oder zwei Autos bis zu meiner neuen Heimat am Chemin de Nazareth, weit vor der Stadt; meist aber brauchte ich drei oder vier, und die letzten hundert Meter musste ich sowieso im Mondlicht fahren, im Schritttempo. Das Haus, in dem ich ein Zimmer gefunden hatte, stand einsam zwischen Schilf und Ginstergestrüppen, in denen Grillen zirpten und Nachtigallen sangen. Mücken auch, Millionen Schnaken. Die Bäume und Büsche leuchteten blau.

Es gab tatsächlich eine Uni, die aber ein so düsteres Gebäude war, dass ich sie ein einziges Mal betrat – ich meldete mich an –, und dann nie mehr. Wieso sollte ich in dieses staubige Gefängnis gehen, wenn ringsum eine Welt strahlte, die mir das Paradies zu sein schien? Die einzige universitäre Einrichtung, die ich in den nächsten Monaten benutzte, war die Mensa. Da kostete das Essen eins fünfzig, und die andern Esser waren alle so jung wie ich. Sonst schaute ich, schaute und staunte und sog dieses Licht in mich auf, als hätte ich die letzten zwanzig Jahre im Dunkeln gelebt. Ich wanderte in der Stadt herum und fuhr mit der Vespa immer weitere und verschlungenere Wege. Zuerst lernte ich die *routes départementales* kennen, dann die *chemins vicinaux* und endlich auch Fußwege aus Fels und Sand, die nicht für Vespas gedacht waren, trotzdem aber zu einem romanischen Gemäuer oder einer geheimen Bucht führten. Das

Meer roch ich schon vor den Toren der Stadt, und natürlich zog es mich nach wenigen Tagen zu ihm hin. Unterwegs Lagunen. Auffliegende Vögel. Schräggewehte Baumkrüppel. Dem Ufer entlang kilometerlange Sandwellen, auf denen außer mir kein Mensch ging. (Nur an den Sonntagen war der Strand voller Menschen, und auf der Straße, hundert Meter landeinwärts, standen die Autos eins hinter dem andern. In jedem zweiten – wenn meine Erinnerung nicht übertreibt – saß, an einer Baguette und ein paar Oliven kauend, eine Großmutter, die von ihrer Familie zum Baden mitgeschleppt worden war, aber Sonne, Wind, Sand und Wasser scheute.) Ich schwamm; ich war ja keine Großmutter; aber eher an den Wochentagen. Der Frühling glich schon im Mai einem Sommer, und ich eroberte die ganze Camargue. Die Pferde! Die Stiere! Die Flamingos! Ich kam bis Nîmes und Arles und sah bald (dachte ich, hoffte ich) wie ein sonnengegerbter Einheimischer aus. Stierhirt, Fischer, *marin*. Ich trug T-Shirts, bei denen mich Schmierölflecken und Risse nicht störten. Ja, ich scheute mich nicht, zuweilen einen kleinen meridionalen Akzent in mein Französisch einfließen zu lassen. Ich sprach mit diesem und jener und fühlte mich, obwohl ich niemanden näher kannte, alles andere als allein. (Ich war sehr bald an eine Frau herangeraten, die mir ihre Schreibmaschine lieh und mit der ich deshalb hie und da einen Kaffee trank. Ich glaubte nämlich – das Beispiel meines Vaters –, ohne eine Schreibmaschine nicht leben zu können. Die Frau wollte immer häufiger mit mir Kaffee trinken und sah mir immer tiefer in die Augen, so dass ich beim sechsten oder elften Rendezvous die Maschine mitnahm und ihr vor die Füße stellte.) Ich merkte gar nicht, dass ich nicht studierte. Ich studierte ja: diese neue Welt, in der sogar die Tankstellen leuchteten und die Platanen Schatten warfen, die scharf und klar waren und alle Farben des Regenbogens enthielten.

An einem Abend saß ich – immer noch allein und mich mit allen und allem um mich herum eins fühlend – in einem Restaurant, einem *bistro* eher, trank einen Rotwein, und ein Mann setzte sich an meinen Tisch, nahm sofort einen Skizzenblock hervor und begann zu zeichnen. Leicht, schnell. Er zeichnete die Gäste an den andern Tischen, das sah ich, als ich zu ihm hinüberluchste. Karikaturen, ja, aber sehr gute. Er kümmerte sich nicht weiter um mich – der Wirt hatte ihm unaufgefordert ein Glas Wein hingestellt –, und als er ein Dutzend Blätter beisammenhatte, stand er auf, ging zu seinen Modellen hin und versuchte, ihnen ihr Bild zu verkaufen. Er war nicht teuer, fünf oder zehn Francs. Trotzdem kauften nur ein paar wenige. Er schien nicht im Geringsten betrübt, als er an unsern Tisch zurückkam, und bestellte ein weiteres Glas Wein. Jetzt sprach ich mit ihm. Ich sprach französisch, was sonst, und vergaß auch nicht, den Provenzalen in mir durchklingen zu lassen. Er sah mich aus zusammengekniffenen Augen an und antwortete mir schweizerdeutsch. Ich fragte ihn nicht, wie er dahintergekommen war, dass ich nicht in der zehnten Generation aus Marseille stammte. Er hieß Walo (ich weiß nicht, ob er mir jemals seinen Nachnamen verriet), war Maler und lebte, weil seine Bilder ihm kein Geld brachten, vom Karikaturenzeichnen. Er zog jeden Abend los, jeden zweiten Abend, durch die immer selben Lokale; so dass manche ihr Bild nicht hatten kaufen wollen, weil sie zu Hause bereits eine ganze Walo-Sammlung hatten. Er zeichnete auch mich, während wir plauderten, und schenkte mir sein Werk. Er war deutlich älter als ich, wohl schon um die vierzig (er war ein *erwachsener* Erwachsener) und wohnte in einem Haus am Dorfrand von Lavérune – ein Dutzend Kilometer außerhalb von Montpellier, die er mit Hilfe eines klapprigen Mofas bewältigte –, in einer Ruine eher, die kurz vor dem Einstürzen zu sein schien, schiefe Fensterläden und Fußböden aus losen Platten hatte. Ein Bad gab's nicht, nur eine Pumpe, mit der Walo eine graue Brühe aus dem Grundwasser hochholte. Er hatte auch kein Klo, sein Klo waren die Reben, die rings um sein Haus herumstanden. Er lebte mit einer gnomartigen Frau, die auch sein Modell war und zuweilen mit hochgereckten Armen auf einem Bretterpodest stand. Es störte sie nicht, wenn ich Walo eine Weile lang beim Malen zusah, oder ihr beim Modellstehen; Walo hatte auch nichts dagegen. In der dritten oder vierten Woche unserer Bekanntschaft schnitt sie sich die Pulsadern auf, allerdings nicht radikal genug, so dass sie von Walo – der sie fand, als er vom Einkaufen zurückkam – irgendwie zugeklebt wurde und am Abend schon wieder bei uns saß, mit dicken Mullbinden um beide Handgelenke, schweigend wie immer, mit Augen, die ins Leere schauten, jedenfalls nicht auf Walo und schon gar nicht auf mich. Walo malte, neben seinen Akten, Landschaften. All den Süden um ihn herum. Ich weiß nicht, ob mir seine Bilder gefielen. Das Licht, in dem er lebte, verwandelte sich auf seiner Leinwand in viel Grau und Braun, und er hatte eine Neigung, seinen Figuren und auch den Mauern oder Bäumen auf seinen Bildern einen schwarzen Rand zu verpassen, einen sehr feinen meist; er genügte aber, alles, was Walo malte, wie in einem tödlichen Netz gefangen aussehen zu lassen. Einmal kam ich, an einem hellen Vormittag, zu ihm, und er malte an einem großformatigen Bild. Einem Akt. Diesmal saß die Freundin entspannt auf einem Küchenhocker. Sie hielt eine Blume in einer Hand. Das Bild, alles andere als fertig, war so atemberaubend gut, dass ich ihm, während er weitermalte, sagte, er müsse sofort aufhören. Das Bild sei fertig, und jeder weitere Pinselstrich werde es beschädigen. Walo lachte, legte den Pinsel weg und schenkte mir einen Kaffee ein. Die Freundin (Pilar? Mercedes? Etwas Spanisches jedenfalls) schlüpfte in einen Regenmantel und huschte davon. Am nächsten Tag, als ich wiederkam, hatte Walo meinen Rat nicht befolgt und die Konturen des Akts mit einem dicken Schwarz nachgezeichnet, und das Bild war so tot wie die andern zuvor. – Walo kochte gut. Da er alle und jeden in und um Montpellier herum zu kennen schien, war sein Haus immer voll mit seinen Freundinnen und Freunden. Sie – ich auch – brachten, wenn's ein Essen gab, Fleisch, Gemüse und Wein mit, und er fuhrwerkte virtuos mit einem halben Dutzend Pfannen auf einem Herd mit zwei Feuerlöchern herum, den er mit dem Holz betrieb, das er auf dem Nachhauseweg mit dem Mofa einsammelte; oder wenn er mit seiner Staffelei unterwegs war. Man sah ihn selten ohne ein paar Äste oder eine Olivenbaumwurzel unterm Arm. Der Held der großartigsten dieser bezaubernden Nächte – wir waren zehn oder mehr Gäste – wurde aber nicht er, sondern ein Ungar, ein echter Ungar aus Szeged, der irgendwie auch in dem Haus in den Reben gelandet war (er war weder Maler noch schien er Walo besonders gut zu kennen) und für uns das Gulasch seiner Heimatstadt kochte, tatsächlich das Gulasch aller Gulaschs, ganz anders und unendlich viel besser als die, die ich bis anhin gegessen hatte. Allein der Paprika! (Ja, den Paprika hatte er aus Ungarn mitgebracht!) Applaus im Stehen für den Gastkoch, bei dem Walo am lautesten klatschte. Es wurde ein heftiger Abend, viel Rotwein, viel Gelächter. Manche, die das tagsüber keineswegs taten, küssten sich. Lange nach Mitternacht – eher gegen Morgen schon – brach ich auf. Der Ungar, der irgendwo im Stadtzentrum untergebracht war und noch mehr als wir andern getrunken hatte, setzte sich auf den Soziussitz meiner Vespa. Die Freundinnen und Freunde, die noch da waren, riefen ein paar Abschiedswitze, und ich drehte eine Ehrenrunde um den Esstisch herum. Es war eine Vollmondnacht, und ich war angedudelt genug, ohne den Schutz und die Hilfe eines *follow-me* fahren zu können. (Auch kam auf diesem Sträßchen, auf dem schon tagsüber kaum jemand fuhr, sowieso kein Auto.) Wir rollten also munter dahin. Ich glaube, wir sangen, oder ich sang. *Die schöne Julika aus Budapest* oder *Einsamer Sonntag*. Der Ungar grunzte eher und hielt sich, um nicht herabzufallen, bald fester an mir. Er umschlang mich und legte seinen Kopf an meinen Rücken. Vielleicht schlief er, oder sein Schädel schlief, denn seine Hände waren hellwach und wanderten an mir herab. Brust, Bauch, und schon war er zwischen meinen Beinen. Ich rief »Non!« und »Enfin, arrête!« – so viel Französisch verstand er – und haute ihm mit meiner Kupplungshand auf die Finger. Als ihn das nicht aufhielt, nicht im Geringsten, stieg ich brüsk auf die Bremse, drehte mich um und schubste ihn auf die Straße.

Da stand er, leise schwankend, ohne recht zu begreifen. Ich fuhr ohne einen Abschied weiter. Der Mond leuchtete mir auch jetzt. Der hitzige Ungar sah später gewiss auch die aufgehende Sonne, denn er hatte, als ich ihn verließ, noch so etwas wie zwei Stunden Weg vor sich. Oder legte er sich zwischen die Reben am Straßenrand und schlief dort seinen Rausch aus?

Walo führte mich in den Schachklub von Montpellier ein. Er spielte gern Schach, gut vermutlich, und sagte, als ich andeutete, dass ich gerade wisse, wie die Figuren gingen, und sonst kaum etwas, das mache nichts, überhaupt nichts, denn es gehe darum, dass der Jahresbeitrag zwar zwanzig Francs koste, dass aber am nächsten Wochenende schon das alljährliche von einem reichen Mitglied gestiftete Festessen des Klubs stattfinde, das, Getränke nicht mitgerechnet, allein schon das Doppelte wert sei. Tatsächlich gab es in einem Restaurant, das weit draußen vor der Stadt stand und im Schilfmoor der nahen Lagune zu versinken schien, ein Menü mit unzähligen Gängen. Das Beste vom Besten. Hummer, Crevetten, *moules,* Austern und Seeigel. Mit dem letzten Bissen im Mund zückten alle Teilnehmer – alle gleichzeitig, als gehorchten sie einem Befehl, den ich nicht gehört hatte – ihr Taschenschach und spielten mit ihrem Gegenüber eine Partie, in der sie die ersten zehn Züge so schnell hinter sich brachten, dass ich ihre Finger kaum sah. Auch Walo hatte sein Taschenschach, und ich durfte sein Gegner sein. (Er wusste offenkundig, wie der Abend ablaufen würde, und hatte mich auf den richtigen Stuhl gesetzt.) Ich brauchte für die ersten fünf Züge zehn Minuten, aber Walo war bester Laune und ließ mich erst spät in eine der Fallen laufen, die ich nicht gesehen hatte. – So ging das, viele Wochen lang. Bis zum Ende meines Aufenthalts in Montpellier. Ich war heiter, und Walo war es auch. Er schaute allenfalls dann nachdenklich, wenn wir wieder einmal eine seiner Verkaufsausstellungen in Palavas-les-Flots oder Le Grau-du-Roi zusammenräumten, bei denen er kein einziges seiner Bilder verkauft hatte. (Zu Walos Heiterkeit noch dies: Viele Jahre später hörte ich noch einmal von ihm. Er war nach Zürich zurückgekehrt und hatte sich erhängt.)

Dann lernte ich eine Frau kennen. (Die Besitzerin der Schreibmaschine war mir zu robust, um als Frau durchzugehen.) Ich kam an ihren Tisch in der Mensa zu sitzen, oder sie an meinen. Sie war keine Studentin, sondern eine Hebamme, und durfte, weil sie in einer staatlichen Institution arbeitete, in der Mensa essen. Sie war allein, plauderte unbefangen mit mir, und ich begriff erst später, was für ein Glück ich da bei unserm ersten Zusammentreffen gehabt hatte. Denn normalerweise war sie Teil einer lärmigen Bande aus Hebammenkolleginnen und Assistenzärzten. Sie widersprach meiner Vorstellung von Hebammen radikal. Sie war so jung wie ich, hübsch und lustig. Sie hatte, ein ganz kleines bisschen, ein Fliehkinn. Sie trug einen jener Röcke – rotweißes Karo –, die von einem steifen Unterrock gebauscht wurden, wie eine Glocke aus Stoff, und als sie später mit ihrem Velosolex davonfuhr (ich startete gerade meine Vespa), blähte sich ihr Rock im Fahrtwind, wehte hoch und nahm ihr für ein paar Meter die Sicht. Ein weißes Unterwäschegewimmel. Sie bändigte ihre Kleider bald und lachte, als sie an mir vorbeifuhr. Sie winkte. Ich weiß nicht, wann ich sie wiedertraf, in meiner Erinnerung war es noch am selben Abend (in Montpellier ging alles schnell, was in Basel so zäh dahingeflossen war). Wir saßen jedenfalls, von einer tiefstehenden Sonne geblendet, im Peyrou auf einer Bank. Es war ein Sommerabend, der auch jetzt noch heiß war. Der Peyrou war eine sehr französische Parkanlage. Triumphbogen am einen Ende, Terrassengeländer voller Statuen am andern. Platanen in Reih und Glied. Rolande – sie hieß Rolande, meine Hebamme – trug immer noch ihren gebauschten Rock, aber sie hatte die Haare jetzt geöffnet und, mag sein, die Lippen ein kleines bisschen geschminkt. Sie saß neben mir – sie war entzückend! – und erzählte mir nicht ohne Grimm und Groll, dass sie und ihre ganze Familie kürzlich erst aus Marokko in diesen kalten südfranzösischen Norden vertrieben worden seien, obwohl ihr Papa nichts Böses getan habe. Sie sowieso nicht. Sie war eine *pied noir* und spie Gift und Galle gegen de Gaulle. Es sei eine Schande, wie er sie, Franzosen vom Scheitel bis zur Sohle, behandelt habe. Einfach fortgejagt aus ihrer Heimat. Ich nickte, obwohl ich dachte, dass de Gaulle eher mit den Algeriern seine Probleme hatte. Sie beruhigte sich dann ja auch, Rolande, und erzählte mir, wie großartig das Leben in Casablanca sei. Am Morgen – in den Wintermonaten wenigstens – könne man im Atlas Ski fahren, und wenn man zurück sei, liege ein Bad im Meer durchaus noch drin. »Wo kann ich hier Ski fahren am Vormittag?«, rief sie. Aber jetzt lachte sie bereits. Es war inzwischen dunkel geworden. Aus unsichtbaren, in den Platanen verborgenen Lautsprechern erklangen Melodien. *Schwanensee* und *Belle nuit ô nuit d'amour.* Es war, als ob die Bäume selber musizierten. Wir küssten uns. Bald, fast sofort eigentlich, sagte sie, komm, wir gehen zu mir. Wir gingen, uns weiterhin küssend, durch enge Altstadtgassen und stiegen über verwinkelte Treppen in ihr Zimmer unterm Dach. Ein Bett, ein ungemachtes Bett, und schräge Dachbalken. Die Kleider fielen von uns ab, wir umarmten uns nun auf dem Bett liegend, und bald rief Rolande: »*Enfonce!*«, wie in dem alten Witz. Ich antwortete aber nicht, dass ich eigentlich Alphonse hieße – ich kannte den Witz ja auch nicht –, sondern tat, wozu sie mich aufforderte. Es war herrlich. Ich hätte nie gedacht, dass es so einfach sei. Auch Rolande schaute glücklich. Sie war nicht auf die Idee gekommen, dass es mein erstes Mal sein könnte; es war ihr hundertstes oder tausendstes Mal. – Es stellte sich dann heraus, dass sie einen Verlobten hatte, der in Orange seinen Militärdienst ableistete, und dass der Verlobte sie am Wochenende besuchte. Das machte mich noch begeisterter; das war etwas anderes als eine brave Liebschaft des Nordens. Er war der *cocu*, nicht ich. Als ich am Montag wieder bei Rolande auftauchte, standen auf ihrem Tisch (ja, einen Tisch hatte sie auch) zwei ungewaschene Kaffeetassen, und das Bett war noch zerwühlter als immer schon. Sofort lagen wir wieder ineinander. Das taten wir Nacht für Nacht, ich würde schätzen, sechs oder acht Nächte lang. Vielleicht waren es zwei Wochen. Mehr nicht. An den Tagen fuhren wir mit der Vespa zwischen den Reben herum, Rolande auf dem Rücksitz. Auch sie hielt sich, wie der Ungar, an mir fest, auch ihr Kopf lag auf meinem Rücken, und ihre Hände gingen dieselben Wege. Aber jetzt juchzte ich, und sie lachte und rief mir, in den Fahrtwind brüllend, Liebeserklärungen ins Ohr. Wir lagen in den Dünen – an Wochentagen! – und freuten uns über einen Voyeur, den jedes Liebespaar kannte und erwartete und mit »Hallo, was läuft denn heute so?« ansprach, wenn er wieder einmal näher gerobbt war – geräuschloses Schleichen war nicht seine Stärke – und über die Dünenkante lugte. Er beantwortete die Frage nicht, zog den Kopf ein, schlich rückwärts davon, Sandlawinen auslösend, und bald sahen wir ihn, ein paar Dutzend Meter weiter, ein anderes Paar umschleichen. Wir schwammen im Meer, einmal sogar nachts und splitternackt. Die ganze Freundesbande Rolandes war nun dabei, die Hebammen und die Assistenzärzte und sogar mein Freund Richi, der wie ich aus Basel stammte und an der Uni die gleichen Vorlesungen nicht besuchte. Als wir, bekleidet wieder, in einem Haufen am Strand hockten, fragte mich einer der Junggynäkologen alles andere als leise – die Frage war für alle und vor allem für Rolande gedacht –, wie ich das denn angestellt hätte, Rolande flachzulegen. Alle hätten das versucht, ausnahmslos alle, aber nichts, keine Chance. Rolande sei ein uneinnehmbares Bollwerk gewesen. Und dann komme so ein Wurzelzwerg aus den Bergen dahergelaufen, *un petit suisse,* und *voilà.* Alle lachten, auch die Freundin des Gynäkologen, auch Rolande. Richi, der eher ein *grand suisse* war, lachte am lautesten. Ich antwortete, das sei so gekommen, *weil* ich ein kleiner Schweizer sei, nicht obwohl. Die Hebammen – alle so jung wie Rolande – erzählten Witze, deren Pointen ich eine Woche vorher noch nicht verstanden hätte, und die Assistenzärzte sangen mehrstimmig Lieder mit vielen Strophen, die ich tatsächlich nicht verstand – oft nicht jedenfalls – und deren Refrains die Hebammen mitgrölten. Ich grölte auch, auch

Richi. Ein paar Tage später fuhr die ganze Bande nach Palavas. Ein halbes Dutzend Motorroller, auch ich mit meiner Vespa. Rolande hinter mir, sie trug nun keinen gebauschten Rock, sondern Jeans. Als wir am Strand ankamen, stellte sich heraus, dass Bob, ein Amerikaner und zum ersten Mal mit uns, seine Badehose vergessen hatte. Er war verzweifelt, weil es da, wo er herkam – aus der tiefsten Mitte der USA – undenkbar war, in Unterhosen zu baden. Ich hatte ihn am Abend zuvor kennengelernt, bei einem andern Freund, der ein Grammophon und eine Handvoll toller Platten hatte. So erlebte ich, wie Bob – vor meinen Augen bzw. Ohren – zum ersten Mal ein Stück von Mozart hörte. Zum ersten Mal den Namen Mozart hörte. Er war hingerissen von der Musik (ich glaube, es war tatsächlich die *Kleine Nachtmusik*) und notierte sich den Namen des Komponisten so, wie es dieser einst auch öfters getan hatte: Mozzart. Vielleicht deshalb bot ich ihm an, mit ihm zusammen in die Stadt zurückzufahren und die Badehose zu holen. Die andern stürzten sich derweil johlend in die Fluten; das Letzte, was ich sah, war, wie Richi, albern lachend, Rolande nass spritzte. Wir holten die Badehose, Bob zog sie, sich mit einem Handtuch vor mir verbergend, in seinem Zimmer an. Auf der Rückfahrt fuhr ich kaum schneller als Vollgas, als, fern eigentlich noch, ein cremefarbener Peugeot 404 die Straße kreuzte. Er fuhr in Zeitlupe und schien die Kreuzung überhaupt nie mehr verlassen zu wollen. Ich stand auf die Bremse, aber die Vespa wurde kaum langsamer. Sozusagen überhaupt nicht. Es war, als ob uns eine Riesenhand dem Peugeot entgegenschöbe. In Wirklichkeit war es Bob, der um die zwei Meter groß und gewiss hundert Kilo schwer war. Auch ich erlebte nun alles verlangsamt und hatte jede Zeit der Welt zu sehen, wie der Peugeot größer und größer wurde. Ich knallte in sein Heck. Ein großes Gescheppter. Als ich wieder etwas wahrnahm, saß ich auf einem Trottoirrand, und eine Hand kam von oben rechts in mein Gesichtsfeld, die mir ein Glas entgegenhielt. Ich nahm es und trank. Es war ein hochprozentiger Birnenschnaps, und die Hand gehörte dem Wirt eines Cafés, vor dessen Tischen ich am Boden saß. Die Gäste hatten sich um mich versammelt und kommentierten den Unfall. Bob stand neben der Vespa, deren Vorderrad unter dem Frontblech verschwunden war. Er grinste schief. Er war unverletzt. Neben ihm stand, noch unverletzter, ein Mann, ein Greis in einem Maßanzug aus heller Seide, der nun zu mir herüberkam und murmelte, wie das denn habe geschehen können, er sei kaum 20 gefahren, und zudem habe er sofort eine Vollbremsung eingeleitet. Er sei kein Raser, *er* nicht. Ich sagte ihm nicht, dass er ruhig etwas mehr hätte rasen können; oder bei seinen 20 km/h bleiben; dass ich dann mühelos an ihm vorbeigekommen wäre. Ich stand auf und merkte, dass meine Knie weh taten. Bob half mir, die Vespa an den Straßenrand zu schleppen, und dann humpelten wir – ich humpelte, Bob ging – zur Haltestelle der Bimmelbahn, die einmal in der Stunde im Schritttempo nach Palavas dampfte. Als wir ankamen, brachen die andern gerade auf, und wir fuhren mit der Bimmelbahn zurück, ohne gebadet zu haben. (Mit der Vespa ging es dann so weiter: Jedermann riet mir, sie zu entsorgen, als Schrott. Ich brachte es nicht übers Herz, es war mir nicht möglich, und ich ließ sie also für ein Geld, mit dem ich eine neue hätte kaufen können, per

Bahnfracht nach Basel zurücktransportieren, wo sie dann mehrere Jahre lang zwischen Haselnusssträuchern im Garten lag, bis sie – von einem Tag auf den andern – verschwunden war. Meine Mutter? Fräulein Doktor? Ein Vespa-Fetischist? Ich fragte nicht. Ich sprach nie mehr von ihr, von meiner Vespa, meiner armen toten Vespa.) – Rolande war, als ich ein paar Stunden später zu ihr ging, anders als bisher. Sie wollte nicht mehr, nichts mehr. Schon gar nicht mit mir schlafen. Als ich sie fragte: »*Pourquoi?*«, antwortete sie: »*Parce que!*« Dazu machte sie ein Gesicht, das eine Ohrfeige kriegen wollte. Ich gab ihr eine. Sie schaute mich lodernd vor Zorn an, und ich weiß nicht, ob mir meine Erinnerung einen Wunschtraum vorspiegelt – vermutlich schon –, wenn sie mir überliefert, dass wir danach noch einmal übereinander herfielen und uns mit der Heftigkeit eines Wutausbruchs liebten. Vielleicht verwechsle ich das mit einem Film, einem Film von damals. Es war jedenfalls aus. Ich hatte keine Ahnung, warum sich die Lage so schnell verändert hatte – dass ich blutige Knie hatte, konnte es nicht sein –, ging an den Tagen, die der Ohrfeige und, eventuell, der Abschiedsleidenschaft folgten, wie absichtslos durch die Cafés, in denen Rolande mit ihrer Bande saß – diese bevorzugte das *Y a mieux* –, und schlenderte durch ihre Gasse, wenn sie nach ihrer Arbeit mit dem Solex dahergetuckert kam, bis mich ihre beste Freundin – auch Rolande hatte eine beste Freundin – beiseitenahm und mir sagte, es sei doch alles bestens gewesen, und jetzt sei nicht mehr die Zeit der Liebe, sondern die Zeit, mich davonzumachen und aufzuhören, ihnen allen auf den Sack zu fallen. *Salut!* So gab ich Rolande auf, oder beinah, denn ich begann den Gedanken zu denken, dass mein Freund Richi, der andere *petit suisse,* mit Rolande ein Herz und eine Seele gewesen war, als ich mit Bob, aber ohne Vespa in Palavas aufgekreuzt war – sie standen beisammen und kicherten über irgendetwas, was ich nicht verstand –, und dass Rolande sich dann auf den Soziussitz Richis und nicht auf den eines der Gynäkologen gesetzt hatte. Oder dass sie gar mit mir die Bimmelbahn genommen hätte. Auch hatte ich Richi im *Y a mieux* gesehen, wenn auch nicht neben Rolande sitzend. Ich kochte bald vor Eifersucht, so dass ich mich in der nächsten oder spätestens überübernächsten Nacht kurz nach Sonnenuntergang vor Rolandes Haus aufstellte, von einer Mülltonne nur schlecht getarnt, und zu ihrem Fenster hinaufstarrte, das hell erleuchtet war und bis zum Morgen erleuchtet blieb. Trotzdem ging kein Richi ins Haus hinein, und keiner kam heraus. Allerdings gab ich lange vor Sonnenaufgang auf – die Scham war zu groß geworden –, und es kann sein, dass Richi, der Sausack, erst in der hellen Sonne aus dem Haus kam, fröhlich pfeifend und noch einmal zu dem Fenster hochwinkend, in dem jetzt Rolande stand, kaum bekleidet, und zurückwinkte.

DER Rest ist schnell erzählt. Der Zauber der vergangenen Monate, in denen *alles* schön war – das pure Dasein schon ein Glück –, war verflogen. Ich tat noch, halbherzig, dies und jenes – schrieb zum Beispiel an einem Theaterstück herum, in dem ein Orgon eine Hermione liebte, die aber einem Philemon verfallen war, oder umgekehrt. Ich versuchte, eine Art Schweizer Molière zu sein, war aber mehr

Schweizer als Molière. Bald packte ich meine Koffer, brachte sie zur Post, sagte Walo und seiner Freundin adieu und trampte, Zeit vertrödelnd, die Küste des Mittelmeers entlang. In Cannes lernte ich einen Schweden kennen – eins neunzig groß, blond und mit einer Tenorstimme wie Jussi Björling –, der eine keineswegs mehr junge Dame kannte, die so sehr wie Simone Signoret aussah, sprach und rauchte, dass sie vielleicht Simone Signoret *war*. Sicher war sie eine glühende Kommunistin. Ich hockte in ihrer Wohnung in der Altstadt und hörte mich durch ihre Plattensammlung, die ausschließlich aus Kampfliedern von 1789, 1830, 1848, dem Risorgimento, der Russischen Revolution und der Résistance bestand. Plus allerlei Exotischem, Tibet oder Kuba. Auch ging ich mit Tommy mit, nachts, wenn er von Lokal zu Lokal zog und die Gäste und auch mich regelrecht betörte. Er machte ein Heidengeld. Dann fuhr ich weiter, der *costa dei fiori* entlang, durch Oberitalien, ins Veltlin und endlich von Süden her den Berninapass hoch. In Brusio – dem Heimatort meiner Mutter – wartete ich mehr als zwei Stunden lang am Straßenrand und sah den roten Zügen der Rhätischen Bahn zu, wie sie ihr 360-Grad-Viadukt befuhren. Als ich in La Rösa ankam, waren meine Mutter, mein Vater und Nora just dabei, die Wohnung zu putzen, weil ihre Ferien vorbei waren. Ich hatte mich irgendwie mit den Daten vertan. Ich schrubbte also auch ein paar Böden, als hätte ich die letzten fünf Wochen mit ihnen verbracht. Sowieso musste ich bald wieder weg – wo und wie verbrachte ich die paar überschüssigen Tage? –, weil ich mich mit einem Freund aus Montpellier, einem Engländer namens Clive, am 1. September um 12 Uhr mittags *»devant la mai-*

rie de San Sebastián« verabredet hatte. Eine doch sehr formlose, beiläufig dahingesagte Abmachung für unsern Plan, ganz Spanien von Norden nach Süden und retour zu bereisen. Südwärts im Innern des Landes mit allerlei Abstechern nach Ost und West, nordwärts der Küste entlang. Tatsächlich gab es in San Sebastián ein Bürgermeisteramt, tatsächlich tauchte – eine Minute vor zwölf – auch Clive auf, aus einem vw winkend, den er in Montpellier noch nicht besessen hatte. Einem schwarzen Käfer, der aussah, als habe er, statt einer Spanien-Reise vor sich, eine Afrika-Safari hinter sich. Rost und Dreck. Ich hatte keinen Führerschein, Clive saß also die ganze Reise über am Steuer und umkurvte dabei einige tausend Schlaglöcher, deren tiefste imstande waren, ein ganzes Auto zu verschlingen. Bei Toledo biss mich eine Wespe in einen Fuß, mein Bein schwoll bis zum Knie hinauf an und wurde blau. Ich delirierte im Fieber, und Clive, der wie ich sicher war, dass es in Spanien keine Ärzte gab und/oder dass man mit einer simplen Blutvergiftung nicht zum Doktor ging, hockte neben mir und übte auf seiner Gitarre immer kompliziertere Flamencos. Ich überlebte. Ich hatte so wenig Ahnung, was eine Diktatur war, dass ich in einer Kneipe irgendwo weit im Süden (Málaga? Sevilla?) laut trompetend die Herrlichkeiten der Demokratie rühmte und kaum begriff, warum die eine Hälfte der Tischgenossen fluchtartig das Lokal verließ und die andere, »psst« zischend, sich über mich warf und mein Gedröhn zu ersticken versuchte. – Horden von bettelnden Kindern, die sich an uns klammerten und nicht einmal zu vertreiben waren, wenn ich sie baseldeutsch anbrüllte. (Wir versuchten es auch mit Geld, dieses verdoppelte aber nur ihren Eifer.) – Einmal wachte ich am frühesten Morgen aus einem bösen Traum auf und sah direkt ins Maul eines Schäferhunds, der mich abschnüffelte. Eine nasse Nase. Hinter ihm zwei Guardia Civil mit ihren schwarzen Hüten und Schusswaffen in den Händen. Sie waren aufs höchste misstrauisch – zwei Landstreicher, die in einem Olivenhain schliefen –, glaubten uns aber endlich, dass wir unschuldige Touristen waren, obwohl sie noch nie einen Touristen gesehen hatten, einen unschuldigen gar. – Gibraltar war unsere südlichste Station. Clive, der Brite, fühlte sich wie zu Hause und bestellte ein Guinness nach dem andern. Ich saß eher befremdet zwischen den Affen und sah nach Afrika hinüber, das fern am Horizont leuchtete. – In Valencia, auf der Rückfahrt bereits, aßen wir die Paella, von der wir schon die ganze Zeit über gesprochen hatten, und sie schmeckte noch großartiger, als wir sie uns vorgestellt hatten. An der Côte d'Azur, zurück in einer Welt, in der wir laut reden durften, trafen wir zufällig auf meinen Freund aus Schweden – Tommy, er war eigentlich Fotograf – und traten gemeinsam mehrere Tage lang vor den Boulevard-Cafés der Côte auf. *Greensleeves, Waltzing Matilda, Summertime.* Tommy sang – die Herzen schmolzen –, Clive zeigte auf seiner Gitarre, was er in Spanien gelernt hatte, und ich ging mit dem Hut herum. In Marseille, am Vieux Port, sangen wir für Dag Hammarskjöld, der uns – gewiss auch, weil er in Tommy einen Landsmann erkannte – eine so großzügige Spende gab, dass wir uns an einen der weißgedeckten Tische des Restaurants setzten und eine Bouillabaisse bestellten. Dag Hammarskjöld prostete uns von weitem zu, und wir hoben die Gläser zu seinen Ehren. In der Nähe von

Turin begann der vw zu husten, am Gotthard funktionierten allenfalls noch zwei seiner vier Kolben, und in Muttenz blieb er endgültig stehen. In Muttenz! Nach, sagen wir, viertausend Kilometern: zehn Kilometer vor dem Ziel und keine fünfzig Meter von der Endhaltestelle der Linie 14 der Basler Verkehrsbetriebe entfernt. Wir nahmen unsere Koffer und stiegen in die Bahn, die hell erleuchtet auf uns wartete. Es war längst dunkel, es war so spät in der Tat, dass wir am Barfüßerplatz gerade noch die letzte 6 nach Riehen erwischten, und dass sogar meine Mutter schon ins Bett gegangen war, als wir die Türklingel an der Wenkenstraße betätigten. (Sie war eine von Fräulein Doktors Vater umgebaute Fahrradklingel und schepperte kläglich.) Meine Mutter freute sich, so unvermutet ihren verlorenen Sohn und einen unbekannten Engländer zu sehen. Sie kochte uns Spaghetti, und es kann sein, dass auch mein Vater und Nora im Pyjama und Nachthemd auftauchten und sich ebenfalls freuten. Am nächsten Tag fuhr Clive mit dem Zug weiter – er gab den vw einfach auf –, ich wusch mir die Haare und schnitt sie wohl auch ein bisschen, zog mir ein ordentliches Hemd an und ging wieder zur Uni, wo meine Kommilitonen wie zuvor an ihren Tischen im Deutschen Seminar saßen und alle im selben Buch wie damals lasen. Ich setzte mich auch an meinen alten Platz, nahm das Buch von einst hervor und schlug es an der Stelle auf, an der ich vor einem halben Jahr zu lesen aufgehört hatte.

DIE *Fünfzigerjahre waren ein Aufbruch aus dem Dumpfen. Die Grenzen öffneten sich, auch wenn eine Reise von Basel nach Stuttgart (oder Mailand oder Paris) bis zum Ende des Jahrzehnts ein mühseliges Abenteuer blieb. Vor allem in Deutschland: Eisenbahnfahrten im Schritttempo, in überfüllten Zügen. Von selbstverständlich offenen Grenzen noch keine Spur.*

Obwohl sich die Schweiz also zu öffnen begann, blieb das Leben in vielen Bereichen und noch lange Jahre lang wie schockgefroren von dem erst kürzlich Vergangenen und taute nur langsam wieder auf. Es war oft ein Leben unter einer Käseglocke, eine Zeit der Latenz, in der sich an manchen Orten, aber von den meisten unbemerkt, das vorzubereiten begann, was mit voller Wucht erst am Ende der Sechzigerjahre ausbrach. Ein kritisches Aufarbeiten des Vergangenen und, nach vorne gewandt, ein radikales Suchen nach Neuem. Aber ein Neunzehnhundertachtundfünfzig, das die Geschichte der Väter radikal befragt hätte, wäre undenkbar gewesen. Die Söhne und Töchter waren noch jung, zu jung.

Die Verhaltenskodizes der Fünfzigerjahre waren so strikt, dass sie wie die reine Natur wirkten. Es schien ein Naturgesetz zu sein – keine gesellschaftliche Verabredung, die man hätte in Frage stellen können –, dass Eisenbahnschaffner, Briefträger oder Hausmeister Respektspersonen waren, vor denen sich auch die Väter fürchteten. Dass ein

Herr Professor mehr als ein Herr Doktor war, der mehr war als der Herr Müller. Frauen gab es noch keine, jedenfalls keine in der Politik.

Obwohl die Schweiz vom Krieg verschont geblieben war und ihm nun entschlossen den Rücken zuwandte, war sie immer noch in allem Fühlen, Denken und Handeln auf ihn bezogen. Natürlich waren die Fünfzigerjahre die ersten, in denen die Schweizerinnen und Schweizer wieder in eine Zukunft zu schauen versuchten, aber sie taten es, als trügen sie das Tonnengewicht eines noch nicht verarbeiteten Traumas mit sich. Und so war es ja auch. Der Massenmord war der Schweiz sehr nahe gekommen, und der Schreck saß allen noch lange in den Knochen.

Es war vor allem andern die Zeit, in der der Antifaschismus von eben – für viele, wenn auch nicht für alle, war er echt gewesen – in einen Antikommunismus umgepolt wurde, für den es natürlich gute Gründe gab und der dennoch schneller als schnell zu einem Instrument grotesker Verfolgungen werden konnte. Es gab pogromartige Vorfälle, von denen die Verfolgung des Kunsthistorikers Konrad Farner in Zürich am lebhaftesten in der kollektiven Erinnerung aufbewahrt worden ist. Es gab aber auch die optimistischen Fünfzigerjahre, die auch, aber nicht nur mit jenem Beschleunigungsschub der Wirtschaft zu tun hatten, der »Wirtschaftswunder« genannt wurde und in der Schweiz weniger heftig als in Deutschland war, weil die intakt gebliebene Schweiz ein solches Wunder weniger benötigte und herbeisehnte als das zerstörte Deutschland. Trotzdem verfügten auch die Schweizerinnen und Schweizer bald über mehr Geld als früher und kauften, wie die Deutschen, Kühlschränke und Autos. Auch in der Schweiz begannen sich die Bürger in Konsumenten zu verwandeln. Städte und Landschaften, die den Krieg unversehrt überstanden hatten, wurden nun, im neuen Frieden, mehr und mehr zerstört. Die Äschenvorstadt in Basel, ein rein mittelalterlicher Straßenzug, der heute zum Welterbe der UNESCO erklärt würde, wurde in toto in Schutt und Asche gelegt. Das Mittelland, eben noch ein paar hundert Kilometer hügeliger Lieblichkeit, begann sich in den hässlichen Siedlungsbrei zu verwandeln, der von St. Gallen bis Genf nicht weiß, ob er Stadt, Land oder Industriebrache ist.

Auch und gerade kulturell wurden die Fünfzigerjahre ein Jahrzehnt des Aufbruchs, weil die Moderne der Vorkriegsjahre in der Schweiz, anders als in Deutschland, nicht stigmatisiert worden und nie aus dem öffentlichen Bewusstsein hinausgedrängt worden war. Die Fünfzigerjahre wurden also auch die Zeit der »guten Form«, der Helvetica-Schrift, der neuen Plakatkunst, der Triumphe des Tiefdrucks, wie sie das Du vorführte. Gewiss hatte die Zeit eine depressive Grundierung. Aber sie mobilisierte auch enorm viel optimistische Kraft. Vor allem in den Künsten konnte die Schweiz, anders als Deutschland und Österreich, einigermaßen unbeschädigt da weiterarbeiten, wo sie vom Krieg aufgehalten worden war. Vor allem jene Teile der Moderne, die nicht in den Verdacht geraten konnten, sich dem Faschismus angedient zu haben, blühten auf. Die Konkreten um Max Bill – und dieser selber –, oder der Frisch des Stiller und der Dürrenmatt der Alten Dame. Sie wurden so etwas wie Schweizer Exportschlager, dies gewiss, weil es für ihre Themen und Techniken in Deutschland einen gewaltigen

Echoraum gab, vor allem aber, weil sie kraftvoll in ein Va-
kuum hineinstießen, das zu füllen die deutschen Schriftstel-
ler und Maler noch nicht imstande waren und dessen Un-
terdruck diese Werke einer weit unbeschädigteren Kultur
gierig ansaugte. Das hatte es in unserm Land überhaupt
noch nie gegeben: dass wir *die Avantgarde und tonange-*
bend waren und nicht, wie bisher stets, die Melodien ande-
rer mehr oder minder kundig mitsummten.

Indochina, Korea, der Tod Stalins, der Einmarsch der
Russen in Ungarn, der Sputnik, die Suezkrise: Auch unsere
politischen Blicke starrten nicht mehr auf einen Punkt (da-
hin, wo die Wehrmacht gerade wütete), sondern gingen nun
wieder in alle Richtungen der Windrose. (Zur Suezkrise
habe ich übrigens eine Augenzeugenerkenntnis aus erster
Hand. Ich war nämlich an jenem 29. Oktober 1956 auch
schon in Cannes, auf einer meiner einsamen Autostopp-
spritztouren, und stand weit nach Mitternacht am Tresen
einer Bar und trank Bier. Um mich herum unzählige Ma-
rinesoldaten in weißen Ausgehuniformen, die auf einem
Flugzeugträger der us-Navy Dienst taten, der horizontfül-
lend vor Cannes im Meer wartete. Um ihn herum, ferner
und näher, schwarzgraue Kriegsschiffe. Jäh tauchten ganze
Schwärme von Militärpolizisten auf – sie waren gnadenlos
nüchtern – und sammelten die fröhlichen Marinesoldaten so
schnell ein, dass die kaum Zeit fanden, ihr Bier auszutrin-
ken, und gar keine, es zu bezahlen. Im Nu war ich allein an
der Bar, zusammen mit dem ebenso verblüfften Barkeeper.
Am nächsten Morgen war die gesamte Flotte weg. Abge-
dampft nach Suez. Ich bin also Augenzeuge dafür, dass
a) die Amerikaner den Termin der Aktion der Briten erst

fünf Minuten nach zwölf erfahren hatten [wie sonst hätten sie ihre Männer an Land gehen lassen] und dass b) die folgenden militärischen Handlungen von Soldaten durchgeführt wurden, die betrunken oder verkatert waren.)

Ja, die USA *waren in Europa angekommen. Auch die Schweiz warf sich ihnen in die Arme. Jeans, Coca-Cola, die farbigen Bilder aus Hollywood. Und jene mitreißende Musik – was für ein Unterschied zu den Geschwistern Schmid und auch zu den* bambini ticinesi –, *die ich jeden Tag in der Hitparade des* AFN *(American Forces Network) hörte.* This ol' house, The little shoemaker, Mister Sandman, sing me a song.

1958–1968

MEHR und mehr wurde ich von Gefühlen überschwemmt, für die ich keinen Namen gehabt hätte, hätte ich sie überhaupt benennen wollen. Ich hatte schon deshalb keine Worte für sie, weil ich ihr belastendes Elend oft selber nicht bemerkte. Ich nahm sie wahr, ohne sie wahrzunehmen. Vielleicht sprachen meine dunklen Gefühle von damals just auf diese Weise zu mir, *damit* ich ihre Botschaft nicht ausformulieren musste und sie im Ungefähren belassen konnte. Sie überschwemmten mich allerdings zuweilen mit solcher Heftigkeit, dass ich *nur* noch mit ihnen beschäftigt und also sprachlos war, weil mir die Wucht ihres Sturmwinds ein klares Denken verunmöglichte und mir jeden Laut in der Kehle erstickte. Immer wieder einmal packte – unvermutet, unentrinnbar – eine Faust mein Herz und presste es zu einem engen Klumpen. Ich krümmte mich. Hitze strömte dann aus meinem innersten Innern, dorther, wo kein Licht je hingelangte und ich auch nicht hätte hinblicken können, wenn ich es versucht hätte. Eine überströmende jähe Hitze kochte in mir und machte mich schwindlig. Lava, Magma. Alles drehte sich um mich oder in mir, und um Halt zu finden, ballte ich meine Fäuste, presste die Kinnlade zusammen, schloss die Augen, atmete kaum mehr und verharrte steif an dem Ort, an dem mich die Schockwelle des Bebens in meinem Innern erwischt hatte. Schreckstarre, so wie sich manche Tiere verhalten, wenn der Todfeind sie am Genick hat. Wenn ich den Schock eine Weile lang ausgehalten hatte und immer noch nicht untergegangen war, begann ich zu zittern, atmete heftig ein und aus, lachte vielleicht sogar. Redete, wenn ich dann redete, zu laut. Duschen half auch, lange Jahre ging ich, präventiv sozusagen, jeden Abend ins Hallenbad und schwamm – schnell, heftig und dennoch langsam, denn ich war nie ein Sportschwimmer – meine Bahnen. Wasser tat mir gut. Marschieren im Wald auch, als Gegengewicht zum Mich-Totstellen, zu dem ich verurteilt war, wenn der Angriff aus dem Innern mich überrumpelte. Wer griff mich an? Ich mich selbst, oder doch fremdvertraute andere, die sich in früher Vorzeit in meinem Innern festgebissen hatten, auf dass ich sie nie vergäße? Jedenfalls, aus dem Krater in mir stiegen Schatten, Fratzen, Gesichter bis nahe an meine Netzhaut – von innen aber! –, verweilten allerdings dort so kurz, dass ich sie nicht deutlich erkennen konnte. Allenfalls so, dass ich rief: Du!? Bist du es?!, mein Erkennen aber nicht endgültig werden konnte. Auch war ja längst die nächste Erscheinung da und quälte mich mit ihrem neuen bekannt-unbekannten Gesicht. »Ihr, Lemuren, seid es also!« Und immer die Farbe grün. Die Panik war grün; die Alben, die im Grün schwammen, konnten auch schwarz sein. Ein Leuchten. Ein verschattetes Geschliere, ständig in Bewegung wie Giftwolken, eine Fratze nach der andern gebärend, von der ich nicht wusste, war sie nah, fern, groß oder klein. Kein Ton, nein, die Gesichter zogen still ihre Bahnen. Kein Schrei wäre dem Schrecken gewachsen gewesen. – Ich hatte das Gefühl, von mir selber in mich selber hinein verschlungen zu werden. Ich wurde von einem geheimen Zentrum in mir innen eingesogen, von einem Mahlstrom, aus dem es kein Entrinnen zu geben schien, nach innen unten gewirbelt. Dass ich jeweils doch nicht ertrank und überlebte, war eine Erfahrung, die mir wenig half. Jedes Mal war der Todesschrecken wie beim ersten Mal. – Es blieb nur, mich, wenn die ersten Hitzewellen in mir hochstiegen, in eine Sofaecke zu krümmen oder ohne zu atmen an einen Baumstamm gelehnt zu warten. Die Bösen in mir kochten meine Innereien nicht immer auf gleich großer Flamme. Verbrüht werden oder überleben, das war dennoch eine Wahl, die ich nicht als Wahl verstand, denn ich hatte ja keine. Wen so eine Glut überfällt, der diskutiert nicht mit ihr. – Wenn das körperfüllende Gewirbel verebbte, kam wieder Licht in mein Hirn. Sonne, Farben. Töne. Mein Herz ratterte noch eine Weile, mein Atem wurde ruhiger. Mein Schweiß trocknete. Dann kam ich aus meiner Ecke hervor oder ließ den Baum los.

Der andere Begleiter jener Tage war noch schwerer mit Begriffen zu fassen. Wie auch! Ich versuchte es ja schon mit den unübersehbarsten Angstanfällen nie. Eine Panik ist eine Panik, sie zu ignorieren ist unmöglich. Sie dauert ihre Zeit, verebbt dann wieder. Mein anderes Gefühl aber hatte das Talent, ganze Tage oder Wochen bei mir zu hausen, ohne dass ich es so recht bemerkte. Es war ein so häufiger Begleiter, dass ich diesen Dauergast für etwas Selbstverständliches hielt. So war ich eben, so waren die Menschen beschaffen. Ein Gefühl wie grauer Staub, etwas Zähes, Dunkles, Unfrohes, das mich oft so vollständig füllte, dass ich es für die Welt selber hielt, die ich also durch diesen Schleier hindurch deutete. Ich wurde ein Meister im Projizieren. So wie es in mir aussah, sah es auch in den andern aus. Ein Blödmann war ein Blödmann, auch wenn ich der einzige Blöde weit und breit war. Meine grauen Gefühle, Bleigewichte des Herzens, blieben in meinem Alltag unbenannt. Sie lähmten mich und fraßen mir Kräfte weg, von denen ich kaum mehr wusste, dass sie in mir waren. – Später kriegten meine Zustände Diagnosen. Sie wurden behandelbar, und ich behandelte sie. Ich brauchte zwanzig oder mehr Jahre, bis mich meine Ängste kaum mehr schüttelten und die depressiven Stunden regelrecht selten wurden.

DIE Universität. Auch sie war eine Schule, eine allerdings, die mir leichtfiel, denn ich wählte ja nur Fächer, auf die ich Lust hatte. Deutsch, Französisch, Geschichte. (Trotzdem: Ich *liebte* die Uni nie. Ich wollte hinaus ins Leben.) Ich hatte das Glück, gleich auf einen ganzen Pulk bedeutender Lehrer zu stoßen. Das gab es, glaube ich, damals mehr als heute: schier übermächtige Giganten der Gelehrsamkeit, turmhohe Erscheinungen, die ihr Licht und ihren Schatten über das Treiben der andern warfen. Geliebt, gefürchtet. Jeder war auf seine Art einer jener aus Leidenschaft und Gelehrsamkeit geformten Intellektuellen, die umfassend wissend, unermüdlich neugierig und auf eine so offene Weise neurotisch waren, wie man das heute nirgendwo mehr bewundern darf. Empfindlichkeiten, Marotten vielleicht, und ein unbestechliches Forscherfeuer. An der Universität Basel hießen sie in den Fächern, die ich wahrnahm: Walter Muschg, Edgar Bonjour, Werner Kaegi, Georges Blin, Karl Jaspers und Karl Barth.

NATÜRLICH gab es an der Uni auch manchen Langweiler. Das heißt, *ich* langweilte mich bei ihnen. Ihre Namen begannen alle, als sei das ein geheimer Code, mit dem Buchstaben W. Wagner, von Wartburg, Wiesmann. (Gehörte ich auch zur W-Fraktion?) Sie zuerst. Professor Wagner unterrichtete Gotisch und gestand mir einmal bei einem gemütlichen Umtrunk im Deutschen Seminar (wer hatte das Bier gestiftet? Er vielleicht?), er habe, obwohl Vollgermanist und Professor, den *Faust* nie gelesen. Weder eins noch zwo. Er wieherte vor Freude und hob das Glas. Er lehrte eine Sprache, die aus nicht mehr als einer Handvoll Wörter bestand, die alles in allem aus *einer* Quelle stammten (einer Übersetzung biblischer Texte eines Manns namens Wulfila), und einer deutlich größeren Anzahl von Begriffen, die von Gotisch-Forschern früherer Zeiten (Herr Wagner forschte nicht, da würde ich die Hand ins Feuer legen) aus irgendwelchen zwingenden Kontexten und Analogien erschlossen worden waren und, obwohl es nirgendwo einen Beleg für sie gab, für ebenso gotisch wie die gesicherten Wörter gehalten wurden. Sie trugen, damit man ihre nicht ganz astreine Herkunft erkannte, einen Stern (*) vor sich her, so dass die Gotisch-Seiten, durch die wir uns mit Herrn Wagners Hilfe hindurchübersetzten, wie ein orientalischer Nachthimmel aussahen. *Etwa *so, fast *alle Wörter *trugen *einen Stern. Ein präziser Sinn kam dennoch zustande, und ich war bald ein beredter Gote, obwohl ich nicht sicher war, ob ein echter Gote, den eine Zeitmaschine in unsern Hörsaal versetzt hätte, mich verstanden hätte und ich ihn. Aber vielleicht war Herr Wagner dieser Gote, er war in der Tat so gotisch, dass meine Mitstudenten immer seltener zu seinen Lektionen kamen und Herr Wagner und ich das Ende des Semesters allein in einem kammergroßen Hörsaal erlebten, in einem Abschiedsdialog, bei dem *alle* Wörter einen Stern trugen.

WALTER von Wartburg, der zweite der großen W, war nicht wesentlich anregender. Auch er war ein sprachfähiges Fossil, dürr und grau, während Herr Wagner grau und massig gewesen war. Sein Fach war die französische Sprache; ihre Philologie ganz allgemein; *La chanson de Roland* und die Geschichte der *langue d'oc* und der *langue d'oïl*. Ihn interessierte aber ausschließlich die Etymologie der Wörter der Sprache seines Fachs. *Aller* Wörter. Falls er jemals von etwas anderem gesprochen haben sollte, war ich nicht dabei. Er arbeitete – seit Menschengedenken; gewiss seit seiner Geburt – an einem Lexikon, das ein monumentales Standardwerk werden sollte, es Jahrzehnte nach seinem Tod auch wurde und das, als ich das Studium begann, gerade beim Buchstaben B oder eventuell auch D angelangt war. *Broussailles* oder *dorénavant*. Walter von Wartburg zeichnete mich aber nicht, wie viele andere, aus, indem er mich auf ein Wort ansetzte, dessen Ursprünge noch nicht erforscht waren. Das durften vermutlich nur ausgewählte Hauptfach-Romanisten. Walter von Wartburg, kein Franzose, kannte zwar alle Wörter, die der *Littré* aufführte – und noch ein paar mehr –, aber wenn er sprach, verstanden die Franzosen gar nichts und wir Deutschschweizer kaum etwas. Nicht einmal die, die aus demselben Dorf wie er stammten. Akzentforschung war nicht sein Gebiet; bei ihm galt das geschriebene Wort.

LOUIS Wiesmann war so etwas wie die rechte Hand Walter Muschgs und leitete dessen Proseminare. Auch er war dürr und grau. Ihm verdorrten sogar die Wörter auf der Zunge, die gar nicht von ihm waren. Er zitierte zuweilen Goethe, aber auch dessen Zauberwörtern gelang es nicht, unbeschädigt seinem Mund zu entrinnen. Das lebensvollste Gedicht klirrte tot zu Boden, wenn Louis Wiesmann es vorlas. Was genau er lehrte, habe ich vergessen. Goethe, alles in allem, oder wie man die Bleistifte korrekt spitzt. Ganz sicher nicht die Sütterlin-Schrift, die jeder Germanist, der ein Manuskript der frühen Jahre des 20. Jahrhunderts lesen will, kennen muss und mit der ich bis heute meine Mühe habe. (Ich musste später den *Hamlet* von Alfred Döblin zum Druck bringen; ein Lektor, der seinen Autor nicht lesen konnte.) – Louis Wiesmann wäre wohl gern der Nachfolger Walter Muschgs geworden. Als dieser starb, blühte in ihm gewiss für einige Hoffnungsminuten der Traum auf, endlich den großen Schritt auf den Thron zu tun. Denn in jenen Zeiten geschah es oft, dass ein Großer sich einen Kleinen, einen Winzling, als Nachfolger wünschte, weil dann sein Nachruhm länger leuchtete und sich die Studenten späterer Generationen seiner mit einer namenlosen Sehnsucht erinnerten, obwohl sie ihn gar nie erlebt hatten. Aber so kam es nicht. Walter Muschgs Nachfolger, nach einem Interregnum von zwei, drei Jahren, war kein W, sondern ein P.

WALTER Muschg also. Allein schon, wie er, noch unsichtbar, dem Hörsaal zuschritt! Seine Schritte kamen wie die des Komturs näher, als seien seine Schuhe aus Stein, und wir

Studenten im Hörsaal (überfüllt) verstummten, wenn wir das näher kommende Ereignis hörten. Dann war er da, Walter Muschg: ein kleiner mächtiger Mann mit durchdringend blickenden Augen unter Brauen, die regelrechte Büsche waren. Keine Eingangsfloskeln, es ging gleich los. Er rang mit den Wörtern, stellte sie einzeln vor sich und uns hin (nahm er uns überhaupt wahr?), er war immer im Herzen des Tragischen und der poetischen Notwendigkeit. Von ihm weiß ich noch vieles. Er war kein neutraler Gelehrter, er war radikal parteiisch, hasste und liebte. Er mochte zum Beispiel Thomas Mann nicht und begründete das auch (»die Parodie ist die List, mit der er sein Unvermögen verdeckt, die Sprache des Dichters zu reden«), und er war der Erste an einer deutschen Uni, der die Vorlesungen eines ganzen Semesters ausschließlich Franz Kafka widmete, was damals bei vielen höchstes Befremden auslöste, weil Kafka – in den Augen der Germanistik von damals – beinah noch so etwas wie ein Zeitgenosse war; und von Zeitgenossen sprach ein Germanist nie. Walter Muschg allerdings tat das. Er stritt für das Ansehen von Ernst Barlach oder Alfred Döblin oder, allen voran, Hans Henny Jahnn, die alle damals noch wenig galten. Er liebte die Expressionisten, und August Stramm, einer der außenseitigsten Außenseiter der deutschen Literatur, kam in seinen Vorlesungen vor. Er liebte das Gedicht *Weltende* von Jakob van Hoddis und las es uns vor. »Dem Bürger fliegt vom spitzen Kopf der Hut«, und Muschg schaute uns mit Augen an (ja, er sah uns doch), die brannten und uns fragten, ob wir auch merkten, dass da das Ende verhandelt wurde, unser Ende, und dass das kein Spiel war. – Lob war nichts, was man von ihm erwarten durfte. Wer mit seiner Seminararbeit einigermaßen ungeschoren davongekommen war, war überglücklich. Er war umgeben von langsam altersgrau werdenden Studentinnen und Studenten, die an ihrer Dissertation und ihrem Lehrer verzweifelten, der abwesend wie ein Gott war und hie und da so erschwer aus seinen Himmeln grollte, dass die Studenten und Studentinnen ihre Exzerpte wegwarfen und von vorne begannen. Aber Muschg war durchaus auch zu einer Art brummigen Güte fähig. Zu einem Humor der anderen Art, den als gute Laune zu erkennen nicht jedem leichtfiel. Ich arbeitete eine Weile an einer politischen Zeitschrift mit – sie hieß *Neutralität* und war alles andere als neutral –, die von Paul Ignaz Vogel geleitet wurde und von vielen als radikal links empfunden wurde, weil sie die demokratische Gegenwart nicht für gottgegeben und die reine Natur hielt. Jede Nummer war nicht nur ein politischer, sondern auch ökonomischer Überlebenskampf. Nach der zweiten oder dritten Nummer klingelte das Telefon bei Paul Ignaz Vogel – er hat mir die Geschichte so erzählt –, Walter Muschg war am Apparat und sagte, Paul Ignaz solle bei ihm vorbeikommen. Dann und dann, bei ihm zu Hause, Bruderholzallee 110, im Haus, an dem mein Buben-Marathon mich einst vorbeigeführt hatte. Paul Ignaz, ein Student wie ich, zitterte regelrecht, als er an der Haustür klingelte. *Wenn* der Vulkan grollte, konnte seine Lava verheerend sein. Aber Muschg empfing den zagenden Paul Ignaz freundlich, befragte ihn nach dem Wie und Warum der *Neutralität* – Paul Ignaz vertrat seine Absichten und Hoffnungen mit dem offensiven Mut, der ihm eigen war – und sagte plötzlich, bestens, er werde das Defizit dieser und der künftigen Nummern tragen. Er tat es, bis zu seinem Tod. – Ich wagte dann doch nicht, mich in die Schar seiner gramgebeugten Dissertanten einzureihen – ich weiß nicht, ob er mich überhaupt genommen hätte –, und schrieb meine Promotionsarbeit bei Heinz Rupp. Heinz Rupp war ein ebenso liebenswerter wie kompetenter Lehrer und wusste viel von mittelalterlichen Epen. Mein Thema war alles andere als mittelalterlich, und er ließ mich einfach machen. Bei der Promotionsprüfung sprachen Muschg und ich über Brentanos *Der gestiefelte Kater*, ein *violon d'Ingres* Muschgs, und ich sagte, mit gefurchter Stirn, als ob ich selber dächte, wortgenau die Sätze, die er in seiner *Tragischen Literaturgeschichte* geschrieben hatte. Muschg nickte sehr angetan. Beim Hinausgehen, nach der Prüfung, die ich offenkundig bestanden hatte, ging Muschg neben mir und murmelte etwas wie, ich sei ja gar nicht so blöd wie er die ganze Zeit über gedacht habe. Er starb drei Monate später.

EDGAR Bonjour. Ein riesengroßer Kopf, der etwas von einem Totenschädel hatte. Der auch dem Oberpriester eines uralten Kults hätte gehören können. Edgar Bonjour, für Neuere Geschichte zuständig, war nicht nur tief wissend, sondern auch so wunderbar offen eitel, dass ich ihn gerade dafür besonders liebte. (Manche sahen *nur* seine Eitelkeiten und lachten über ihn.) Er war ein Theatraliker. Seine Vorlesungen und Seminare waren eine Show, eine Show des historischen Wissens natürlich, aber auch eine, die Bonjour selber funkeln und leuchten ließ. Bonjours Auftritte waren zuweilen unfreiwillig komisch, weil ihre Form so gestelzt

und von hoher Manier war, und sie waren immer beeindru-
ckend, weil Bonjour in der neueren Zeitgeschichte Bescheid wusste wie kein Zweiter. Er zog durchaus auch das
sogenannte Pelzmantelpublikum an, nicht mehr ganz junge
Damen der besseren Gesellschaft, die ihre Bildung zu ver-
tiefen suchten und alle nebeneinander in der ersten Reihe
saßen. Frau Sarasin, Frau Bernoulli, Frau Burckhardt, Frau
Merian. Er hielt jahrzehntelang mehr oder minder wort-
gleich die immer gleichen Vorlesungen – ich kriegte alte
Mitschriften ausgeliehen und konnte voraussagen, wann
Bonjour einen Witz machen würde, und welchen –, und sie
kamen trotzdem jedes Mal wie neu daher. Da war alles
frisch und, so schien es, zum ersten Mal gedacht. Sogar
seine Fehler und Pannen baute er wirkungsstark in seinen
Vortrag ein. Immer wieder verließ er sein Katheder und be-
gab sich auf lange Märsche quer durch den ganzen Hörsaal,
stieg dozierend, so, als sei er so tief in seine Gedanken ver-
sunken, dass er sein Traumwandeln gar nicht bemerkte, die
vielen Stufen bis zur letzten Reihe hinauf, sah auch, während er sprach, eine Weile durchs Fenster auf den Platz mit
den Platanen hinunter, und machte sich – scheinbar irgendwann – wieder auf den Rückweg, immer bedächtig und
formstark seine historischen Gedanken formulierend. Er
kam sekundengenau beim Pult an, wenn die Klingel das
Ende der Vorlesung ankündigte oder um, mit dem Punkt
des letzten noch im Gehen gesprochenen Satzes, ein Doku-
ment in die Höhe halten zu können, das die ganze Zeit über
schon bereitgelegen hatte und die Pointe des im Wandern
Entwickelten war.

Einmal allerdings verrannte er sich tatsächlich – er war

just bei der hintersten Reihe – in ein Gestrüpp aus Widersprüchen – ich glaube, es ging um die »Neuenburger Frage«, eventuell auch um die »Savoyer Frage«, oder um beide zusammen –, aus dem er heil nur herauskam, wenn er *hic et nunc* die korrekte Jahreszahl nannte; die er aber nicht präsent hatte; so dass er, stumm und versteinert (ja, er hatte zuweilen auch etwas Versteinertes), den ganzen Weg, unzählige Stufen hinunter, zum Podium zurückging – gefühlte fünf Minuten lang, denn der Saal war riesig – und dann, am Katheder angekommen, ins Manuskript schaute und sagte: »1856!« Applaus, nun lachte auch Bonjour. – Oft auch sprach er französisch, hielt also auch hie und da seine Seminare auf Französisch und nicht, wie im deutschsprachigen Basel üblich, auf Deutsch. Wir taten so, als sei das das Normalste der Welt, auch wenn es in Bonjours Oberseminar gestandene Historiker gab, die besser Kirchenlatein als Französisch konnten. Bonjour unterbrach sich dann irgendwann einmal mitten in einem Satz, schlug die Hand gegen die Stirn und rief, ach je, jetzt habe er doch tatsächlich die ganze Zeit über französisch gesprochen, ja, wir müssten ihm das doch bitte sagen, er sei so sehr *bilingue*, dass ihm so ein Versehen einfach nicht auffalle. (Er war aus Bern, sprach ein aristokratisches Stadtbernisch und, eben auch, ein edles Französisch aus den Zeiten der Berner Herrschaft über die Waadt.) Auch mich prüfte er auf Französisch, und auch bei mir sagte er kurz vor dem Ende des Promotionsgesprächs – ich hatte natürlich französisch geantwortet –, herrje, er spreche ja französisch, also so was, ich hätte ihm das sagen sollen. Walter Muschg, Heinz Rupp und Toni Reinhard (der Nachfolger von Wartburgs), die das schon ein paarmal miterlebt hatten, feixten ohne jede Zurückhaltung. Natürlich war das ein Kompliment an meine Adresse. Es hieß, diesen Studierenden schätze ich so sehr, dass ich mit ihm in meiner eigensten Sprache – die er eben auch beherrscht – sprechen kann. – Einmal kam Bonjour so angeheitert ins Seminar – er kam von einem Staatsakt aus Bern –, dass er kicherte und giggelte, unklare Scherze machte, *Le bateau ivre* von Anfang bis Ende aufsagte und hie und da ein paar Takte einer musetteartigen Melodie summte. Irgendwann brach er, immer noch bester Laune, das Seminar ab und schickte uns nach Hause. Auch wir waren bester Laune. – »Ihr müend in diplomatische Dienscht!«, sagte er zu mir und bohrte mir seinen Zeigefinger in die Brust. (Er rekrutierte im Auftrag des Bundes zukünftige Botschafter und Kulturattachés.) Ich nickte und wurde dann doch nicht Konsul in Kisangani oder Aserbaidschan. – Als ich einen polemischen Artikel voller Albernheiten in der Studentenzeitung *Kolibri* geschrieben hatte (ich füllte eine Zeitlang die ganze Nummer mit meinen Scherzen und zeichnete auch die Titelblätter), sagte er zu mir: »Ihr müend nit under em Schtrich, Ihr müend *über* em Schtrich schriibe!« (Der Strich, den gab es damals noch in den meisten Tageszeitungen. Das untere Drittel der Seite war von den oberen zwei Dritteln durch einen Strich abgetrennt. Drüber standen die ernsten Dinge – Politik, Wirtschaft –, der Raum unterm Strich gehörte dem Feuilleton. Dank der Bemerkung Bonjours begann ich, auch unter dem Strich mit jenem Ernst zu schreiben, den er für ein Denken über dem Strich einforderte.) – Später, als ich schon nicht mehr an der Uni war, suchte ich ihn im Archiv des

Bundeshauses in Bern auf. Er arbeitete an seinem Bericht über das Verhalten der Schweiz im Zweiten Weltkrieg (dem dann so genannten »Bonjour-Bericht«), und ich war Lektor im Walter-Verlag in Olten geworden und hatte Otto F. Walter eingeredet, wir hätten eine Chance, das Buch im Walter-Verlag zu machen, ein Prunkstück des Programms, wenn ich zu Bonjour führe und ihn von meinem Plan überzeugte. Gute Honorare, gutes Lektorat. Ich wurde in eine Art Estrich geführt – Akten, Akten –, in einen lichtlosen Raum, einen Schlauch eher, an dessen fernem Ende Edgar Bonjour mutterseelenallein an einem winzig kleinen Tischchen saß und mir mit seinem Eulenblick entgegensah. (Ja, wie eine Eule sah er auch aus.) Er war sehr freundlich, aber natürlich wurde aus meiner naiven Hoffnung nichts. (Er hatte, eine Selbstverständlichkeit bei einem so staatsnahen Werk, alle Fragen der Urheber- und Publikationsrechte längst geregelt.) Bonjour wühlte sich offenkundig ganz allein, in der Art der Gelehrten seit eh und je, durch die Akten hindurch, Tausende von Akten, er exzerpierte sie mit einem Füllhalter in seine Notizhefte oder Karteikarten und schrieb so sein Buch. Er wirkte schon damals, Mitte der Sechzigerjahre, auf mich wie aus der Zeit gefallen. Einem Mönch ähnlich, nicht einem gläubigen, sondern einem vernünftigen. Staatstreu ja, aber nicht obrigkeitshörig. – Er begleitete mich zur Tür seiner Gelehrtenkammer, drückte mir die Hand und sagte – die Tür stand schon offen –, ja, nach meiner Doktorprüfung, da sei er zufällig hinter mir drein Richtung Spalentor gegangen, ich sei mit zwei Damen gewesen (in der Tat hatten mich May und Nora abgeholt), er habe uns lachen hören, herumalbern, und dann seien wir quer über die Straße gegangen und im Restaurant Harmonie verschwunden. Er sah mir in die Augen. Da habe er, sagte er leise, sich alt gefühlt und voller Neid auf uns Junge, und am liebsten wäre er mitgegangen. – Er drehte sich um und ging zu seinem Arbeitsplatz zurück, ein fast so weiter Weg wie damals im Hörsaal, und ich schloss die Tür, bevor er an seinem Schreibtisch angekommen war.

GEORGES Blin war ein eminenter Stendhal-Spezialist (Stendhal war damals schon einer meiner Heroen), aber ich verstand ihn nicht, obwohl ich mich in seinen Vorlesungen in die erste Reihe setzte, direkt vor ihn. Er flüsterte. Er hauchte. Keiner verstand ihn. Ich staunte diesen bleichen Pariser Intellektuellen an, der bewegungslos und ohne Stimme eine akademische Stunde lang aus einem Manuskript vorlas, das vor ihm auf dem Pult lag. Nie hob er den Kopf so weit, dass ich es wenigstens mit Lippenlesen hätte versuchen können. Keine Ahnung, ob er jemals von Stendhal sprach. – Sein Flüstern hinderte ihn allerdings nicht daran, das Dienstmädchen von Werni und Hilli Rihm (jener, die mein Bett in La Rösa zu Kleinholz geliebt hatten und in Riehen unsere Nachbarn waren) anzubaggern, auf dem Marktplatz inmitten von vielen andern Gemüsekunden, von hinten in ihr Ohr hauchend zuerst, flüsternd dann und endlich, als das Dienstmädchen den Kopf schüttelte, ohne sich auch nur umzusehen, schreiend. Er brüllte: »*Mais, Mademoiselle, je suis professeur à l'université de Bâle!*« Jetzt wandte sich das Dienstmädchen ihm zu. Alle im Umkreis von einem Dutzend Metern sahen sich nach dem liebestollen Schreihals um, der über und über rot wurde und eilends zwischen den Marktständen verschwand. Das Dienstmädchen war von Blins Argumentation, warum sie die Seine werden sollte, immerhin so weit beeindruckt, dass sie die Geschichte Werni und Hilli erzählte, und die erzählten sie uns. Von da an sah ich Georges Blin, wenn ich in seinen Vorlesungen saß, mit andern Augen. Verstehen tat ich allerdings immer noch kein Wort. Die Studentinnen brachten ihn nicht zum Schreien, und wir Studenten schon gar nicht. – Ja, dazu passt, dass Georges Blin mich – beim allerersten Gespräch, das auch das letzte war – missverstand, als ich auf seine höfliche Small-Talk-Frage, was ich in den Semesterferien getrieben hätte, antwortete: *»J'étais à la Côte d'Azur, avec ma tente.«* *Tente*, Zelt. Er verstand allerdings *tante*, Tante, und war plötzlich sehr interessiert. *»Ah oui, avec votre tante, c'etaient sûrement des vacances bien belles.«* Ein paar kostbare Minuten lang – kostbar in der Erinnerung – bewegte sich das Gespräch auf zwei Bedeutungsebenen, weil ich ihm die Vorzüge meines Zelts schilderte – klein, wetterfest, anspruchslos – und er diese mit seinen Erfahrungen, Tanten betreffend, abglich. – Von einem Tag auf den andern fand sein Basler Exil ein Ende, diese Zeit in der Wüste, und er erhielt endlich den ihm gebührenden Lehrstuhl am Collège de France oder an der Sorbonne.

zu Werner Kaegi, Karl Jaspers und Karl Barth nur so viel. Werner Kaegi wusste alles, was zwischen den Jahren 3000 v. Chr. und 1789 geschehen war. *Alles.* Nach 1789 war die abendländische Welt völlig anders und ging in die Zuständigkeit Edgar Bonjours über. (Allerdings war Kaegi auch der Biograph Jacob Burckhardts, über dessen Zeit er im Stundentakt Bescheid wusste.) Für Werner Kaegi gab es, dozierend, keine Abschweifung, die er nicht lustvoll aufgegriffen hätte. Er liebte Fragen, die ihn von der historischen Hauptstraße auf verschlungene Nebenpfade lockten. Er war ein Füllhorn für die, die sich ihm mit Haut und Haar verschrieben, und goss sich für sie aus; nur für sie. Ich konnte gar nicht anders als an ihm scheitern, weil ich die ganze Zeit über ein Nebenfachhistoriker blieb, ein ahnungsloser Bub. Bei ihm wurde ich immer erneut mit der Erfahrung konfrontiert – beschämend, verwirrend, unausweichlich –, dass ich *gar* nichts von dem verstand, was verhandelt wurde, weil mir *alles* Grundlagenwissen fehlte. Und das mit jedem Semester erneut. Das war natürlich mein Fehler, ich hastete wie der Hase dem Igel hinterher und kam doch immer zu spät. Kaegi war schon allda und sprach längst von einem neuen historischen Geheimnis. Schon im ersten Seminar, an dem ich teilnahm und dessen Thema »Die Alemannen« hieß, verlor ich gleich in der ersten Stunde die Kontrolle. Es fing damit an, dass Kaegi sich mir jäh zuwandte und mich fragte, wer ich eigentlich sei. Ich antwortete: »Ich heiße Herr Widmer.« Die Scham über meine Antwort hielt die ganze erste Seminarsitzung über so heftig an, dass ich nicht mitbekam, um was es denn nun eigentlich gehen sollte; mir kam nicht einmal mehr in den Sinn, dass ich ja selber ein Alemanne war. Die Alemannen Kaegis bezogen sich das ganze Semester über auf nichts, was mir vertraut war, und hätten genauso gut auf dem

Mond leben können. – Ich musste dann – nicht im Ale-mannen-Seminar – eine Arbeit über Suger schreiben. Ich brauchte eine ganze Weile, um herauszufinden, ob ich mich nicht verhört hatte. »Suger und der Investiturstreit«, etwas in der Art. Suger? War das ein Name? Oder doch eine französische Tätigkeit, *suger*? Es stellte sich dann heraus – es gab noch kein Google, nur Lexika –, dass Suger der eminente Abt von Saint-Denis gewesen war, und ich schusterte mir meine Arbeit irgendwie zusammen. – Sonst erinnere ich mich hauptsächlich daran, mich mehrere Semester lang in unzählige Könige und Kaiser verheddert zu haben, die alle Otto hießen. Otto der Erste, Otto der Große, Otto der Zweite, Otto der Vierte, Otto der Faule. Werner Kaegi beugte sich über alte Dokumente und diskutierte mit uns die Deutung verderbter Lettern in Fußnoten von Verträgen eines dieser Ottos mit dem Papst oder vielleicht auch einem Herrscher in Byzanz. Es kam auf Nuancen an, lateinische natürlich, auf winzige Unstimmigkeiten, verborgene Widersprüche. Aber ich kann heute nicht einmal mehr sagen, wann wo welcher Otto was warum getan hat. – Werner Rihm, der Bettzertrümmerer, war einer von denen, die sich Kaegi bedingungslos hingaben und von diesem als hinreichend wissender Gesprächspartner anerkannt wurden. Er schrieb sozusagen jahrzehntelang an einer Dissertation, in der sich Kaegis interessierte Erwartungen und Werner Rihms himmelhohe Ideale so verheerend vermischten, dass Werni sich nie, einfach nie, bereit fühlte, seine Arbeit Kaegi auch nur zu zeigen. Hunderte von Seiten mit ein paar tausend Anmerkungen. Er wurde ein erfolgreicher Lehrer, heiratete Hilli, zeugte zwei Kinder und feilte immer noch an seinen Forschungsergebnissen herum. Es war dann wohl Kaegi selber, der ihm das Manuskript aus den Händen riss, ihn zur Prüfung schleppte und ihm ein Summa cum laude verpasste. Werni fühlte sich dennoch vor Kaegi klein wie eine Maus, was allein deshalb schon seltsam war, weil er ein Brocken von einem Menschen war. Er hätte Kaegi wie ein gütiger Papa auf den Arm nehmen können. – Er war übrigens, wenn er nicht die Einleitung seiner Diss zum zehnten Mal neu schrieb, Stammverteidiger der Schweizer Handball-Nationalmannschaft. Ich habe ihn mehrmals spielen sehen. Er hatte eine ähnliche Spielweise wie Händsche Handschin beim Eishockey-Club Basel, auch er spielte mit der Wucht einer Staumauer. Und wie Händsche brach auch er einmal pro Spiel zu einem Sololauf auf, auch bei ihm flogen die gegnerischen Spieler wie Puppen durch die Luft. Der Ball sah in seinen Pratzen wie ein Tennisbällchen aus, und er hatte einen so satten Schuss, dass die Torhüter, auch wenn sie den Ball gefangen hatten, mit diesem ins Tor purzelten. – Ich glaube nicht, dass Werner Kaegi das wusste. – Karl Jaspers bewunderte ich für seine Fähigkeit, frei sprechend einen Satz zu beginnen, ihn mit einem Nebensatz zu unterbrechen, in diesen einen Einschub einzufügen, in den Einschub eine Parenthese und in diese eine weitere Klammer, dann die drei Klammern eine nach der andern zu schließen und mit einem Obwohl den ersten Nebensatz ein weiteres Mal auf seine Auflösung warten zu lassen und, in diesem Nebensatz im Nebensatz, einige Gegenargumente zu versammeln; endlich mit vollendeter Sicherheit alle frei herumbaumelnden Satzfäden aufzugreifen, zusammenzuknoten und seine Gedanken ohne die geringste Mühe zu einem guten Ende zu führen. Zu jenem finalen *nicht*, das mich zwang, das Gehörte und halbwegs Verstandene nochmals neu zu bedenken, im Licht der Verneinung diesmal. – Von Karl Barth weiß ich gar nichts mehr. Nicht einmal mehr, wie er aussah. Ich ging ein zwei Mal zu ihm, weil er schon damals eine Legende war. Meine Abwehr gegen alles Theologische war zu groß, als dass ich wirklich zugehört hätte.

zu dieser Zeit verbrachte ich mehr oder weniger jeden Abend in der Hasenburg, einem Lokal in der Altstadt von Basel, das weder groß noch klein war, rauchig, lärmig, braun getäfelt, mit langen Holztischen, die schon am Vormittag voller Gäste waren – umso mehr am Abend –, von denen manche den Hut aufbehielten. Männer, vor allem Männer, die einen Durst stillten, den sie mit einer Arbeit erworben hatten, die sie schwitzen ließ. Gastarbeiter aus Italien. Auch ein paar Frauen, nicht viele; zwei, drei, die Rotwein tranken, mit trüben Augen. In der Mitte des Gastraums stand ein Ofen, der im Winter glühend heiß war. Der Schädel eines Wildebers mit mächtigen Hauern ragte aus einer Wand und wachte über uns; über mich: er sah aus, als habe er in der Zeit der Kelten schon hier gestanden, auch damals schon ein Gott oder Dämon, und die Hasenburg sei wie ein Tempel um ihn herum gebaut worden. Auch wir verehrten den Eber und vergaßen nie, ihm zuzuprosten.

Ich wohnte geradezu in der Hasenburg. Das hing, neben einer Aura heiterer Anarchie, die dem Lokal eigen war und die mich anzog – alles schien mir möglich, nach einem halben Liter Féchy jedenfalls –, damit zusammen, dass ich es kaum mehr aushielt, meine Abende zu Hause zu verbringen, wo meine Mutter mit einem Gesicht aus Stein die Treppen hinauf- und hinunterrannte und mein Vater bis etwa halb zehn in seiner Schreibhöhle verborgen blieb – das Geklapper seiner Maschine zeigte an, dass er noch am Leben war – und sich dann, mit einer, weil er hämmernde Kopfschmerzen hatte, tiefen Falte in der Stirn und erschöpften Augen daran machte, ins Bett zu gehen. Gutenachtkuss, aus. Meine Mutter war dagegen nie ins Bett zu kriegen. Oft war sie, auch wenn ich lange nach Mitternacht nach Hause kam, noch immer in der Küche und putzte das von ihren Eltern geerbte Silberbesteck. Ich kam aus der Dunkelheit und sah sie durchs Glas der Küchentür, bevor sie mich sehen konnte. Sie saß bewegungslos da, mit einem Lappen in der stillen Hand. Nur ihre Lippen zitterten. Ich stand, starr auch ich. Ach, meine Mutter! Ich klopfte ans Glas. Sie fuhr zu Tode erschrocken in die Höhe, obwohl sie wusste, dass ich es war, dass nur ich es sein konnte. Mein Klopfen hatte sich trotzdem mit dem Echo eines archaischen Pochens vermischt, das in ihr drin lebte und für etwas Bedrohlicheres stand, als es der heimkommende Sohn war. Sie öffnete mir die Tür. Ich ging, »Danke!« murmelnd, so entschieden an ihr vorbei, dass sie kein Gespräch beginnen konnte. Ja, ich blieb ja überhaupt nur so lange in der Hasenburg, um sie *nicht* mehr anzutreffen. Heute zerreißt es mir das Herz, wenn ich an die Augen denke, mit denen sie mich ansah. Damals wollte ich nicht verstehen, dass sie um Hilfe flehten. »Gute Nacht!«, rief ich, schon auf der Treppe. Ich polterte die Stufen hoch und ging erst auf den

Zehenspitzen, wenn ich an der Tür zu Papis Zimmer vorbeikam. Ich hielt für einen Moment inne, hörte nichts, ging dann in meine Mansarde und ins Bett. – Auszuziehen wagte ich nicht, ich hatte kein eigenes Geld und war ja der Kitt oder eher der schützende Puffer zwischen Mama und Papa; ohne mich, dachte ich, überlebten die beiden keine zwei Wochen; und Nora war längst nach Genf ausgerissen, wo sie bei Piaget Psychologie studierte.

Der Wirt der Hasenburg war der alte Grieder, der in seiner winzigen Küche allein für das ganze Lokal kochte (Leberli mit Röschti, in der Hauptsache). Er blieb unsichtbar, tauchte nur hie und da wie ein als Koch verkleideter King Kong im Lokal auf und rief, ohne einen bestimmten Gast anzusprechen und ohne eine weitere Begründung, was das hier für ein Sauladen sei. Dann verschwand er wieder. Ich habe ihn nie lachen sehen; nur schimpfen oder murren oder brummen. Er war für die herzliche Stimmung im Lokal gewiss nicht zuständig. – Irgendwann einmal – ich war nicht dabei – tunkte er seinen Arm bis zum Ellbogen ins glühend heiße Frittieröl. Es tat sehr weh, und die anwesenden Gäste verstanden für einmal sein Gebrüll. Seither hatte er einen Unterarm mit einer verschorften Kruste, wie ein Panzer, der schwarz und blau und purpurrot leuchtete. – Zum Glück war Elsi, seine Frau, viel jünger, hübscher und lustiger als ihr Mann. Sie servierte und schien das gern zu tun. Keiner konnte sich erklären, warum sie, die Lebensfrohe, diesen dumpfen Mann geheiratet hatte. Die meisten sagten, wegen dem Geld. Denn der alte Rieter – ja, Rieter hieß er, nicht Grieder – kaufte still und heimlich die halbe Altstadt von Basel auf, so ziemlich alles, was rund um den Andreasmarkt stand. Es waren jene herrlich verlotterten Häuser aus dem Mittelalter, in denen Schuster, Straßenbahnschaffner und Kunstschmiede für 120 Franken Miete wohnten. Sie waren alle Gäste der Hasenburg und fühlten sich dort *und* zu Hause wohl. Aber Rieter, von uns unbemerkt und in einem Paradox, das er wohl selber nicht durchschaute, arbeitete unermüdlich darauf hin, seine eigene Kundschaft aus dem Quartier zu vertreiben, denn natürlich wurden die Häuser zu gegebener Zeit renoviert und herausgeputzt und an eine Kundschaft vermietet, die sich die neuen Preise leisten konnte und nicht daran dachte, in die Hasenburg zu gehen. Da war ich aber sowieso kein Gast mehr. Zu meiner Zeit fuhrwerkte der heimliche Millionär noch achtzehn Stunden am Tag ganz allein in seiner Küche herum, weil er zu geizig war, eine Hilfe anzustellen. Er gab keinen unnötigen Rappen aus, das sah ein jeder. Uns kümmerte das nicht. Die Preise für den Féchy und die Leberli waren redlich.

Wir hatten, gleich rechts bei der Tür, einen Tisch. Der war nicht angeschrieben, »Stammtisch« oder so was. Wir hatten ihn ersessen; Gewohnheitsrecht. Umgekehrt kam es mir nie in den Sinn, mich an einen Tisch auf der linken Seite zu setzen. Dort waren andere Universen; nicht unseres. Wir, das waren so etwa zehn oder eher zwanzig Männer und Frauen, die keineswegs alle jung wie ich waren. Gestandene Kneipenhocker mit unklaren Berufen; aber alle erwirtschafteten sich tagsüber ihr Geld. Es kamen nicht jeden Abend alle, natürlich nicht; aber *einer* von uns saß immer an jenem Tisch. Meist waren es weit mehr. Es war schön, zu jeder Tag- und Nachtzeit – nun ja: jederzeit nach Feierabend – in die Hasenburg treten zu können, und einer oder eine der Vertrauten war schon da: Wyni, Eugen, Peter, Conni, Horst, Baschi, Maurice, Ruth. Sogar wenn es Päuli war, Päuli Zwigli, war ich zufrieden, obwohl Päuli ein schwerverdaulicher Knochen war und noch dem harmlosesten Gedanken einen schweinischen Sinn gab. (Er war der Namensgeber der Fasnachtsclique *Fetzenschlucker*, in der ich mitmachte und in meiner Unschuld mehrere Fasnachten brauchte, um den tieferen Sinn unseres Cliquennamens zu erfassen.) Er war einer, der ganz in der Gegenwart lebte und nur in ihr. Wenn er *jetzt* Hunger hatte, bestellte er *jetzt* ein Steak mit Pommes frites und aß es; auch wenn ihn seine Frau in einer halben Stunde zum Nachtessen erwartete. Wenn er *jetzt* Lust hatte, ins Kino oder nach Griechenland zu gehen, tat er es *jetzt*. Auch hatte er einen seit seiner Geburt nie mehr gestutzten Vollbart, in dem sich die Spuren eines ganzen Lebens verfangen hatten. Muttermilch, Geäst, Tabak, Salatblätter, Spinnen. Und er war ein leidenschaftlicher Trommler. Wenn er loslegte mit seinen Bärenkräften, klang es, als lasse Gott selbst Steine aus dem Himmel auf die Straße poltern. – Wyni Sauter war ein Kunstmaler und hatte die bizarrste Gesichtsfarbe, die ich je bei einem Menschen gesehen hatte. Ein bisschen war's, als ahme sein Gesicht die Armfarbe des alten Rieter nach. Es war wahrhaft violett, mit ein paar tiefblauen und wenigen nur dunkelroten Flecken. Das kam natürlich vom Alkohol; er war nicht der Einzige, der *sehr* viel trank. – (Ich trank nur viel, zu jener Zeit; fast nichts, verglichen mit Wyni.) Wyni wohnte in einem jener Häuser am Andreasmarkt, die der alte Rieter zu kaufen drauf und dran war; auch er mit einer Miete von 110 oder 140 Franken im Monat; und er hatte von seinem Vormieter ein Schwein übernommen, das nun in der Küche hauste und ihm beim Malen zusah. Er wohnte keine zwanzig Schritte vom Hintereingang der Hasenburg entfernt und warf mir einmal, an einem späten Nachmittag, von seinem dritten Stock aus einen Blumentopf samt Geranie auf den Kopf, *beinah* auf den Schädel, denn das mörderische Wurfgeschoss zerklirrte unmittelbar vor meinen Füßen. Ich hob den Kopf und sah den inzwischen schwarzvioletten Wyni, der nun brüllte und röhrte und den seine Frau zu bändigen versuchte. Sie rief, Wyni sei ein besoffenes Arschloch, und ich winkte ihr und antwortete: »Ich weiß.« Wyni hatte manchmal eine wilde Wut auf Akademiker, auf solche wie mich, die – so dachte er – mit einem goldenen Löffel im Mund geboren worden waren und den ganzen Tag über nichts taten, was einer Arbeit glich. Bisschen auf der Uni rumhocken. Ich, umgekehrt, war tatsächlich gern mit Menschen, die handfeste Arbeiten taten und sich nicht um die feinen Manieren der besseren Gesellschaft scherten. (Wyni verdiente sein Geld nicht mit seinen Bildern. Er verbrachte den Tag mit Behinderten und delinquenten Jugendlichen, mit denen er in einer Werkstatt Stühle schreinerte, Gusseisenfenster schmiedete oder Fahnenstangen bemalte.) – Der zweite Trinker, dem seine Sucht aus dem Ruder zu laufen drohte und endlich auch lief (er wusste auch mit härteren Drogen Bescheid), war Peter, der ein gottbegnadeter Jazzer war, schon damals erfolgreich und später (er hatte lange Jahre eine Big Band) so etwas wie Kult. Peter Schmidli. Er spielte sein Lieblingsinstrument, das Banjo, auch dann noch virtuos und fehlerfrei, wenn er nicht mehr aufrecht stehen konnte. Da saß er eben auf einem Hocker, spielte aufs wunderbarste seine Nummern und kippte erst am Ende des Konzerts um. – Eugen, mein Freund Eugen Gander, war der andere Akademiker an diesem Tisch, auch er ein froher Säufer, er aber mit einem verlässlichen Sinn fürs Maß, für *sein* Maß, das um den Faktor 10 größer als bei den meisten andern war. Wenn er die Hasenburg betrat, rief er schon unter der Tür: »Elsi! Ein Liter!« Er meinte Féchy, in der Hasenburg wurde die ganze Jahresproduktion dieses kleinen Winzerdorfs am Genfersee weggeputzt. Er studierte Biologie; später, viel später wurde er eine Koryphäe in seinem Fach und ist heute in Brasilien, wohin es ihn verschlagen hat, der Wissenschaftler mit den meisten Publikationen. Haarscharf am Nobelpreis vorbeigeschrammt. Damals aber forschte er im Auftrag seines Professors an irgendwelchen Enten herum, denen er jede zweite Stunde eine Spritze geben musste, auch nachts, so dass er mehrmals pro Abend aufbrach, um ins nahegelegene Labor hochzulaufen. Das alles glich, auch für Wyni, durchaus einer Arbeit, und also fand Eugen Wynis Billigung eher als ich. Aber auch er kriegte dann und wann Wynis Wut auf alles Akademische zu spüren.

Eugen ist der Einzige, der für mich von jenem Zaubertisch übriggeblieben ist. (Wyni ist tot, Peter ist tot, und Päuli fühlt sich auch nicht wohl.) Seltsam, die Tatsache, dass er auf einem andern Kontinent lebt, hat unsere Freundschaft kaum beeinträchtigt. Er hatte immer schon eine fabulöse Fähigkeit, einfach so aufzutauchen und das Gespräch schon unter der Tür da wiederaufzunehmen, wo wir es beim letzten Mal liegengelassen hatten. Er ist, was Freundschaften angeht, völlig gelassen. Die paar tausend

Kilometer zwischen Brasilia und Zürich ignoriert er nicht einmal. Wir gehen in ein Gasthaus (nicht in die Hasenburg) und reden wie eh und je. Wir trinken auch immer noch Féchy. Der einzige Unterschied ist eigentlich, dass einer von uns offenbar schwerhörig wird. Er behauptet, ich; ich weiß, dass er es ist. Wie auch immer, wir reden immer lauter, wir schreien. Eugen schreit, ohne es zu wissen, denn *er* hört sich gleich laut wie früher; ich weiß, dass ich schreie; aber ich will, dass er mich hört.

Es ist noch nicht lange her (ich inzwischen ein gesetzter Herr), da war ich doch wieder einmal in Basel und setzte mich an einem ruhigen Nachmittag an einen Tisch in der Hasenburg, nicht an unsern. Ich trank ein Bier. Am andern Ende des Tischs saß ein Mann, ein junger Mann, und nippte auch an einer Stange hell. Plötzlich wandte er sich an mich und sagte: »Gefällt es Ihnen hier?« Ich nickte. »Wissen Sie«, sagte er und rückte zwei Stühle näher, »früher war es hier viel toller.« Und dann erzählte er mir haarklein, als sei er dabei gewesen, von unserm Tisch. Kleine Anekdoten, ich kam auch vor. »Das muss schön gewesen sein damals«, sagte ich. Er nickte. Ja, sagte er, so was gebe es heute nicht mehr. – Ich sagte ihm nicht, dass ich seine Geschichten und deren Heldinnen und Helden kannte, weil ich dabei gewesen war. Er verabschiedete sich bald und ging, ein schlaksiger Jüngling mit Nike-Schuhen. Vielleicht war er der Sohn Connis, deren Mutter schon mit uns gewesen war.

DIE Hasenburg war – und ist – einer der Herzorte der Basler Fasnacht. Zu dieser nur so viel. Ich spielte Piccolo, mittelmäßig, und nahm dreißig oder gar vierzig Jahre an ihr teil, in Kostüm und Maske und von der ersten bis zur letzten Minute. Es hat sich gelohnt. Denn diese Zeit brauchte es – neunzig oder hundertzwanzig Tage der Anarchie –, um mich fünf oder vielleicht auch sieben Augenblicke des reinen Glücks erleben zu lassen. Glück war schon damals so schwer zu erhaschen wie das Higgs-Teilchen: aber ich erlebte an einigen Fasnachten (keineswegs an jeder) jenes Absolute, in dem ich, mit der Welt und mir eins, in einer magischen Trance schwebte, bewusst für das Wunder, das sich an mir vollzog, und aufgehoben in der Sicherheit des Ewigen. Keine Zeit mehr, nur Sein. Dieses rhythmische Schwanken der Pfeifer und Trommler – nun spielte sogar ich klar und fehlerfrei – durch die engen nachtdunklen Gassen! Ich tat keine falsche Bewegung, um die Engel, die mich umschwebten, nicht zu verscheuchen, und gab mich ihnen bedingungslos hin. Verströmte mich, so lange, bis dann doch einer, der vielleicht ich war, ein schrecklich falsches f statt ein d spielte oder eine Waggis-Horde ihre Witze brüllte und wir alle wieder in dieser Welt waren. (Ich ahnte zuweilen auch, dass das Große Glück seinen Gegenpol hatte. Das Große Unglück. Dass es das Eine nicht ohne das Andere gab. Die Entgrenzung, die jenes Schweben auf Wolken ermöglichte, konnte auch zu Angst und Panik führen. Jäh warst du dem Unbegrenzten nicht mehr gewachsen. An jeder Fasnacht starb und stirbt irgendeiner oder -eine irgendwo. Herzinfarkt, Selbstmord.) – *Ein* Moment solchen Glücks: Im Grauen des Morgens des Donnerstags – die Fasnacht offiziell seit Stunden vorbei – spielten wir, ein Dutzend übriggebliebene Pierrots, Bajasse und alte

Tanten, in der Gasse vor der Hasenburg mit Ballonen Fußball. Zwanzig oder mehr rote, blaue oder gelbe Ballone; keine Ahnung, wo die plötzlich herkamen. Wir kickten sie uns anmutig zu, jeder in seiner eigenen Trance zwischen Herren in Hüten und Mänteln tanzend, die ihren Büros zustrebten. (Einige von ihnen waren vor ein paar Stunden noch polternde Waggisse gewesen.) Wir ließen die Ballone von Fuß zu Fuß schweben, ein Maskenballett, bei dem kein Ballon je den Boden berührte. Der magische Tanz erforderte höchste Aufmerksamkeit: Wir mussten ja *alle* Ballone im Auge behalten – und das durch Maskenaugen! Denn wir trugen natürlich unsere Masken, sie flogen steil in die Höhe, kreuzten sich, schwebten quer an dir vorbei, und zuweilen senkten sich zwei Ballone gleichzeitig vor dir nieder. Da musstest du dann den Ballonen mit besonders inniger Anmut zweifüßig neuen Auftrieb geben. Es gab auch Applaus, ein Bajazzo mit einer tiefschwarzen Maske schlug seine ebenfalls schwarzen Handschuhe frenetisch gegeneinander, als einer alten Tante – spitze weiße Nase unter einem riesigen Federhut – eine Art Fallrückzieher gelungen war. – Ich hatte schon eine Weile lang gehört, dass, fern von der Schifflände her, das Müllauto näher gerumpelt kam. Nun war es da. Die Mistkübelmänner sprangen von ihren Trittbrettern, und der Fahrer stieg aus seiner Kabine. Sie lachten sich an, rieben sich die Hände und griffen ins Spiel ein. Drei Männer, wie Schränke. Sie trugen auch so was wie Kostüme, orange Blaumänner; allerdings keine Masken. Sie waren bester Laune; auf Müllmännerart. Mit ihren Nagelschuhen ließen sie einen Ballon nach dem andern platzen. Ein Tritt, ein toter Ballon. Als auch der letzte ein schrumpeliger Fetzen geworden war, gingen sie zu ihrem Fahrzeug zurück und fuhren weiter. Sie winkten, und wir winkten zurück, bis sie in der Marktgasse verschwunden waren. Wir zogen die Masken aus, gingen in die Hasenburg zurück und setzten uns nochmals an einen Tisch. Noch ein Kaffee fertig, und ich machte mich auf den Heimweg.

DANN verliebte ich mich zum zweiten Mal mit voller Wucht. Ich war immer noch so etwas wie ein Bub, ein großer Bub. Aber diesmal schlief ich mit meiner Angebeteten. Sie hieß Brigitte, mit einem sanften französischen g, denn sie kam aus Tulle und hatte längst Paris zu ihrer Stadt gemacht. Jetzt war sie in Basel, sie war Lehrbeauftragte für französische Alltagssprache, und ich saß in ihrem Kurs. Sie kam zur Tür des Hörsaals herein, sagte *Bonjour*, und ich war ihr verfallen. Trotzdem hätte ich sie vielleicht nie angesprochen – ein Mitglied des Lehrkörpers! –, wenn wir nicht bald einmal an einer Art Party, irgendetwas Offiziellem mit einem gemütlichen Teil, aneinandergeraten wären. Sie trug jetzt etwas eher Formelles, das kleine Schwarze vielleicht, und ich hatte mir eine Krawatte umgebunden. *Dies academicus?* Der siebzigste Geburtstag von Walter von Wartburg? Jedenfalls, wir trennten uns während des ganzen Abends nicht voneinander – um uns herum Party-Gewoge – und redeten ohne Unterlass. Immer wussten wir etwas zu sagen und schwatzten zuweilen gleichzeitig. Wir lachten viel.

Nun brannte ich lichterloh. Wir schliefen an diesem ersten Abend nicht miteinander; aber am nächsten oder am überübernächsten. Wir waren in der Bayrischen Bierhalle gewesen (Brigitte, obwohl eine Frau *und* Französin, trank lieber Bier als Wein) und gingen, beide wissend, was wir wollten, zu ihr nach Hause. Aber es war dann eher ein Wälzen und Zerren und Stoßen als jener triumphale Sturm dem Gipfel entgegen, den ich in Montpellier kennengelernt hatte. Als wir nebeneinanderlagen, drehte sich Brigitte zu mir hin und fragte: »*Contento?*«

»Und du?«, sagte ich.

»*Contentina*«, sagte sie.

Sie setzte sich auf, zündete sich eine Zigarette (Camel) an und sagte, ja, sie sei bis vor kurzem noch mit einem Mann zusammen gewesen. Er sei weggegangen, ohne adieu zu sagen. Einfach so. Sogar das Rasierzeug habe er dagelassen. Sie sagte mir seinen Namen, irgendein Tier. Wolf, Bär oder Has. Er habe sie Tag und Nacht mit seiner selbstgewissen Gewalt überschwemmt, und sie habe sich ihm bedingungs- und grenzenlos hingegeben. Sie drückte ihre Zigarette (Camel) aus und stieg in ihre Jeans. Auch ich rappelte mich hoch. Noch immer, sagte Brigitte, fülle das Erlebte ihren Kopf und ihre Sinne.

Ich loderte trotzdem weiter. Es war ja auch schwer, nicht in Brigitte verliebt zu sein. So viel Schönheit und Witz. Auch der Has oder Wolf oder Bär war ihr ja wohl erst einmal verfallen gewesen, vor seinem groben Abschied. Sie hatte ein Gesicht des Südens. Braune Augen, eine römische Nase, schwarze Haare. Sie war groß, vielleicht gar eine Daumenbreite größer als ich. Sie mochte mich ja auch, fand mich manchmal regelrecht liebenswert, und dann gingen wir eben zu ihr nach Hause oder, eher noch, Hand in Hand durch Parks und Wälder und redeten. Redeten und redeten. Zuweilen drückte ich sie gegen einen Baumstamm und küsste sie. Sie küsste durchaus zurück, heftig zuweilen gar. Aber dann gingen wir weiter und redeten erneut. (Einmal waren wir in einem Forst irgendwo im Elsass, hinter Hagenthal-le-Bas oder Muespach-le-Haut. Wir gingen und redeten wohl ein bisschen mehr als üblich, noch mehr!, nahmen die Abzweigung und jene, ruhten vielleicht gar ein halbes Stündchen im Moos und fanden, als wir endlich nach Hause wollten, die Vespa nicht mehr. [Ich hatte eine neue alte Vespa.] Sie war vom Wald verschluckt worden. Wir durchstöberten jedes Gebüsch. Schließlich fuhren wir per Autostopp nach Basel. [Ein freundlicher Bauer, der uns zur Grenze brachte, obwohl er ein paar Kilometer vorher zu Hause gewesen wäre.] Es war schon dunkel, als wir ankamen. Ein Kuss unter der Haustür. Ich fuhr dann – wie?, mit wem? – am nächsten Tag an den Tatort zurück und fand die Vespa auf Anhieb in genau dem Gebüsch, in das ich sie gelegt hatte.)

Brigitte wollte durchaus lieben, tat es dennoch zögernd, als wolle sie lieben und wolle es doch nicht. Ich küsste sie mit dem Feuer des Verliebten und wurde erst weniger hitzig, wenn ich spürte, dass ihre Küsse nicht so heiß wie meine waren. Ihre Beine, sie presste die Knie nicht *immer* gegeneinander; aber zuweilen schon. Es lag eine seltsame Melancholie über ihrem Lieben, eine schwarze Trauer, die sie zuweilen so überschwemmte – dann war es mit dem Lieben aus –, dass ich mich heute frage, wieso ich nie an der Wahrheit ihrer Geschichte mit dem wilden Hasen zweifelte. Dass es mit ihm die lautere Leidenschaft war. Konnte sie mit ihm wirklich *ganz* anders gewesen sein? Aber nein, ich nahm – obwohl da keine war – alle Schuld auf mich und dachte, *ich* sei der Verklemmte. (Ich war ja auch, mit ihr, ein Verklemmter.) Ich wollte es jedes Mal besser machen. Es war just ihre Traurigkeit (dabei: was konnte sie lachen), die mich immer erneut antrieb, sie, ja, glücklich zu machen. Das war der Fachterminus von damals, »eine Frau glücklich machen«, und das, nicht mehr und nicht weniger, wollte ich mit Brigitte erreichen. Ich wollte sie retten. Ich wollte eine melancholische, Witze reißende Frau in eine strahlend hingegebene verwandeln. Erlöst läge sie da, lächelte in einem Glück zu mir hoch, das sie bislang nicht gekannt hätte, und ich wäre ihr Held.

Um das Maß voll zu machen: Brigitte hatte eine Nachbarin, die ebenso wie sie eine Einzimmerbude mit Kochnische bewohnte, und die hatte einen Liebhaber, der sie stets an den Nachmittagen und nie in den Nächten besuchte und seine Hosen vermutlich schon unter der Tür auszog. Jedenfalls, kaum hatten wir die Tür ins Schloss fallen hören, heulte die Nachbarin bereits los. Sie schrie wie ich noch nie eine Frau hatte jubeln hören – mein Gott, dass so was möglich war! –, laut, sehr laut gleich vom ersten Stoß des Liebhabers an, denn wir konnten die sich steigernde Kadenz der Liebhaberstöße – eine Dampframme fürwahr! – dank dem Auf- und Abschwellen der Sirenentöne der Nachbarin mitvollziehen. Keine Frage, dieser Liebhaber machte seine Geliebte glücklich. Er blieb unhörbar bis kurz vor der Apotheose – nun hielt die Nachbarin, fortissimo, *einen* Ton –, in der er endlich eine Folge trompetenartiger Laute ausstieß. Wir saßen da, Brigitte und ich, und hörten zu. Wir sagten kein Wort und rührten uns erst wieder, wenn die auf der andern Seite der Wand still geworden waren. Brigitte zündete ihre schon angerauchte Zigarette (Camel) neu an, und ich nahm einen Schluck Kaffee, der kalt geworden war. Nie versuchten wir es dann selber, angeregt vom Beispiel der Liebenden. Im Gegenteil, einmal, als *wir*, ausnahmsweise, halbwegs ausgezogen an uns herumküssten – ich küsste, Brigitte ließ sich küssen – und das Toben drüben bei der Nachbarin unvermittelt wie ein Überfall einsetzte, erstarrten wir mitten im Kuss, hörten eine Weile lang zu und zogen dann, als verbiete uns das Geheul nebenan jedes weitere Lieben, die Hosen hoch. – Einmal traf ich die beiden auf der Treppe. Die Frau war eine ganz normal nette Frau mit einer weißen Bluse, und der Liebhaber ein langer Lulatsch mit einem Bürstenschnitt, eine Mappe in der Hand.

Brigitte war älter als ich, so was wie sechs Jahre älter, was mir – ich war Anfang zwanzig – viel zu sein schien, sehr viel. Fast ein bisschen peinlich. Georges Blin mochte denken, sie sei meine derzeitige Tante. In der Tat kannte er sie; sie arbeitete ja in seiner Fakultät; er bat sie aber offenkundig nie, *seine* Tante zu werden. Seine Professorin vor den Augen aller andern zu erobern, das war nicht schlecht. Ich war, glaube ich, schon ein bisschen stolz, dass sie nach ihrer Lektion vor der Tür auf mich wartete und wir zusammen den Korridor hinuntergingen. Sie rauchte (Camel), ich redete. Dennoch ging ich bald nicht mehr zu ihren Kursen. Ich bekam ja Privatunterricht. Kein Argot-Wort war ihr fremd, sie beherrschte die ganze Skala unflätiger Redensarten zwischen dem 16. Jahrhundert und der Gegenwart, obwohl ihr Vater – erzählte sie – ein würdiger Schuldirektor war oder gewesen war, in Tulle eben, und sie, wenn sie wollte, wie Madame Pompadour reden konnte. *J'eusse préféré que vous vinssiez seul* oder *Veuillez bien me passer le sel afin que j'en mette quelques grains sur mes pommes frites.* Sie wollte aber nicht immer. Sie gebrauchte gern farbige und heftige Wörter und las jede Woche den *Canard enchaîné*, der ausschließlich aus Kalauern bestand und die französischen Politiker, de Gaulle allen voran, mit Wörtern in der Luft herumwirbelte. Sie wieherte, rot im Gesicht, und ich glotzte verständnislos, wenn sie mir eine besonders großartige Wörterkaskade vorlas. Sie liebte Comicstrips und nannte mich in zärtlichen Augenblicken Croquignol, der der Blödeste eines Trios von Tolpatschen einer *bande dessinée* war.

Wir trafen uns – *jeden* Tag – an den Stehtischen im Warenhaus Globus, wo der Espresso (eine Seltenheit damals in Basel, wo alle ihre Schale Gold schlürften; Kaffee und Milch halbe-halbe) gut und billig war. Sie kam aus dem Romanischen, ich aus dem Deutschen Seminar. Da standen wir und redeten. Sie was, ich was, beide zusammen etwas. Gelächter, noch ein Espresso. Sie sprach im Übrigen fließend Deutsch und arbeitete über Eduard Mörikes *Maler Nolten*. Irgendeine wegweisende Groß-Arbeit für die Sorbonne. Natürlich las ich das Buch sofort – sie *liebte* es – und habe immer noch, wenn ich heute über den Titel stolpere, ein warmes Gefühl der Zuneigung für den armen Nolten, oder inzwischen eher für den armen Urs von damals, obwohl mir entfallen ist, um was es überhaupt ging. Gift und Dolch. Allerhand Verhextes. Eine Braut, mit der alles schiefging, ja, und am Schluss waren sie und Nolten tot.

Auch bereitete sich Brigitte auf ihre Agrégation vor, ein

akademisches Spitzenexamen der Allerbesten Frankreichs, mit dem man, wenn man es bestanden hatte, dann doch zumeist Schulmeister an einem Provinzgymnasium wurde. Sie arbeitete und ochste, und ich fragte sie mit Hilfe ihrer Lehrbücher ab, bis sie, vom vielen Büffeln besinnungslos, zur entscheidenden Prüfung nach Paris oder eventuell Besançon taumelte, bei der in ganz Frankreich sekundengenau zum gleichen Zeitpunkt der gleiche französische Text an die Kandidaten ausgehändigt wurde, eine vertrackte, um nicht zu sagen: hundsgemeine Abfolge von Sätzen voller Fallen, die sie ins Deutsche übertragen musste. Zeitlimit 90 oder 120 Minuten. Sie fiel durch. Sie hatte *einen* Fehler zu viel gemacht und war außer sich, weil ihr Examinator ihre Übersetzung der französischen *tomate* mit *Tomate* angestrichen hatte und der Ansicht war und blieb, die korrekte deutsche Übersetzung der *tomate* sei *Liebesapfel*. (Brigitte bestand die Prüfung ein Jahr später; da kannte ich sie immer noch; aber anders.) – Wir aßen oft zusammen – kaum mehr in der Bayrischen Bierhalle; meist im ›Paradies‹ – und gingen ins Kino. Louis Jouvet, Michel Simon und Arletty, die schon damals Klassiker waren. Und die Série-noire-Filme: Jean Gabin, Lino Ventura, Annie Girardot. Wir hielten uns bei den Händen, wenn die Citroëns *traction avant* um die Kurven kreischten und die Gangster aus allen Rohren schossen. Scheibenwischer, die den Sturzregen kaum beiseiteschaffen konnten. Frauen in schwarzen Regenmänteln. Männer, die mit der Zigarette im Mund sprachen. Auch Brigitte trug einen schwarzen Regenmantel, und mit der Zigarette (Camel) im Mund reden konnte sie auch. Ich war, damals schon, Nichtraucher.

Unsere Passion, die vor allem meine war, endete so. Wir fuhren im heißesten Sommer – das war wohl 1961 – nach Florenz und stellten auf dem Campingplatz von Fiesole mein Zelt auf. (Wenn Georges Blin uns gesehen hätte! Wir beide *avec ma tente*, einem – so sagte es das Markenschild – *Spatz 50*!) Essen taten wir in einer Trattoria, von der aus wir die ferne Domkuppel sahen, die im Licht der untergehenden Sonne glühte. Zypressen zu unsern Füßen, irgendwo stand die Villa von Böcklin. Spaghetti, Rotwein. Wir redeten wie immer; vielleicht, dass an diesem letzten Abend eher *ich* redete. Wir sprachen über die Kunst, die Künste: Wir waren schließlich in Florenz! Brigitte war, radikaler als im Basler Alltag, der Ansicht, dass in unserm Jahrhundert noch kein einziges gutes Bild gemalt worden sei. Picasso, pah!, Matisse. Als Äußerstes der Moderne ließ sie Corot gelten, hielt ihm aber die Vollendung eines Poussin und Fragonard entgegen. Auch Fra Angelico und Botticelli bestanden die Prüfung. Mit der Literatur ging sie noch strenger ins Gericht. Kein lesenswertes Buch nach Flaubert. Auf Deutsch sowieso nicht.

Es war dennoch schön; Brigitte liebreizend. Im Zelt, als wir nach Mitternacht schlafen gehen wollten, glühte die Luft allerdings immer noch. Trotz der Hitze kroch Brigitte sofort in ihren Schlafsack, ohne sich auszuziehen und so, dass nur noch ihr Kopf aus den Daunen sah, ihr Hinterkopf, denn sie lag mit dem Rücken zu mir. Kein Wort mehr. Ich fragte, was los sei, versuchte wohl auch, sie an den Hüften zu fassen und zu mir herzudrehen. Ich wollte ihr Gesicht sehen, nicht ihre Haare. Ich bettelte gar, weil ihre absolute Ablehnung in mir die Notwendigkeit weckte, jetzt,

jetzt genau mit ihr zu schlafen. Als eine meiner Hände versuchte, in ihren Schlafsack einzudringen, fuhr sie in die Höhe und brüllte, *non!*, es reiche ihr jetzt, und überhaupt. – Wir lagen die Nacht über wie Stöcke nebeneinander. Ich glaube, auch sie tat kein Auge zu. Nahe beieinander, weil das Zelt winzig war, aber ohne uns zu berühren. Ich hörte sie atmen und, manchmal, schnauben. Am frühesten Morgen kroch sie ins Freie, rückte ihr T-Shirt und die Jeans zurecht und packte ihre Siebensachen, immer noch stumm und mit steinernem Gesicht. Sie ließ dann aber doch zu, dass ich ihre Tasche zur Busstation trug und mit ihr zum Bahnhof fuhr, wo sie in den nächstbesten Zug nach Norden stieg. Er fuhr nach Paris, nicht nach Basel. Kein Blick, kein Adieu. Ich wartete, bis der Zug abfuhr. Ein vorbeihuschender Schatten hinter dem spiegelnden Glas mochte Brigitte sein. Ich winkte, der Schatten nicht.

Ich blieb dann noch einen Tag in Florenz, besichtigte den Dom und bewunderte die erzene Pforte voller Paradies- und Höllenszenen, einfach nur, um die Achtung vor mir selber nicht ganz zu verlieren. Dann brach auch ich mein Zelt ab. Wenn Georges Blin mich jetzt gesehen hätte, mit meinem schlappen *Spatz* in der Hand!

Ich nahm auch einen Zug in den Norden, einen nach Basel, wie Brigitte einen frühen, einen so frühen in der Tat, dass die Campingkasse noch unbesetzt war und ich darauf verzichten musste, meine und Brigittes Übernachtungskosten zu bezahlen.

(IN der Nacht, nachdem ich dieses Kapitel fertiggeschrieben hatte, träumte ich, ich sei im Haus an der Marignanostraße. Dem Kindheitshaus. Kein Mensch da, niemand. Eine leere Wohnung. Es war Nacht, ich lag im Bett, erwachsen im Gitterbett, und jäh begann ein Krieg draußen über der Stadt. Bomben. Lichtblitze vor dem Fenster, Schreie. Ich rief Mama!, Mami!, vergeblich, denn ich rief mit einer piepsigen Kinderstimme, wusste aber, dass da keine Mama war. Ich dachte, so im Pyjama oder Nachthemd zu sein, das war nicht gut in einem Krieg, und stand auf und wollte mich anziehen, zu spät, die Kriegsmänner waren schon im Garten, an der Tür, im Haus, und ich: wachte auf.)

EPITAPH für Max. – Wenn auch erwachsene Männer einen besten Freund haben – so wie die Frauen eine beste Freundin –, dann war Max mein bester Freund. Wie liebte ich ihn. Er starb früh, vor seiner Zeit, in den Armen seiner Frau, Evas, die mir von seinem Tod berichtete. Max sagte: »Ich sterbe«, und dann starb er.

(Für die paar, die Max [Max Zaugg] nicht kannten: Brille, eine Glatze schon mit fünfundzwanzig, brandmager, obwohl er wie ein Drescher aß [er war, so sagte er es selber, »ein schlechter Futterverwerter«], mit einer immergleichen Cordhose [ersatzweise Jeans] und einem Schlabberpullover. Etwas zwischen einem verwaschenen Olivgrün und einem Schmutzigbraun. Schiefgelaufene Schuhe im Winter, im Sommer Heilandssandalen. Barfuß oft. Er hatte eine Freundin [Eva eben], die, als ich sie zum ersten Mal zusammen mit Max sah, zwei verschiedenfarbige Strümpfe trug.

Rot links, schwarz rechts, oder umgekehrt. Die beiden tanzten Charleston, Max eher wie die Parodie eines Tänzers, Eva aber wie eine Teufelin. Sie fegte die Tanzfläche leer, nur Max tat sie nichts. Applaus aller andern, auch ich klatschte. Max und Eva heirateten bald, hatten bald auch ein Kind [Sabine] und waren also eine richtige Familie mit einer eigenen Wohnung. Das verführte mich ungemein, dieses glasklare Erwachsensein, obwohl ich ja eben noch ein Ähnliches mit Anne-Marie weit von mir gewiesen hatte.

Er war Zeichenlehrer, Max. Aber ich sah ihn als einen Maler und brauchte meine Zeit einzusehen, dass er sich bei meinen hohen Erwartungen unbehaglich fühlte und sie ihn nicht förderten. In der Tat hatte er eine Handvoll schöner Bilder gemalt. Nur, er ließ es für den Rest seiner Tage damit bewenden. Das Einzige, wofür er noch einen Pinsel ergriff [außer in der Schule], waren die Fasnachtslaternen, die er Jahr für Jahr für eine Clique malte, die ihm und der er treu blieb. Eine Fasnachtsliebe spielte auch eine Rolle. Die Laternen wurden jedes Mal sehr schön – leichte Farben, eine Vorliebe für Grün und Blau, wie dahinimprovisiert –, aber ich bekam auch mit, dass er in den Wochen vor Fasnacht Qualen litt und seine Kunstwerke immer erst auf den letzten Drücker hinkriegte. Die letzte Nacht malte er durch. Keine Fasnacht, in der seine Clique nicht eine Laterne mit noch nassem Lack mitgetragen hätte. Manchmal malte er sie – Lack hin oder her – auch erst während der Fasnacht fertig, hinterrücks wie ein Guerillero, wenn seine Clique ahnungslos im ›Löwenzorn‹ oder im ›Schlüssel‹ rastete und die Laterne unbeaufsichtigt draußen auf der Straße wartete. Er pirschte sich an sein Werk heran, tat seine sieben Pinselstriche und tauchte unerkannt wieder in der Menge unter. Dann kam er mit einem schiefen Grinsen in die Hasenburg und hatte farbverschmierte Hände. Manchmal hatte er sein Fasnachtsliebchen dabei, einen Pierrot mit einem hellen Gesicht und blonden Haaren. Ohh, Max.)

Ach Max. Wie konntest du uns allen antun, einfach tot zu werden? Weißt du noch?: dass ich jeden Abend bei dir auftauchte und nie den Gedanken dachte, dass zumindest Eva denken konnte, musste!, dass das ein bisschen oft war? (Wenn *du* es gedacht hättest, hättest du es mir gesagt; und ich war ja auch nicht *jeden* Abend da.) – Wie wir schon, wenn ich auf dein Haus zuging, durchs offene Fenster miteinander sprachen? Wie wir nebeneinander auf der Couch lagerten, die brandneue *Sergeant Pepper's Lonely-Hearts-Club-Band*-Platte auflegten und ich mich – vom ersten dieser unglaublichen Töne an – wie jener Bob in Montpellier fühlte, als er zum ersten Mal in seinem Leben Mozart hörte (von einem musikalischen Urerlebnis durchwühlt)? Dass ich dich – das weißt du nicht; aber du weißt, wovon ich spreche – mit einer Frau im Auto sitzen sah, du am Steuer, sie neben dir, und auf der Stelle *wusste*, dass sie deine Geliebte war, obwohl du gar nichts Besonderes tatest und sie eigentlich auch nicht (sie sah dich mit einem schnellen Blick von der Seite her an)? – Dass, als Eva wieder schwanger wurde, ich das bis zu ihrer Niederkunft nicht bemerkte? Ich ihren Babybauch einfach weghalluzinierte? Wie Babette, die trotzdem mein Patenkind wurde, finster hinten im Auto saß, als wir von La Rösa zu den norditalienischen Seen und ins Tessin fuhren, und auch dann in ihr Comicstrip-Heft starrte, wenn wir beide überwältigt von der Schönheit der Landschaft »Oh!« und »Schau doch, Babette!« riefen. (Und der Lago di Como *ist* schön.) Wie wir, in jenem Tessin angekommen – du, Babette, ein paar Tessiner Freundinnen und Freunde, ich –, splitternackt im blauen Wasser der Maggia oder eines Nebenflusses der Maggia badeten, das eine Folge von teichgroßen Schwimmbecken zwischen weißem Gestein und Trauerweiden bildete, und wie wir alle, einer hinter der andern, auf spiegelglatten Marmorrutschen von Becken zu Becken glitten, gischtend von Stufe zu Stufe und dem Glück so nah wie nur irgend möglich? – Wie wir – May war auch dabei – eine richtige Bergtour machten, einen Achtstünder mit, sagen wir, tausend Höhenmetern, und auf dem Hosenboden Altschneehänge hinunterrutschten? Wie dann die letzten Stunden bis nach La Punt doch *sehr* lang wurden? – Wie wir dicht nebeneinander vor deinem irgendwie illegalen Funkgerät hockten, wie Verschwörer, und den Polizei- und, vor allem, den Flugfunk abhörten? Die Gespräche zwischen dem Tower des Flugplatzes von Basel-Mülhausen und den anfliegenden Piloten?, und wie sie, nachdem Lotse und Pilot sich erkannt hatten – »Whisky Bravo, bisch dü des, Jean?« –, alle Coderegeln seinließen und den Anflug elsässisch bewältigten? – Wie, in einem wahrhaft englischen Nebel, eine Maschine aus Birmingham oder Manchester die Piste nicht fand? (Ich war in der Stadt und hörte sie, beunruhigend tief, über der Stadt kreisen. Immer und immer wieder, fern, nah. Mit der Zeit wurde mir klar, dass da etwas nicht richtig war, und fuhr – Nebel auch in den Straßen – mit meiner Vespa zu Max. Der stand vor seinem Funkgerät und starrte es an. Schweiß auf der Stirn. Die Stimme des Lotsen krächzte: »*Seven zero, do you hear me?*« oder etwas in der Art. Er wiederholte seinen Ruf mehrmals und klang immer weniger professionell. Der Pilot antwortete nicht. Es stellte sich dann heraus, dass seine Maschine – kein Benzin mehr – in einen Jurahügel gestürzt war, ein paar hundert Meter neben dem Weekend-Haus von Anne-Maries Eltern. Viele Tote.) – Wie wir dann oft auf ebendiesem Flugplatz waren – das Abfertigungsgebäude war eine Holzbude und glich einem Western-Saloon; nur die Schwingtüren fehlten –, weil wir für Gottes Lohn beim Schweizerischen Studenten-Reisedienst aushalfen und zwei Mal pro Woche spät in der Nacht Schwedinnen oder Schotten abholen und in die Jugendherberge geleiten mussten? Wie immer eine Schwedin und ein Schotte übrigblieben, bettlos, und wir sie zu uns nach Hause nahmen? Du die Schwedin, ich den Schotten? Max! Das weißt du doch noch! Es ist doch kaum fünfzig Jahre her! In meinem Alter, Max, ist inzwischen *alles* fünfzig Jahre her; wenn ich sehr Glück habe, nur dreißig.

Weiß man überhaupt noch, Max, im Paradies oder wo immer du jetzt bist – in der hundertsten Dimension, im Nirwana, im Hades –, was einst im Leben war? Ist es in irgendeiner Form noch wichtig? Oder war *dieses* Leben so oder so nur eins in einer Abfolge von unendlich vielen – seit dem Anbeginn aller Zeiten –, jedes anders, eins als Amöbe, eins als Wurm, eins als Gorilla, eins als römischer Legionär, der ums Jahr null herum in Jerusalem Dienst tat, an jenem Tag aber freihatte und die ganze Jesus-Geschichte nur vom Hörensagen mitbekam? (Das hätte ich gern gesehen, du mit *camisola* und *bracae* angetan und einem *pilum* in der Hand.) Weißt du überhaupt noch, wer ich bin? Ulle? Dass ich dein bester Freund war?

(Max schaffte es übrigens, an Darmkrebs zu erkranken, eine Operation und Bestrahlungen aller Art zu überstehen und nicht zu erfassen, dass er Krebs hatte. Er wurde gesund und war für eine kurze Zeit wieder der alte Max. Lebte nun noch entschiedener in seiner Kate im Elsass, zwischen Bohnen, Tomaten, Schafen und Hühnern. Verstruppte immer mehr und war, wenn er im Garten stand, kaum mehr von seinen Gewächsen und Tieren zu unterscheiden. Erst als ihn die Krankheit erneut überfiel, wurde ihm die Diagnose klar. Er kämpfte, ich weiß nicht, ob er kämpfte. Er, der eh schon Magere, wurde immer dürrer. Zum Erbarmen. Als ich ihn zum letzten Mal besuchte, lag er bewegungslos auf dem Rücken, wie Ferdinand Hodlers Freundin, und sah mit weißen Augen zur Zimmerdecke hoch. Bewegungslos. Mir war nicht klar, ob er überhaupt bemerkte, dass ich da war, und ob er hörte, was ich zu ihm sagte. Ich sagte, dass ich ihn gernhätte. Er zuckte nicht einmal mit den Wimpern, und so ließ ich nach einiger Zeit mein Reden bleiben und saß stumm neben ihm. Endlich stand ich auf, legte meine Hand auf seine und sagte, dass ich jetzt gehen müsse. »Mach's gut«, oder wie sonst man von einem Sterbenden Abschied nimmt. Da sagte er, mit seiner Stimme wie immer: »Salli, Ulle!« *Mit seiner Stimme wie früher.* Laut, klar, heiter, gesund.)

AUCH meine Ticks wurden erwachsen, das heißt, ich verlor sie und begriff nicht, dass sie verändert an einer andern undichten Stelle wieder auftauchten. Ich dachte, die Probleme seien gelöst, weil sie verschwunden zu sein schienen. Ich schlug nämlich nicht mehr mit dem Arm gegen den Kopf, wenn ich schlief. Ich verknotete auch meine Haare nicht mehr und riss sie aus. (Meine Haare verlor ich Jahre später, auf natürlichem Weg.) Kein kleiner Schmerz mehr, den ich genoss. Ich rieb mir auch den Daumen nicht mehr blutig und stand auch nicht mehr starr und steif in einer Zimmerecke, hitzig phantasierend. Pfeifen, das tat ich immer noch; tue es bis heute, und auch heute bedeutet es zuweilen, dass ich – hört nur! – noch am Leben bin und voller Lebenslust.

Ich entwickelte neue Marotten. Sie waren weder erfindungsreicher noch wirkungsvoller als die alten. Sie waren einfach noch nicht enttarnt. Nun begann ich, mit dem Kopf zu ruckeln. Ein Zwang fürwahr, der mich auch heute nicht völlig verlassen hat. Noch immer, seltener als einst, bewege ich den Kopf mit jähen Rucken, die mich wie einen Truthahn aussehen lassen, der im Gefängnis seines Geheges des Wegs geht. In *seinen* Körper eingeschlossen, ohne Ausweg. Das Ziel des Kopfruckelns war (und ist), den Halswirbeln ein Knacken abzunötigen. Einen satten Knall. Es war, als wolle ich mit *einem* Ruck – dieser wäre dann allerdings der letzte gewesen; ich hätte meinen Frieden gefunden – alle meine Probleme ins Lot bringen, und die der Welt gleich mit. (Ich entwickelte mich auch zu einem Atlas und wollte oder musste das Gewicht der Welt allein tragen.) Als mir das Halswirbelknacken zum ersten Mal zustieß, war ich weder Bub noch Mann. Ich lugte erst, noch im Kinderraum stehend, durch einen Türspalt in den Raum der Erwachsenen hinein. Was die erwachsenen Männer dort taten; wie sie redeten; auch mit Frauen, als seien die ganz normale Menschen. Das Onanieren hatte ich schon entdeckt; aber ich glaube nicht, dass das Kopfruckeln es ersetzen sollte. Es kam zu meinem Portnoy-Dasein einfach hinzu. Ich stand im Haus an der Wenkenstraße, in Noras Zimmer (sie war aber nicht da; was wollte ich dort?), sah in den Garten hinunter (ein trüber Tag; Nebelfeuchte) und drehte zum ersten Mal den Kopf so hin und her, wie ich das dann noch hunderttausend oder zehn Millionen Male tun sollte. Das Halskrachen geschah mir zum ersten Mal wie eine Antwort, die ich nicht verstand, weil ich die Frage nicht kannte. Wie eine Erlösung, die mich nicht erlöste und nach der ich darum immer erneut suchte. Ich wurde bis heute nicht erlöst; was zuvor nicht in Ordnung gewesen war, war es auch nachher nicht. Aber der immer neue Versuch musste offenkundig sein, und muss es zuweilen, wenn inzwischen auch beiläufiger, immer noch. – Ich hatte ja auch einen krummen Rücken und hätte als Bub einen therapeutischen Gymnastikkurs besuchen sollen, den alle – meine Mitschüler, aber auch mein Vater – das Buckeliturnen nannten, so dass ich mich weigerte, das zu tun, was mir gewiss gutgetan hätte. Tatsächlich taten mir schon mit zwanzig Jahren der Nacken und das Kreuz weh. Oft, mehr oder weniger immer. Ein Arzt diagnostizierte einen Scheuermann, den andere Ärzte später nicht mehr fanden. Aber ich lebte lange in der Vorstellung, ein Scheuermann zu sein: einer, dessen Wirbel allmählich zerscheuert wurden, so lange, bis das Rückgrat, das mich jetzt noch aufrecht hielt, in sich zusammenfallen würde, zu Staub geworden. Vielleicht beförderte ich das allmähliche und unausweichliche Zerbröseln aller

Wirbel mit meinem Knallen, weil es befriedigender ist, etwas selber zu tun als es zu erleiden. (Dass Scheuermann der Name des Wissenschaftlers war, der die Krankheit zum ersten Mal benannt hatte, erfuhr ich bald; es änderte nichts an meinen magischen Vorstellungen.) Ich ging zu den meisten Ärzten Basels und ein, zwei Male auch zu einem Chiropraktiker. Wenn er, weit wirkungsvoller, mit meinem Hals tat, was ich selber mehrmals pro Minute versuchte, erschreckte es mich und kam mir wie die reine Gewalt vor. – Zuweilen ließ ich meinen Rücken massieren. Eine strenge Holländerin; eine robuste Frau aus Maisprach; am liebsten war mir ein blinder Therapeut, ein Ungar vielleicht, der sich in seiner Praxis wie ein Sehender bewegte, wie ein Seher, und meine Ängste kundig wegzumassieren wusste. Am Ende jeder Behandlung gab er mir einen Klaps auf die Hinterbacken, der eine Spur zu kräftig ausfiel; als ob er, nach seiner sanften Arbeit, zeigen wollte, dass er auch anders gekonnt hätte.

Ich bin geneigt, auch das Asthma als einen meiner Ticks zu begreifen. Wenn es ein Tick ist, dann ist es der einzige, der es schaffte, mit mir zusammen die Schwelle zwischen der Kinder- und der Erwachsenenzeit zu überschreiten. Denn ich hatte als Kind – gerade als Kind! – heftige Anfälle von Atemnot, immer wieder. Sie begannen mit einem Kratzen in der Lunge, tief unten noch und fern, eine ganze Weile nicht mehr als eine Drohung, eine Warnung, eine Möglichkeit. Ein tastender Atemzug nach dem andern. Kann sein, dass das Kratzen zuweilen abklang, und ich wieder frei atmen konnte. Ohne dass der Anfall tatsächlich stattgefunden hatte. Oft aber wurde das Kratzen zur wirklichen Not. Ich glaubte zu ersticken, oder eher noch, ich fühlte, dass Herz und Hirn diesem Druck nicht mehr standhalten konnten. Dieser Überlebensanstrengung, die meinen Schädel blau werden ließ und mich in Schweiß badete. Ich hatte bald einmal ein Medikament (Asmac), das ich wie einen magischen Abwehrzauber immer in der Hosentasche mit mir trug – die Sprays von heute existierten noch nicht – und das oft doch nicht half. Wie oft saß ich keuchend auf dem Bett oder, wenn ich unterwegs war, auf dem Klappsitz einer U-Bahn oder auf einer Parkbank.

Einmal – ich war längst kein Kind mehr – keuchte ich im Arbeitszimmer meines Vaters um mein Leben, und der sah mir so lange betreten und ratlos zu, dass ich ihn – ganz ohne Luft – anschrie, er solle nicht so glotzen, ob er denn nicht sähe, dass ich einen Arzt bräuchte. Von allein wäre er nicht auf die Idee gekommen. Er suchte nach der Nummer als habe er zum ersten Mal ein Telefonbuch in der Hand. »Bloch«, keuchte ich. »Dein Arzt heißt Bloch.« Doktor Bloch kam und gab mir eine Spritze, und mit der Zeit kriegte ich neue Luft. – Jetzt, während ich dies schreibe, spüre ich fern, ganz fern, das bekannte Kratzen in der Lunge, das das allererste Anzeichen war. – Meinen letzten Anfall hatte ich mit dreißig Jahren, einunddreißig, just auf der Aussichtsterrasse des Empire State Building in New York. Ulla Rowohlt schaute mir ähnlich betreten wie damals mein Vater zu, wie ich dahockte und keuchte. Sie holte keinen Arzt, auch sie nicht, und ich beruhigte mich von selber. Es war der fürchterlichste Anfall von allen, und er war der letzte.

PARIS 1961–1962. Ich fuhr nach Paris, weil einer wie ich in Paris leben *musste*, auch wenn ich noch kaum ahnte, was für einer ich denn war oder werden könnte. Aber dass Paris zu meinem Lebensentwurf gehörte, war mir klar. Das war in mich eingegraben, das war eine kollektive Sehnsucht, an der ich begeistert teilnahm. Vielleicht auch zog es mich so heftig nach Paris, weil schon mein Vater, dreißig Jahre vor mir, im Quartier Latin gewohnt hatte, in der Rue du Bac. Da hatte er die Kästen der *bouquinistes* leergekauft und eine Frau gekannt. Wie gut und wie lange, das weiß ich nicht. Er begleitete sie jedenfalls einmal an die Gare de Montparnasse – sie wollte, ganz ohne ihn, in den heiteren Süden fahren – und sprang, als der Zug anrollte, in einem jähen Entschluss aufs Trittbrett und zu ihr ins Abteil hinein. Er fuhr mit ihr bis Marseille, und sein leuchtendes Gesicht sagte mir, dass sich seine Verwegenheit gelohnt hatte. (Er sprach sonst nie von Liebesdingen; seinen eigenen gar. Er schien, von der Dame in Paris einmal abgesehen, vor Anita keine Frauen gekannt zu haben. Nur einmal, als ich im Stimmbruchalter war, sagte er zu mir: »Weißt du, das mit den Frauen überschätzt man.«)

Paris war, auch ganz ohne Väter, *die* Stadt überhaupt, der Ursprung und das Ziel von allem. Die Scheinwerfer des Zeitgeists hatten noch nicht begonnen, London oder gar New York anzustrahlen. Basel war ein Kaff, in dem nichts Außerordentliches entstehen *konnte*. Ich ging wie auf Wolken, als ich mit meinem Koffer in der Hand aus der Gare de l'Est trat. Ich atmete die Luft der *ville lumière*! Ihre Vergangenheit, ihre Gegenwart, und ich war Teil ihrer Zukunft! Die Boulevards mit ihren Gründerzeithäusern, die

noch nicht saubergewaschen waren und jenes Grau aus-
machten, das es nur in Paris gab! Als ob Corot oder Monet
es gemalt hätten! Die Metro, wie sie roch! Die Clochards,
die sich auf den Entlüftungsschächten wärmten! Die Cafés!
Die Zeitungsverkäufer, die ihre Zeitungen im Laufschritt
verkauften und weiterhin »Le Monde« oder »France Soir«
riefen, während sie mir das Wechselgeld in die Hand zähl-
ten. Die Seine, die Quais, und natürlich Notre-Dame. Les
Halles, auch ich aß um 3 Uhr nachts meine Zwiebelsuppe
und sah zu, wie Männer mit Schweinehälften überm Rücken vorbeikeuchten. Die Buchhandlungen, eine neben der
andern. Sogar der Eiffelturm, auch wenn ich ihn nie bestieg.
Die Kinos. (Schon damals, sechs oder sieben Jahre vor 1968,
riefen die Zuschauer, wenn eine hübsche Frau allein nach
ihrem Platz suchte: »À poil!« Es war wohl unangenehm für
die Frau, gewiss war es das; aber noch schlimmer war, wenn
sie bis zu ihrem Platz gelangte, *ohne* dass einer rief.) Mont-
martre, obwohl mir das damals schon wie eine *tourist trap*
vorkam. Der Louvre, in dem die Bilder noch in drei Reihen
übereinanderhingen. Die Orangerie. Der Père Lachaise, auf
dem ich vor dem Grab von Jacques Prévert stand und vergeblich das von Boris Vian suchte. (Oder umgekehrt.) Das
Panthéon, an dem ich jeden Tag vorbeiging und in dem
möglicherweise tatsächlich Napoleons Gebeine lagen; von
mir aus. Aura, Aura. Du gingst um eine Ecke und pralltest
in Beckett oder Giacometti. Nicht dass mir das geschehen
wäre; aber es hätte sein können. Ionesco sah ich tatsächlich
einmal – im ›Flore‹, in das ich sonst nie ging –, und Sartre
und Simone de Beauvoir saßen in der ›Coupole‹ am Neben-
tisch, allerdings in meinem Rücken, so dass ich erst drau-

ßen auf dem Trottoir draufkam, was ich eben verpasst hatte, weil die Freunde dieses Abends plötzlich aufgeregt schnatterten und sogar einige Gesprächsfetzen gehört hatten. Ich war zu stolz, nochmals ins Lokal zu gehen.

Die Aura der Stadt war so kräftig, dass sie mich über anderthalb Jahre hinweg trug. Ich fühlte mich am richtigen Ort und vom Schicksal ausgezeichnet. Dabei verbrachte ich jene Zeit, nüchtern betrachtet, ziemlich einsam. Ich lernte gewiss den einen oder die andere kennen, hatte auch, manchmal einen ganzen Abend lang, flotte Gespräche: und es gelang mir nie, die möglichen Freunde oder Freundinnen so festzuhalten, dass ich sie ein zweites Mal treffen konnte. Mag ja sein, dass es an mir lag. Aber alle Einheimischen fegten so selbstgewiss auf ihren Umlaufbahnen, dass es eines Planeten von anderer Kraft als meiner bedurft hätte, sie vom Kurs abzubringen. Sie waren freundlich, höflich, liebenswürdig, heiter gar: Schon im Weitergehen hatten sie mich vergessen. Ich ging gern zum Zahnarzt, weil ich da einen hatte, mit dem ich, und sei's mit dem Bohrer im Maul, ein paar Worte wechseln konnte. Auch stahl ich meinem Vater bei meinen Kurzbesuchen in Basel jeweils ein paar Valium-Tabletten (oder war das noch die Librium-Zeit?), die ich dann sorgsam verwahrte und nur in wirklichen Notfällen einsetzte (Herzrasen, just bevor ich zu meiner Arbeit aufbrechen musste).

Natürlich zog es mich auf die *rive gauche*, ins Quartier Latin. Ich fand ein Zimmer, das zwar nicht im 5e *arrondissement*, sondern im 13e lag. Immerhin war das untere Ende der Rue Mouffetard gleich vor meiner Haustür, und sie wurde mein Biotop. Die Place de la Contrescarpe, wo es zwei oder drei Cafés gab, in denen jene Chansonniers und Chansonnières auftraten, die in den prominenten Lokalen nahe der Seine keinen Fuß auf den Boden kriegten. Dort, wo Maurice Chevalier und Georgette Plana gesungen hatten und Juliette Gréco und Georges Brassens immer noch auftraten. Es gab allerdings eine Sängerin, die immer wieder an die Place de la Contrescarpe kam, obwohl sie schon im Olympia gesungen hatte und Schallplatten machte. Sie war, ein Kind des Quartiers, ein richtiger Name geworden, der mir jetzt trotzdem nicht einfällt. Barbara, aber das war eine andere. Bei ihr wusste man nie, wann und ob überhaupt sie auftreten würde. Häufig aber lohnte sich das Warten hinter einem Glas Rotwein (Konzertzuschlag), und plötzlich ging die Tür auf, und da war sie mit ihrer Gitarre in der Hand. Sie blieb dem Ort ihrer Anfänge treu. Lange Haare (blond?, dunkel?), schmal, sehr schmal, nicht mehr *völlig* jung. Eine warme Stimme. Nachher setzte sie sich an einen der Tische oder an die Bar und trank auch etwas. Ich hörte zu, wenn sie mit dem Wirt herumalberte, und lachte mit, wenn die beiden lachten. Wie hieß sie nur? – Ja, einer der Quatre barbus war auch zuweilen da, der Bass, und mit ihm verstand ich mich regelrecht gut. Er sang aber nicht in dem Lokal, er wohnte in der Nähe und kam, um ein Schlummerglas zu trinken.

Oft trat ich spät – der letzte Gast – in die Nacht hinaus. Jetzt war die Place de la Contrescarpe leer, natürlich hatte es geregnet, und ebenso gewiss blies ein ekler Wind. Trotzdem: Hier, genau hier hatten sich der betrunkene Rimbaud und der besoffene Verlaine angebrüllt, und mir war, während ich in einsamem Glück die lichtlose Rue Mouffetard hinunterging, als ob ich ihre hysterischen Stimmen immer noch hörte. Mein Zimmer lag unter dem Dach eines kleinen Hotels, das Hôtel de France hieß, aber von den Franzosen gemieden wurde. Die Gäste waren Nordafrikaner oder Perser. Ich wohnte im fünften Stock und sah auf die Rue Monge hinunter, die in Selbstmorddistanz unter mir lag. Eine Verkehrsampel direkt unter meinem Fenster. Jedes Mal, wenn die Autos wieder anfuhren, die Laster und Autobusse vor allem, zitterten die Scheiben des Fensters, das wie eine Balkontür bis zum Boden ging, obwohl, wenn ich sie öffnete, draußen kein Balkon war. Nur ein hüfthohes Gitter aus Schmiedeeisen. Im Zimmer: eine geflammte Tapete, die, wie anders, da und dort abblätterte. Eine Deckenlampe mit einer Glühbirne, deren Leuchtkraft kaum bis zum Fußboden reichte. Ein Waschbecken, dessen Hahn – kaltes Wasser – tropfte. Ein Tisch, ein Stuhl, eine Schreibmaschine!, ein Bett, ein Bücherregal, das ich mit Seilen an zwei Haken in der Wand gebunden hatte, von denen ich nicht sicher war, ob sie das Gewicht der Bücher wirklich halten konnten. Mein Schädel, wenn ich im Bett lag, war genau unter dem Regal, das ihn, wenn die Haken aus der Wand gerissen wären, zertrümmert hätte. Ich prüfte jeden Abend vor dem Insbettgehen, ob mein Aufhängesystem noch zusammenhielt; kam aber nie zu einem endgültigen Ergebnis. Dass ich das Regal aber endgültig an einen Ort gehängt hätte, wo es mich nicht getötet hätte: so weit ging ich dann doch nicht. – Das Klo war zwei Etagen tiefer und so, dass ich es vorzog, das des Cafés auf der andern Straßenseite zu benutzen. – (Anne Sylvestre! Sie hieß Anne Sylvestre, die Sängerin an der Contrescarpe!) – Die Wirtin war eine Französin, sie ja, sie war die schlechte Laune selbst und jedem Lächeln unzugänglich. Auch duldete sie keine Damen. Sie hatte nicht einmal weibliche Dauermieter. Und wenn ein Reisender eins der Zimmer im ersten Stock für eine Nacht haben wollte, musste er nachweisen, dass die Frau mit ihm *seine* Frau war. Reisepass, amtlicher Wohnsitznachweis, Beglaubigung des Vatikans, dass kein vorehelicher Geschlechtsverkehr stattgehabt hatte. Liebespaaren blieb die Frage nach einem Bett im Hals stecken, wenn sie vor diesem Würgeengel standen, an dem niemand vorbeikam.

Ich hatte mir, von Basel aus und mit der Hilfe von Georges Blins Fakultät, eine Anstellung an einer Pariser Schule besorgt. Vier oder fünf Wochenstunden und so was wie 600 Francs im Monat. Und die Zeit wurde mir von der Uni als zwei zusätzliche Auslandssemester angerechnet! – Ich unterrichtete deutsche Konversation am Lycée Pasteur in Neuilly, das der Nobelvorort von Paris war. Ich fuhr eine Dreiviertelstunde Metro, zurück nochmals so viel. In meiner Klasse saßen die – fast schon erwachsenen – Kinder der Reichen und Mächtigen Frankreichs. Junge Damen in maßgeschneiderten Tailleurs und Jünglinge mit weißen Hemden und Hosen mit Bügelfalten, die aufstanden, wenn ich in den Klassenraum trat, und sich setzten, nachdem ich ihnen zugenickt hatte. Alle hatten die Köpfe voller Gedanken, für die sich mir das Wort faschistisch aufdrängte. Sie glühten für die Ideen ihrer Väter, die Industrielle, Advokaten, Ministerialbeamte oder Generäle waren. Kann sein, dass die eine oder der andere etwas leiser als die Wortführer waren: Ich wurde jedenfalls mit dem Denken und

Fühlen des rechtskonservativen Frankreich nur so über-schwemmt, und vor allem mit dem der OAS, der *Organisation de l'Armée secrète*, die inzwischen nicht mehr besonders geheim war. Meine Kinder hatten jedenfalls einen direkten Draht zu ihr, dank Papi und Mami. Ihr Aktionsfeld hatte sich von Algerien nach Frankreich verschoben und sollte die neue Algerienpolitik de Gaulles, den sie einmal für einen der Ihren gehalten hatten und der jetzt eine *Algérie algérienne* propagierte, zu Fall bringen. Ein Putsch in Al-gerien war schon schiefgegangen; jetzt versuchten sie es mit Gewalt im Mutterland. Mit Mord. Terror *pour la bonne cause*. Der Chef der OAS, den meine Schulkinder grenzen-los bewunderten, war der General Salan, der allerdings nicht in Neuilly, sondern im Untergrund lebte. Also viel-leicht doch in Neuilly. Es war eine äußerst unruhige Zeit. Schier jeden Tag ging irgendwo eine Bombe hoch. In Kauf-häusern, Bahnhöfen, Postämtern. Auch ich hörte es knallen und schlurfte durch die Scherben zersplitterter Schaufens-ter, war aber seltsam unbesorgt: als ob es einen wie mich schon nicht erwischen würde. (Nora, die für ein paar Mo-nate ein Zimmer in meiner Nähe hatte und einen Stage bei einer psychoanalytischen Koryphäe namens Diatkine machte, war einmal so nah am Explosionsort, dass sie von der Druckluft oder vom Schreck umgeworfen wurde.) *Plastiquer*, so nannte man das Bombenlegen, weil der Sprengstoff eine leicht zu manipulierende Plastikmasse war. Die Knetmasse zu einem Ball formen, Zünder rein, und peng. Mehrmals war das Lycée Pasteur, wenn ich bei ihm anlangte, wegen einer Bombendrohung geräumt wor-den (wieso drohte die OAS ihren heißesten Fans? Waren es nicht eher die Schüler selber, die schulfrei haben wollten?), und ich zog hochbefriedigt wieder ab, von der Last einer Unterrichtsstunde befreit. Ich musste mich an dem Tag nicht mit meinen Zöglingen streiten, denn das tat ich in jeder Stunde, und erst noch auf Deutsch. Die Mädchen und Buben, die alle längst wussten, wie man das Dekolleté zur Geltung brachte, mit den Augenlidern klapperte oder eine tiefe Stimme dröhnen ließ, vertraten, ebenfalls auf Deutsch, mit glühendem Enthusiasmus die Ideen ihrer Eltern (*Algérie française* beziehungsweise *De Gaulle au poteau*), und ich setzte ihren Argumenten meine demokratischen Erfahrungen zuweilen so hitzig entgegen, dass ich in mein Schweizerdeutsch zurückfiel und wie einer der Helden vom Rütli klang. Die jungen Damen und die Jünglinge verstanden mich dann nicht mehr, waren aber trotzdem dagegen. Einmal lud mich einer der Jungmänner so formvollendet zu einem Theaterbesuch ein, dass ich die Einladung annahm. Ein Theater an der *rive droite*, das eine Boulevard-Kiste gab, in der ein Schauspieler – es war wohl Robert Lamoureux – so virtuos eine lange Treppe hinunterkugelte, dass er einen langen Szenenapplaus erhielt. Auch ich klatschte. Nachher, bei einigen Gläsern Bier, missionierte mich der Schüler regelrecht. Er hatte die Augen eines fanatischen Kinds und bezahlte dann auch noch die ganze Zeche. – Als de Gaulle in Petit-Clamart wie durch ein Wunder (ein Wunder Gottes, so empfand es das katholische Frankreich) von keiner der paar hundert Kugeln getroffen wurde, die seinen Citroën DS durchlöcherten, obwohl er aufrecht wie eine Statue im Fond seines Wagens sitzen blieb, hatten die Ferien Gott sei Dank schon begonnen; gewiss bedauerten die jugendlichen Zicken und Schnösel meiner Klasse den Ausgang des Attentats, und darüber hätten wir wohl nicht mehr, auf Deutsch!, diskutieren können. – Praktisch jeden Tag fanden jetzt Großdemonstrationen statt, den Boulevard Saint-Michel hinauf und hinunter, dem Boulevard Saint-Germain entlang. Ich nahm teil, ich nahm nicht teil. Ich ging am Rande mit wie einer, der erregt war, aber nicht dazugehörte. Immerhin lernte ich in diesen bewegten Tagen, dass Politik nicht etwas war, von dem ich in der Zeitung las, sondern etwas, von dem die Art meines Lebens abhing, und manchmal das Leben selbst. – Einmal auch rannte ich um dieses Leben, wie ein panischer Hase, ein paar Schritte hinter mir eine Horde von CRS-Beamten mit Schlagstöcken, die auf alles einschlugen, was sich bewegte, bis es sich nicht mehr bewegte. Diese *manifestations* richteten sich nicht gegen die Regierung, im Gegenteil, und doch versuchte die Polizei – doch wohl im Auftrag dieser Regierung – regelmäßig, sie aufzulösen. Die Demonstranten – Zehntausende oft – waren *für* de Gaulle (1962 war noch nicht 1968), und der Ruf »*OAS assassins!*« wurde auch von mir skandiert. Es war die Angst vor einem faschistischen Putsch. »*Le fascisme ne passera pas!*« Die Polizei also im Dienst der demokratischen Republik: Aber trotzdem war sich niemand sicher, was diese Polizisten, die, ganz in Schwarz, Dobermännern in Menschengestalt glichen, selber dachten und verteidigten, und es gab schreckliche Gerüchte von vertuschten Massakern ebenjener CRS an Algeriern, die den Fehler gemacht hatten, in der Hauptstadt ihrer ehemaligen Herren leben zu wollen. (Die Gerüchte erwiesen sich später als richtig.) Ganze Polizeikorps jedenfalls bestanden nur aus *pieds noirs*, aus wütenden, gekränkten, rachsüchtigen Franzosen, die Algerien, ihren Lebensort, Hals über Kopf und mit Schimpf und Schande hatten verlassen müssen und die nun auf die Demonstrierenden wie auf Todfeinde einschlugen. – Wenn ich jetzt in der Nacht durch die Rue Mouffetard nach Hause ging, war die Stadt so still, so menschenleer, dass meine Schritte wie Schüsse knallten. Ich ging in der Mitte der Straße (die Rue Mouffetard war eine Gasse mit Kopfsteinpflastern, in der kaum je ein Auto fuhr), und in jedem dritten Hauseingang stand, den Kopf im Nachtschatten und bewegungslos, als sei er eine Statue, ein Polizist mit einer Maschinenpistole in den Händen, deren Lauf meinem Gehen folgte. Das Metall leuchtete im Mondlicht. Keine Blicke, keine Worte, nie ist etwas passiert. Trotzdem war ich schweißgebadet, wenn ich ins Hotel trat, wo Madame immer noch hinter ihrem Tresen verschanzt hockte und meinen Gruß nicht erwiderte. – Tagsüber war die Rue Mouffetard belebt. Gemüsestände, Metzgereien, in deren Schaufenster Schweineköpfe lagen, die eine Petersilie im toten Maul trugen, Schreiner, deren Sägen kreischten. Ein kleines, sehr kleines Theater, das sogar auf der Straße draußen nach Staub roch. Ich aß oft in einem Lokal, das »À la soupe chinoise« hieß und in dem eine Wirtin (»Madame Mouff«) mit absoluter Autorität herrschte. Sie war keine Chinesin, ich hatte sie im Verdacht, ein entlaufener Sträfling aus Cayenne zu sein, denn sie hatte eine tiefe Stimme, einen Schnurrbart auf der Oberlippe und Oberarme wie ein Gewichtheber. Die riesigen Brüste waren ihre Tarnung. – In der Küche hantierte ihr Mann, ihr Männchen, das tatsächlich ein Chinese war und wie ein

Jongleur mit achtzehn Pfannen gleichzeitig auf drei Gas-flammen kochte. (Rieter, der Hasenburg-Wirt, der ein Ähn-liches versucht hatte, sah neben ihm wie ein Anfänger aus. Ich hätte aus der *Soupe chinoise* gern meine Hasenburg ge-macht. Aber in französischen Restaurants kann man nicht herumhocken und an einem Wein nuckeln. Essen, zahlen, raus.) – Ich aß immer einen *riz cantonnais* oder ein *chop suey*. Vielleicht gab es gar nichts anderes; doch: *banane flambée* zum Nachtisch, die ich mir kaum je leistete.

Einmal trat ich an einem sonnigen Morgen aus meinem Hotel, und die Rue Monge, sonst eine chaotische Haupt-verkehrsader, war leer. Da und dort ein Passant, kaum einer. Ein leerer Bus. Ich sah nach links, nach rechts und kam mir wie einer vor, der etwas ganz Entscheidendes verpasst hat und nicht weiß, was. Vielleicht war der Putsch über Nacht gelungen, und es herrschte seit 06.00 ein absolutes Ausgeh-verbot. Wer fliehen wollte, wurde im Parc des Princes oder in den Tuileries zusammengetrieben und erschossen. Es stellte sich heraus, dass bei einer der letzten Großdemon-strationen ein Student von der Polizei getötet worden war, mutwillig und gezielt (das hatte ich mitbekommen), und an diesem Morgen begrub die Stadt das Opfer, irgendwo fern auf der andern Seite der Seine. Auf dem Père Lachaise? Je-denfalls waren etwa eine Million Menschen zum Begräbnis gegangen und füllten alle Straßen, die zum Friedhof führ-ten. Der Rest der Stadt war entsprechend leer. Ich fühlte mich am falschen Ort.

GEWISS war ich auch so schnell, regelrecht hastig nach Paris aufgebrochen, weil Brigitte jetzt dort war und mir immer noch nicht aus dem Sinn wollte. Sie hatte mir keine Adresse hinterlassen, und außer der Vermutung, dass sie ja wohl hie und da die Sorbonne betreten musste und vielleicht in der Bibliothèque nationale arbeitete, hatte ich keine Ahnung, wie ich sie finden sollte. Ich war ein bisschen wie Krampach in Eugène Labiches *Le plus heureux des trois*, der, vom Elsass aus, seinen besten Freund in Paris mit seinem Besuch überraschen wollte, ebenfalls keine Anschrift hatte und sagte – befragt, wie er es denn anstellen wolle, seinen lieben Spezi in diesem gewaltig großen Paris aufzuspüren –, nun, das sei kein Problem, er stelle sich dann einfach auf den Hauptplatz, und früher oder später komme der Freund dann schon vorbei, weil jeder in jeder Stadt einmal über den Hauptplatz gehe. – So hielt auch ich es, und tatsächlich – ganz wie Krampach das vorausgesehen hatte – ging ich an meinem zweiten oder fünften Arbeitstag schon von meiner Schule zur Metrostation (»Sablons«), und Brigitte kam die Treppe hoch. Sie trug einen hellen Regenmantel und hatte die Haare irgendwie anders. (»Sablons« ist eine so unbedeutende Metrostation, dass ich zuweilen der Einzige war, der ausstieg.) Sie war *sehr* verblüfft, als sie mich erkannte. Es stellte sich heraus, dass sie keine hundert Schritte weiter weg ein Zimmer hatte, und ich sah es am nächsten Tag sogar, durch den Türspalt und über ihre Schulter hinweg, weil sie in der Tür stehen blieb und mich nicht hereinbat. Ein winziger Raum, ziemlich unaufgeräumt. Ihr Bett stand so nah an der Straße, dass ich sie vom Trottoir aus hätte berühren können, wäre ihr Fenster geöffnet gewesen. Sie ließ es aber nie offen, und die Vorhänge waren immer gezogen. – Kann sein, dass sie bald bereute, mir, überrumpelt von unserm unverhofften Wiedersehen, ihre Adresse verraten zu haben. Wir standen direkt vor dem Café des Sablons (in Paris steht man immer vor einem Café), aber sie wollte nichts mit mir trinken. Sie zündete sich eine Zigarette an (Gauloises; sie hatte die Marke gewechselt). Sie lächelte sogar, als sie mich fragte, wie um Himmels willen es mich in diese Gegend verschlagen habe. Wo nur die reichen Säcke wohnten; und sie, weil sie das Zimmer einer Freundin habe erben können.

Ich ertrank aufs Neue in ihren Augen, loderte auf der Stelle wieder mit der alten Hitze und fand sie so entzückend wie zuvor. Noch hinreißender, denn jetzt war sie in Paris, wo sie hingehörte. Ich hatte ja versucht, sie mir abzugewöhnen! Hatte mir, das Wort meines Vaters im Ohr, immer wieder gesagt, dass ich das mit den Frauen überschätzte. Mit Brigitte. Aber nun, sekundenschnell, hing ich erneut am Haken einer Angelschnur, die Brigitte gar nicht nach mir geworfen hatte. So eine tolle Frau! – Ich begann wieder mit meinem Stalking und saß stundenlang in einem Café an der Ecke ihrer Straße (in Paris ist an jeder Straßenecke ein Café). Nie kam sie; kann schon sein, dass sie, sorgsam aus dem Haus lugend und wie ein Indianer der Metrostation näher pirschend, mich an meinem Tischchen warten sah, rechtsumkehrt und einen Umweg bis zur Étoile machte, wo die Metro sechs Eingänge hatte und jede Menge Menschen herumwimmelten. Ich klopfte ein paar Male an ihre Tür, pochte auch gegen das Fenster und rief vielleicht sogar: »Brigitte?« Nie war sie da. Aber einmal, mindestens einmal, hatte ich den Eindruck, auf der andern Seite der Tür Geräusche zu hören. Jemand, der mitten im Gehen von meinem Klopfen überrascht worden war und jetzt versuchte, den Fuß unhörbar auf den Boden zurückzustellen? Ein kleines Husten, weil Brigitte den Rauch ihrer Zigarette (Gauloises) in den falschen Hals bekommen hatte? Oder war sie gar mit einem Mann, einem neuen Bären, Wolf oder Hasen, und hielt ihm lächelnd einen Zeigefinger über den Mund, um ihm deutlich zu machen, dass der da draußen dann schon wieder gehe, der Knilch, und dann dürfe er sich wieder über sie werfen und mit ihr anstellen, was immer er wolle, und so laut wie es ihm passe? – Ich ging. – Ein, zwei Male legte ich ihr kleine Geschenke auf die Schwelle. Einmal eine Rose (rot), einmal ein Buch von Diderot, das *Les bijoux indiscrets* hieß und in dem die Vaginas von Herzoginnen und Marquisen miteinander kundige Gespräche über die Vorzüge und Schwächen der Penisse ihrer Männer führten – alle kannten alle –, während diese Männer, ohne das wiehernde Gelächter aus dem Untergrund zu hören, anmutig mit ihren Damen plauderten, deren Münder höflich lächelten. *Das* gefiel Brigitte, da war ich mir sicher. Scharfe Sachen, solange sie sie nicht mit mir tun musste, machten sie an, besonders wenn sie im Gewand des *dix-huitième* daherkamen. – Sie kam aber doch zuweilen mit mir essen. Ich bezahlte, ich hatte jetzt (meine Schule) mehr Geld als sie. (Sie machte Jagd auf ihre zweite Agrégation und schrieb am Anmerkungsapparat ihrer Maler-Nolten-Studie.) In einem Renommierlokal in der Nähe der Opéra bestellten wir Austern. Der Kellner nahm die Bestellung mit der Miene eines Vicomte auf, der zu seinem Vergnügen am Abend ein bisschen kellnert, verließ würdig wie ein Marquis das Lokal, ging gewiss wie ein Duc de Bourgogne über die Straße – wir sahen ihn durchs Fenster –, kaufte die Austern an einem Stand auf dem gegenüberliegenden Trottoir, kam mit der Sicherheit eines Prince de Galles über die Straße zurück – die Autos fegten vor und hinter ihm vorbei, und dann sahen wir nur sein hocherhobenes Tablett über den Autodächern – und servierte uns die Austern mit der absoluten *courtoisie* eines Roi de France. Drüben hatten sie 5 Francs gekostet, nun 80. Wir schlürften sie mit umso größerer Begeisterung und tranken recht viel Chablis dazu. – Einmal kam Brigitte auch zu den Frères Jacques mit, die im Olympia auftraten. *La violoncelliste, Le petit homard.* Es war ein sehr gutes Konzert, und wir klatschten begeistert. Nachher gingen wir die Champs-Élysées bis zur Étoile hinauf, und es war eine zarte Weile so, als seien wir wieder so etwas wie ein verliebtes Paar. Ein milder Herbstabend. Als wir an der Étoile angekommen waren, wollte Brigitte aber nicht, dass ich sie auch noch bis nach Hause begleitete. Sie gab mir einen schnellen Kuss und verschwand im Treppenschacht der Metro. Hob noch einmal die Hand, ohne sich umzudrehen, und verschwand aus meinem Leben.

ES war aussichtslos, das war mir schon klar. Ich gab mir redlich Mühe, andere Frauen kennenzulernen, und war nicht einmal besonders wählerisch. Es gab für Studenten – ich war ja einer – klassische Jagdgebiete, etwa das Portal der *Alliance française*, wo junge Damen aus Deutschland, England oder Schweden Französisch zu lernen versuchten. Sie waren alle fern der Heimat und einsam. Ich lungerte auch ein paarmal dort herum, unentschlossen, denn *draguer* (das war das Fachwort für die Bemühungen, eine Frau fürs Bett oder Leben zu finden) war nicht meine Stärke. Da musste man schnell, frech, klug, lustig, unverfroren, potent und aus Paris sein. Einmal, eine, die sprach ich tatsächlich im Café gegenüber der Alliance an, sie erwies sich als heiter und plauderlustig und kam nach dem dritten Glas mit mir. Aber kaum waren wir draußen auf dem Trottoir, im erstmöglichen Schlagschatten einer Plakatsäule, warf sie sich gegen mich, wühlte ihre Lippen in meine und packte gleichzeitig mit einer Hand meinen Sack mit einer solchen Kraft, dass ich »Aïe!« rief. (Ein Pariser sogar im Schmerz.) Das war es dann doch nicht, das war *mir* zu viel. Ich verabschiedete mich mitten aus der Umschlingung heraus und entriss mein Gemächt ihrer Pranke. – Eine Weile lang begleitete ich eine Studienkollegin zum Bahnhof Saint-Lazare. Sie hieß Denise und antwortete freundlich, wenn ich sie etwas fragte. Aber immer, durch nichts abzulenken, bestieg sie ihre Vorortsbahn, und ich trottete allein nach Hause. Nie sprang ich, wie einst mein Vater, jäh in den abfahrenden Zug und wurde dafür belohnt. – Eine andere, eine blonde Schönheit aus Hamburg, lud ich ins ›Blue note‹ ein, *das* Jazzlokal Europas. Statt, wie erwartet, Dexter Gordon, spielte Claude Luther mit seiner Dixieland-Band, was wir, nach der ersten Enttäuschung, auch wunderbar fanden. Wir tanzten, bald einmal Wange an Wange. Die Rechnung fraß meinen ganzen Monatslohn auf. Ich begleitete sie durch den Boulevard Saint-Germain nach Hause. Wir sprachen von Count Basie, Charly Parker und dass ich, 1954, den wirklichen Louis Armstrong gehört hatte und in Tränen ausgebrochen war, als er den *Melancholy Blues* zu spielen begann. Vielleicht war sie sogar eine von der Alliance française. Aber unter der Tür verabschiedete sie sich artig – ein Kuss wie ein Windhauch – und huschte ins Haus. – Dann eine, die im selben Haus wie Paul Meurisse wohnte, und eine andere, bei der es Milène Demongeot war. Ich kam mit beiden nicht weit, und ich kriegte weder Milène Demongeot noch Paul Meurisse jemals zu Gesicht.

EVE lernte ich so kennen: Ich war auch in Paris – in Paris mehr denn je! – mit dem Schweizerischen Studenten-Reise-dienst verbandelt und auch da so was wie der Mann für Notfälle aller Art. Meine Büroausrüstung war eine Schuh-schachtel, in der ich Belege sammelte. Wieder kümmerte ich mich um gestrandete Studentinnen und Studenten und stritt mich mit dem Hotelier des Vertragshotels herum, dessen Etablissement (nominell zwei Sterne, de facto null) sich ir-gendwo in Montparnasse befand. Da stand ich dann an der Theke und versuchte, ihm klarzumachen, dass wir ihm auf die Schliche kamen, wenn er ein paar Doppelzimmer zu viel abzurechnen versuchte. Ich lungerte also wieder einmal, auf den Hotelier wartend, in der Lobby dieses vermaledeiten Hotels herum, zusammen mit einer Horde junger Frauen und Männer, die in allen Weltsprachen miteinander schnat-terten und auf einen Bus warteten, der sie nach Chartres bringen sollte. Sightseeing. Der Bus fuhr vor, eine Frau, die einem Kobold glich, kam ins Hotel gefegt und scheuchte die Studententouristen mit so viel Energie auf die Straße hinaus, dass ich im Nu mutterseelenallein am Rezeptionstresen stand. »*Et vous?*«, sagte sie. »*On n'a pas toute la journée.*« Ich sagte ihr, wer ich war, ihr Chef nämlich oder wenigstens der, der zu beurteilen beauftragt war, ob sie ihre Arbeit gut oder schlecht mache. Bis jetzt habe das ganz gut ausgesehen. Ein Wort gab das andere – sie sah wirklich wie Pinocchio aus, hüpfte beim Sprechen von einem Fuß auf den andern und kicherte, während sie sprach –, und plötzlich beschloss ich, nach Chartres mitzufahren. Ich hatte die Kathedrale noch nie gesehen. Ich saß vorn, zwischen dem Chauffeur und ihr eingeklemmt. Der Beifahrersitz war nicht für zwei gebaut, so dass sie mir mehr oder weniger auf dem Schoß saß, während sie in ihr Mikrophon sprach. Links achtzehntes Jahrhundert, rechts zwölftes. Sie war sehr kundig. In Chartres saßen wir, während die Studentinnen und Studenten um die Kathedrale herumstreiften, in einem Café und tranken eilends mehrere Gläser Wein. Wir machten Witze und nahmen ein Fläschchen für die Rückfahrt mit. Als wir in Paris ankamen, waren wir alles andere als nüchtern, gingen stracks zu mir nach Hause – ich hatte inzwischen ein neues Zimmer, das keinen Cerberus hatte – und liebten uns. Eve war auch nackt ein Gnom. Ein Troll. Sie hatte tatsächlich ein dämonisches Temperament, nicht von dieser Welt, und war, schneller als ein irdisches Wesen, über mir, unter mir, auf mir und hier und dort. Feuer, Wasser, fest, flüssig: alles aufs Mal. Ich musste schauen, dass ich mit meinem Bauerntempo auf ihrer Höhe blieb. Dieses erste Mal schaffte ich es, und als Eve sich wieder anzog – irgendwann nach Mitternacht –, hatte ich mein Defizit von vielen Monaten aufgeholt, und sie vielleicht auch. Sogar beim Abschied sprang sie so wild an mir hoch – sie war einen Kopf kleiner als ich –, dass das Adieu zu misslingen drohte, weil sie mich erneut auszuziehen begann. Aber dann ging sie doch, glückstrahlend, und rief vom Hof her – ich am Fenster; das Zimmer lag im ersten Stock –, ich müsse ihre Mutter kennenlernen, denn sie und *maman* seien unzertrennliche Freundinnen und täten immer alles zusammen. Sie fegte davon, ein Irrwisch mit wirren blonden Haaren in einem Kleid, das jetzt, als sie unter der Laterne beim Hofausgang vorbeihuschte, himmelblau war und voller rosa Streifen hing, die hinter ihr herflatterten. (Ich lernte ihre Mutter dann tatsächlich kennen. Sie wohnte in der Rue du Cherche-Midi und glich ihrer Tochter in allem. Sie war irgendwie auch gleich alt wie diese. Allenfalls war sie noch etwas verrückter als Eve, ein bisschen schriller, etwas unverblümter mit ihren Marotten. Sie hielt Vögel, ganze Volieren voll, und durch die Wohnung flogen ein paar Wellensittiche, die Freigang hatten.) – Mir gefiel Eves Spinnertheit ganz gut. Wenn sie kam, war sie aus ihren Kleidern heraus, bevor die Tür zu war. Sie zog mich, kichernd und gurrend, aufs Bett. Mir tat das Lieben auch gut. Danach saß sie, ein kleines bisschen bekleidet, am Tisch, rauchte (Gitanes; *alle* Frauen rauchten damals) und sagte, so verliebt wie jetzt sei sie noch nie gewesen und ihrem Psychoanalytiker erzähle sie in jeder Sitzung alles, was zwischen uns geschehen sei, haargenau und bis in die letzte Einzelheit. So einen Schwanz, habe sie gerade eben zu ihm gesagt, sagte sie, habe der Psychoanalytiker in seinem ganzen Leben noch nie gesehen, da sei sie sich ganz sicher. Sie bis jetzt ja auch nicht, und nicht einmal *maman* könne sich an etwas Derartiges erinnern.

Ich weiß nicht, wie es kam: Bald ging sie mir heftig auf die Nerven. Ich ertrug sie nicht mehr. Sie aber badete immer heftiger in ihrem Glück. Brachte Kuchen mit rosa Marzipanrosen drauf mit und schmückte mein Zimmer mit Bildern, auf denen indische Elefantengötter gütig blickten. Ich spürte, wie sich meine Triebbegeisterung in so etwas wie Hass verwandelte. Manchmal hieß ich sie nun, die Küche zu putzen. Den Herd. Das tat sie ohne jeden Widerspruch, sie rieb mit Stahlwolle auf den Kochplatten herum und schaute mich dabei an, dankbar gar?, ob sie es auch recht mache. Einmal stand ich so wutentbrannt hinter ihr – vor mir ihr eifriger Hals –, dass ich, um irgendetwas mit meinen Händen anzufangen, mit beiden Zeigefingern gleichzeitig auf die Schnellheizplatte deutete und rief, und das da?, dies?, ob das *sauber* sei? »*Crasseux, c'est crasseux!*« Ich fuhr mit einem der Zeigefinger über die Schmutzstelle, die vermeintliche Schmutzstelle, und hielt ihn ihr unter die Nase. Der Herd sei doch sauber, murmelte sie. »Jetzt!«, brüllte ich. Sie rieb folgsam noch ein zwei Mal mit einem Lappen auf dem Metall herum.

Einmal fuhren Eve und ich – ich hatte jetzt auch in Paris eine Vespa – zu Nora. Nora hatte einen Freund, der aus Vietnam war und Jim hieß. Die beiden wohnten irgendwo in der *Banlieue sud*, in Versailles vielleicht. Oder eher, Jim wohnte dort, und Nora war immer bei ihm und kaum noch in ihrem Zimmer. Jim hatte etwas aus seiner Heimat gekocht, und er und Nora saßen in innigem Glück am Tisch und strahlten sich und uns an. Noras lustiges Gesicht leuchtete. Eve und ich schliefen in einer Art Garage, die als Gästezimmer umfunktioniert worden war. Ich weiß nicht mehr, ob wir uns liebten oder nicht; eher nicht. Am nächsten Morgen stand ich in aller Herrgottsfrühe auf und stampfte durch leere Vorortstraßen und verlassene Parkanlagen. Der Kontrast zwischen Noras glasklarer Liebe zu Jim und meinem Hass auf Eve war nicht mehr auszuhalten. Ich schämte mich – abgrundtief –, dass ich mit einer so dummen Kuh zusammen war. Dass Nora das sicher auch dachte. Ich packte Eve auf die Vespa. Ein kurzer Abschied. Ich fuhr mit Vollgas über Rotlichter, überholte Autobusse, auch wenn ihnen und mir ein Tanklaster entgegenkam, und hielt die Vespa an der Place d'Italie so jäh an, dass Eve gegen meinen Rücken geworfen wurde. Ich sagte ihr, sie solle absteigen. Sie verstand nicht, warum, tat es aber. Sie hielt die Tasche mit ihren Schlafsachen vor der Brust und schaute mich mit großen Augen an. Ich gab Gas, ohne adieu zu sagen, und fuhr den Boulevard des Gobelins hinunter, erst schnell wie auf der Flucht, dann langsamer. Vor einem Zebrastreifen hielt ich sogar und ließ eine alte Dame die Straße überqueren.

Eve klopfte noch ein paarmal an meiner Tür. Jeden Tag eigentlich. Ich stand dann erstarrt im Zimmer, mit einem erhobenen Fuß, den ich möglichst unhörbar auf den Fußboden zu stellen versuchte. Wenn ich jetzt das Zimmer verließ, schaute ich zuerst durch den Spion, ob sie auf der Treppe lauerte, und einige Male machte ich Umwege, weil sie im Café des Gobelins saß und den Eingang der Metrostation bewachte. Ich schlich dann entweder zur Station an der Rue Monge oder zur Place d'Italie.

Nora ging nach Genf zurück und Jim nach Saigon. Auch ich packte meine Koffer. Als ich auf die Gare de l'Est zuging, schneite es. Ein Schneeregen. Ich atmete noch mal ein, aus, bewusst und sorgsam und so tief wie möglich, um einen möglichst großen Schnaufer Paris in mir mitzunehmen. Einen Vorrat Aura. Vergangenheit, Gegenwart, Zukunft. Ich stieg in den Zug, und der fuhr auch gleich ab.

(EIN Wort zu den Schreibmaschinen. Auf jedem meiner Tische stand eine. In jedem Zimmer eine andere, irgendwo trieb ich immer eine auf. Remington, Continental. Da standen sie, schwarz, immer schwarz. Ich glaube nicht, dass ich je auf ihnen schrieb, auf keiner von ihnen. Vielleicht, wenn ich es doch tat, ohne Papier, und die Maschinen verdauten meine Erfindungen so, dass keine Spur von ihnen blieb. Es kann auch sein, dass sie das Papier, wenn denn doch ein Papier in ihrer Walze steckte, mit verschlangen. Dass das, was ich für Typenhebel hielt, Zähne waren. Jedenfalls, kein Fetzelchen ist übriggeblieben, kein Fitzelchen, kein Buchstabe. Keine Erinnerungsspur. Die Maschine stand einfach da, das leuchtende Zentrum des Raums. Nicht, dass ich sie anbetete. Aber etwas magisch Aufgeladenes hatte sie schon, etwas von einem Idol, einer Gottheit, die ihr Geheimnis nicht preisgab. Irgendwo in ihr drin war es, ganz gewiss, und ich schaffte es nicht, es ihr zu entlocken. Ich strich um sie herum, drohte ihr, streichelte sie, hieb auf sie ein, kam ihr aber nicht auf die Schliche.)

EIN so strahlendes Licht hatte ich zuvor noch nie gesehen. Die Luft flirrte. Die Hitze ließ mich jubeln. Ich war beglückt, atemlos. Oder nein, ich atmete frei wie noch nie. Das Weiß der Häuser blendete mich. Sogar die Gassen waren weiß getüncht. Stufen, Stiegen, Steige: weiß. Die Gebirgsfelsen leuchteten. Der Himmel war blau, das Meer war blau, und die Türen und Fensterläden der Häuser spiegelten dieses Blau so gut, wie dies Menschenfarben eben konnten. Aber auch die andern Farben glühten: das helle Grün der Eukalyptusbäume, das mattere der Oliven. Mohnblumen bedeckten ganze Ebenen (es war Frühling): rot bis zu den Bergen hin. Die Erde gelb anderswo, eine Wüste fast. Hie und da ein flammender Marmor, schräg, ohne eine Erklärung. Am Morgen ein glutrotes Leuchten über diesen Bergen, in der Nacht noch lange eine violette Erinnerung an die verschwundene Sonne. Tagsüber war sie so grell, dass ich auch mit fest zugepressten Augen nicht zu ihr hochzusehen wagte. *Diese* Sonne konnte mich erblinden lassen. Einmal sah ich, es war nach Mitternacht, hinter Tempelsäulen einen vollen Mond, vor dem Eulen flogen: Wir waren in Athen. Die Reinheit von Kap Sounion: Stein vor einem klaren Himmel, und unten das Meer, dessen Wellen gegen das Ufer gischteten. In Delphi war ich der einzige Besucher und glaubte, die Göttinnen und Faune hinter den Ginsterbüschen tanzen zu sehen. Über mir jene Felswand, über die die Unbotmäßigen einst gestürzt worden waren. (Wer Wert auf seine Würde legte, sprang von selbst.) Ich suchte nach Gebeinen zwischen den Marmortrümmern, erfolglos. – Nafplion war die Ausnahme im griechischen Licht: eine dumpfbraune Festung, die es fraß, statt es zurückzuspiegeln. Ohne Trost. Epidavros aber war lichtüberflutet. Ich hockte oben auf den höchsten Rängen, und fern weit unten auf der Bühne klatschte einer in die Hände, und ich hörte ihn, als stünde er direkt vor mir. Der Eukalyptushain, das Licht tanzte auf dem Fußweg. Grillen zirpten. (Die Grillen! Sie setzten am Abend alle gleichzeitig mit ihrem Gesäge ein, hörten irgendwann in der Nacht auch alle zusammen auf; was sagte ihnen, dass es Zeit war?) Der Parnass: auf seinen Gipfelhöhen lag noch Schnee, und tatsächlich fuhren ein paar Menschen Ski. Mykene dann war wieder heiß, leer, als sei es ein versteinertes Untier auf dem Weg zum Meer. Ich tat die Hände auf den Stein einer Palastpforte und war mir, in jenem erhabenen Augenblick, sicher, dass einst die Hände Klytämnestras da gelegen hatten, genau da, wo nun meine waren, gewiss auch die Agamemnons, ganz zu schweigen von denen von Aigisthos, die voller Blut gewesen waren. Sie waren weg, aber der Stein war immer noch da, rauh, warm. – Der Retsinawein goldgelb, die Fische nassgrau, die alten Frauen schwarz, die Schiffe rostrot: Farben, Farben. Nie hatte ich eine farbigere Welt gesehen. Sogar die Autobusse leuchteten blau, und bei allen war über der Frontscheibe das gleiche Fahrtziel angeschrieben: ATHINAI. Als ob alle Busse immer nach Athen führen. Das taten sie natürlich nicht; andrerseits kehrten sie immer wieder einmal dahin zurück. Wieso also sollte sich der Fahrer die Mühe machen, an seiner Zielortsichtfensterkurbel zu drehen, wenn er, auf der Rückfahrt, doch wieder anschreiben musste, was jetzt schon zu lesen stand? Die Griechen wussten ja sowieso, dass dieser Bus nach Korinth oder Saloniki fuhr, und solche wie ich fragten eben den Fahrer, »Saloniki?«, »Korinthi?«, und der Fahrer schüttelte den Kopf, was ja bedeutete. (Griechenland besuchte ich dann noch viele Male. Bald mit May. Der Schweizerische Studenten-Reisedienst bezahlte mich zwar nicht für meine Tätigkeit – die gestrandeten Studenten; das Hotel in Paris; und ich schrieb auch den Katalog, hemmungslose Witze –, aber immer, wenn in einem Flugzeug ein Platz ungebucht blieb, bekam ich ihn. Egal, welche Destination. Ich wählte immer Athen. So brach ich oft von einer Minute auf die andere auf, immer mit einer der beiden Maschinen der Globe Air, unserer Vertragsgesellschaft, entweder mit einer betagten Metropolitan, die den Flug nur mit einem Tank-stopp in Rom schaffte, oder mit der steinalten Britannia, die Athen nonstop zu erreichen imstande war und später vor Nikosia abstürzte, mit dem Piloten am Steuer, der auch mich geflogen hatte, und mit 126 jungen Passagieren an Bord. Ein Gewitter, kein Sprit mehr. Es stellte sich heraus, dass der Pilot keine für die Britannia gültige Lizenz hatte. Er hatte sie schon zu meiner Zeit nicht gehabt, flog sie aber anstandslos. Wir plauderten manchmal zusammen, und einmal, nach einem bewegten Flug, winkte er mir nach der Landung und zeigte mir den Bug der Maschine, in den die Körner eines Hagelsturms Hunderte von Dellen geschlagen hatten.)

ICH weiß nicht, warum ich Naxos wählte, als ich die Inseln der Kykladen besuchte. Wohl einfach, weil das nächste Schiff, das auslief, nach Naxos fuhr. Es war die ›Despina‹, eine schwimmende Legende schon damals, die gewiss seit dem Peloponnesischen Krieg die Route nach Mykonos, Pa-ros, Naxos, Santorini und Rhodos befuhr. Hin und zurück, treu wie ein See-Esel. Sie war das rostigste aller griechischen Rostschiffe, und tatsächlich wurde sie später, als eine Fähre nach Kreta – die ›Hiraklion‹ – in einem Sturm untergegangen war, aus dem Verkehr gezogen, ein Sühneopfer der Behörden, die nach dem Desaster *irgendeine* radikal aussehende Maßnahme ergreifen mussten. Ohne den Untergang der Hiraklion – viele Tote – würde die Despina heute noch von Insel zu Insel schippern, oder sie wäre einmal, bei ruhiger See, auf einen Schlag zerbröselt und mit Mann und Maus geräuschlos im Wasser der Ägäis verschwunden. – Ich kaufte ein Ticket, das mich zum Aufenthalt auf dem Deck berechtigte (es gab auch regelrechte Kabinen), und richtete es mir zwischen vielen Griechen ein, die ebenfalls auf die billigste Art fuhren und sich alle vor dem Meer zu fürchten schienen, denn sie klumpten sich am wasserfernsten Ort in der Mitte des Oberdecks zusammen. Ich stand im Bug, hielt mich an der Reling fest und ließ mich von der Salzgischt besprühen, heroisch wie eine Bugsprietfigur. Wir fuhren stundenlang die Küste entlang, einem fernen weißen Band. Die Sonne ging unter, und nun gab es nur noch das Meer. Irgendwann einmal gesellte sich ein etwa zwölfjähriges Mädchen zu mir, das ein glasklares Französisch sprach und in Naxos zu Hause war. (Ja, sie war es, die mich zur Entscheidung brachte, nicht schon in Paros auszusteigen.) Sie sagte, sie habe dieses Glockenfranzösisch in der Klosterschule gelernt, bei Nonnen aus Frankreich, alle in Naxos – jedenfalls die, die diese Schule besucht hätten – sprächen ein Französisch wie sie; was nicht stimmte, denn nun trat ihr Bruder zu uns – er war einige Jahre älter als sie, fast schon so alt wie ich – und radebrechte eher als dass er zwitscherte. Beide waren die Kinder des Wirts des einzigen Hotels von Naxos, und der Junge sagte, bestimmt, als sei *er* der Boss, ich kriegte in seinem Haus ein Zimmer, und zwar das beste. Gute Nacht. – Das Zimmer war nicht das beste, oder vielleicht doch, denn es war das hinterste von drei Schlafzimmern, und ich konnte es nur betreten, wenn ich zuerst durch die beiden andern ging. Mich irritierte das wohl mehr als die Bewohner dieser Zimmer. Eine Italienerin, die tagsüber auf der Terrasse saß und ein Buch nach dem andern weglas, und ein Paar aus Paris. Sie waren längst gewohnt, dass da einer anklopfte oder auch nicht und durchs Zimmer huschte. Ich klopfte natürlich, aber ich wusste nie, ob ich grüßen sollte, wenn die Italienerin oder das Paar oder alle drei schon im Bett lagen. Das Paar wartete offenkundig, wenn es sich lieben wollte, bis ich in meinem Zimmer war; denn während ich einzuschlafen versuchte, hörte ich die Frau maunzen. – Ich stiefelte auf der Insel herum, besuchte jeden Abend einen kleinen Tempel, der hoch über dem Meer stand und von dem das Mädchen mir erzählt hatte, dass sich da kürzlich erst die Erde aufgetan und ein paar Schafe verschlungen habe. Ich wanderte auch zu einem von hohen Gräsern zugewachsenen, am Boden liegenden Steingiganten aus namenlosen Vorzeiten und badete einmal fernab aller Häuser an einem steilen Strand, dessen Kiesel und Uferfelsen so glitschig waren, dass ich kaum mehr aus dem Wasser kam. Ein andermal saß ich im einzigen Kafeneion am Hafen, trank einen Wein oder auch zwei und diskutierte bis nach Mitternacht mit einem jungen Mann, dessen ganzer nichtgriechischer Wortschatz das Wort *Citroën* war. Ich sagte es, er sagte es auch, wir freuten uns, sagten wieder und noch einmal *Citroën* und ja ja und gut gut, *Citroën, ohh!, ahh!*, und er dachte vielleicht, dass ich bei Citroën arbeitete, oder auch nur, dass der Citroën ein ganz tolles Auto war. (Als ich in jener Nacht nach Hause kam, schliefen meine Zimmernachbarn, alle drei, die Italienerin leise schnarchelnd.) – Der Sohn des Wirts war nun zuweilen auch dabei. Er konnte dolmetschen (seine kleine Schwester blieb verschwunden; vielleicht war sie wieder in den Klauen ihrer Nonnen) und machte mich mit seinen Kumpels bekannt. Ich ging mit ihnen – auch ein paar Frauen waren dabei, Mädchen eher noch – zum Strand, wir Männer badeten in Unterhosen, die Frauen in ihren Gewändern, die dann an ihnen klebten, als seien sie eine nasse Haut. Nach einem Bad, das dann das letzte wurde, gingen wir, die ganze Bande, albern und lachend ins Dorf zurück, klatschnass alle immer noch, und neben mir ging eine junge Frau mit einem runden Gesicht, nicht hübsch, nicht wüst. Nasse Haarsträhnen. Plötzlich fasste sie meine Hand. Ich sah sie an, aber sie richtete ihre Augen vor sich auf den Boden. Sie drückte meine Hand mit aller Kraft, und ich hielt ihre eine Sekunde lang in meiner, verblüfft, drückte sie auch und ließ sie dann los. Hinter mir verstummte der Sohn des Wirts, der bis dahin mit einem Freund Witze gerissen hatte. Ich sah ihn an, und er schaute zurück, ohne zu lächeln. Bis ins Dorf sagte niemand mehr ein Wort. Die Frau mit dem runden Gesicht verschwand in einer Gasse, ohne mich noch einmal anzusehen. – Irgendwie war jäh alles anders. Eine Art Gefahr lag in der Luft. Der Sohn des Wirts sah mich prüfend an, sogar der Wirt, als wisse er Bescheid. Just am nächsten Morgen kam die Despina in den Hafen, und also packte ich, während sie schon näher tutete, in einem jähen Entschluss meine Siebensachen, bezahlte und verabschiedete mich. (Eigentlich hatte ich noch so was wie eine Woche bleiben wollen.) Der Wirt lachte nun wieder, das Pariser Paar gab mir die Hand, und die Italienerin küsste mich sogar. Der Sohn des Wirts allerdings begleitete mich zum Hafen, das schon, sagte aber kein Wort. Die Burschen der Badebande waren alle auch da, aber für einen Abschied blieb nicht viel Zeit; die Despina war drauf und dran abzulegen. Ich ging an Bord und stellte mich an die Reling. Jetzt, plötzlich, stand auch die Frau am Quai, abseits. Sie war die Einzige, die nicht winkte, als das Schiff sich von der Mauer löste. Aber auch nachdem die übrige Gruppe, zu fernen Schatten geworden, sich längst verkrümelt hatte, stand sie, ein bewegungsloser Punkt, immer noch am Quai. Ich hob eine Hand. Naxos wurde klein und kleiner und verschwand endlich im Meer. (Ich stand jetzt im Heck.) Paros, Mykonos, Piräus: das Ganze retour. Die Maschine der Globe Air hatte immer noch die fünf Stunden Verspätung, die sie seit dem ersten Tag der Saison mit sich schleppte. Ich flog nach Basel zurück und fuhr noch in derselben Nacht nach Paris, wo ich mich allmählich daran machte, meine Zelte abzubrechen. Nach ein paar Tagen erhielt ich einen Brief. Die Frau schrieb mir, *mon éternel amour, mon fiancé*, dass sie auf mich warten würde ihr ganzes Leben lang, *mon adoré maître*.

ES hat etwas Pathetisches, zu spüren – das Schreiben von den frühen Tagen löst jetzt dieses Gefühl in mir aus –, dass ich, auch ich, das unerbittliche Gesetz der Menschen erfülle. Auch ich brach, wie jeder und jede, einst kraftvoll ins Leben auf, lebte es und heimse heute, da die Kräfte nachlassen, den einzigen Gewinn ein, den das Altwerden dir bieten kann: zu fühlen, dass du das Leben tatsächlich *gelebt* hast. Nicht als Luftschloss, von einem Schimärenzimmer ins andere stolpernd, sondern so lustvoll wie möglich und so schmerzhaft wie nötig. Es ist nahezu vorbei, das Leben, aber es war und ist immer noch. Hier, konkret, jetzt. Ich *war* jung, ich *bin* alt. Die Erkenntnis, notwendig einem Gesetz unterworfen zu sein, das keine Ausnahmen kennt, schenkt mir in kostbaren Augenblicken ein Gefühl des Glücks. Ich auch, wie alle. Es kann ja sein, dass ich vom Leben einst die eine oder andere Extrawurst gefordert habe; ein Spiel, man kann's ja mal versuchen. Und manchmal legte mir dieses Leben tatsächlich einen Wurstzipfel auf die Türschwelle. (*Vieillir, ça fait quand même chier*, sagt May zu mir, eben jetzt gerade.)

MAY lernte ich so kennen: Ich klopfte an ihre Tür. Diese öffnete sich. Und da stand sie: mit einem braun – *tief*-braun! – gebrannten Gesicht, blauen Augen, langen hellen Haaren. Sie trug (es war Hochsommer!) einen Rollkragenpullover, der noch blauer als ihre Augen war, und Jeans. Sie gab mir die Hand, ja, und die habe ich nun neunundvierzig Jahre lang nicht mehr losgelassen. Jetzt, beim ersten Mal, löste ich meine Hand noch einmal aus ihrer, oder sie zog ihre zurück. Sie lachte. (Es war übrigens das einzige Mal, dass sie braun wie eine war, die ihr Leben an Stränden verbrachte. Sie hatte auch damals schon eine eher britische

Haut und hatte just in diesem einen Sommer – wo?, im Schwimmbad? – alles dafür getan, auch einmal wie eine Sonnenanbeterin auszusehen. Es war ihr toll gelungen.) Sie trug ihre Reisetasche bereits in ihrer andern Hand, trat in den Korridor hinaus, verriegelte die Tür mit einem Schlüssel, der so groß wie in Hänsel und Gretels Zeiten war, und wir gingen – klar, dass ich ihre Tasche trug – nebeneinander den steilen Schotterweg hinunter, der von ihrer Haustür zur Straße führte. Ich sagte etwas, und sie antwortete, oder umgekehrt. Jedenfalls sprachen wir französisch, sie wie ein glockenhell fließender Bergbach, ich wie der Ochs aus der deutschen Schweiz, der ich ja auch war.

Dass ich an Mays Tür klopfte, kam so: Nora hatte einige Wochen als *fille au pair* bei reichen Leuten in einer Villa in der Nähe von Saint-Tropez verbracht – sie hatte die Kinder der Herrin des Hauses gehütet – und mit ihrem Freund von damals verabredet, dass er sie nach ihrem letzten Arbeitstag mit seinem Auto abholte. Dieser Freund war auch mein Freund – er war in der Schule mein Banknachbar gewesen – und hieß für alle und jeden Bummi, auch für Nora. Sein richtiger Name war Karl Heinz, Karl Heinz Baumgartner, aber Karl Heinz, das brachte seine eigene Mutter kaum über die Lippen. Und zudem hießen und heißen in Basel *alle* Baumgartner Bummi. – Auch May hatte zu Nora gesagt, sie hätte Lust, zwei, drei Tage im Süden zu verbringen, und ob sie mit diesem Bummi mitfahren könne. Von mir wusste sie da noch nichts, von ihrem Schicksal. Nora sagte es Bummi, mit dem inzwischen *ich* verabredet hatte, seinen Transport ebenfalls zu nutzen, um ein bisschen zwischen den Pinien des *midi* herumzustreunen. (May war die beste

Freundin von Nora. Auch sie studierte in Genf, ebenfalls bei Piaget, wohnte allerdings, weil sie da eine Arbeit hatte, in Lausanne, in einem Abbruchhaus voller Gefahren – Böden brachen ein, Heizöfen explodierten –, das ich eben als eine paradiesische Idylle wahrzunehmen begann, als einen von Rosen zugewachsenen Palast, denn tatsächlich hatten die Bewohner der 14, Rue de la Barre ihren einstürzenden Altbau mit so viel Kletterrosen umgeben, dass diese die Mauern aufrecht hielten und nicht umgekehrt.)

Ich hatte also – das habe ich, glaube ich, schon gesagt – an Mays Tür geklopft und stand nun mit der Lockerheit eines erfahrenen Weltenbummlers gegen den Türrahmen gelehnt. Noch nicht habe ich gesagt, *wie* überwältigend sie war, als sie die Tür auftat, und auch nicht, dass sie irgendwie – sie, die das weiblichste aller weiblichen Wesen war und ist – wie ein Bub aussah. Vielleicht wegen der Haare, die sie – ja, so war es – gar nicht offen trug wie am gleichen Abend noch, sondern zu einem Rossschwanz zusammengebunden hatte. Vielleicht wegen der Jeans. Wahrscheinlich aber, weil sie so resolut war, so gewiss. Ja, *sie* trug ihre Tasche den Schotterweg hinunter, nicht ich; eher hätte sie, hätte ich eine gehabt, *meine* Tasche auch noch getragen. Unten, auf der Straße, wartete Bummi neben seinem vw-Käfer, dessen Motor lief, als hätten wir keine Sekunde zu verlieren.

Wir quartierten May auf den Hintersitzen ein und plauderten auf unsern Vordersitzen sofort wieder in der uns eigenen Sprache, Baseldeutsch, obwohl wir ahnten, ja wussten, dass May kein Wort von unserm Gewitzele verstand. Hochdeutsch hätte allerdings auch nicht viel geholfen, denn es

stellte sich bald heraus, dass sie zwar ein Abitur mit einem
»Genügend« in Deutsch hatte, außer »guten Tag« und
»streng verboten« aber gar nichts zu sagen wusste. Das
reichte damals in der welschen Schweiz für ein Abitur.
(Heute spricht May besser hochdeutsch als ich. Sogar das
Schweizerdeutsche kriegt sie, wenn sie in parodistischer
Laune ist, tadellos hin.)

Wir fuhren südwärts, ohne Pause. Unterwegs packte
May drei Sandwiches aus, die sie in ihrer Küchenecke vorbereitet und mit Sardellen belegt hatte. Mit Sardellen! Wir
machten so viele Witze über Sardellen in Sandwiches, dass
May uns für die beiden blödesten Deppen zu halten begann, die ihr je begegnet waren. Zum Glück bemerkte ich
das noch, bevor ihr Gefühl chronisch wurde, und sprach
just im richtigen Moment doch noch französisch und nicht
mehr von Sardellen. Bummi allerdings juchzte unbeirrt vor
sich hin, »Sardellen!«, »In einem Sandwich!«, und hatte es
dann schwerer als ich, von seinem Image als ignoranter
Volldepp wieder wegzukommen. May und ich sprachen,
während Bummi immer noch in sich hineinschmunzelte
und das Auto auf Kurs hielt, von der Schönheit des Südens,
den wir eben jetzt erreichten und den auch May liebte wie
kaum etwas anderes. Wir kamen am späten Nachmittag in
Saint-Tropez an (wir sagten sogleich, obwohl wir noch nie
dort gewesen waren, »Saint-Trop«, wie alle Insider von damals) und fanden auch die Villa ohne Mühe. Nora, die das
Gegenteil einer Geographin war und ist, hatte uns trotz ihres Handicaps (sie hatte und hat keinerlei Vorstellung von
der bewohnten Welt außerhalb ihres Sichtfelds) eine absolut brauchbare Skizze des Hauses zugeschickt. In einem Pi-

nienwald, weiß, Bougainvilleen im Garten, mit einem blau-funkelnden Swimmingpool. Wir klingelten bei nur vier andern Villenbesitzern, die Pinien, Bougainvilleen, weiße Hausmauern und einen Pool hatten, und schon waren wir am richtigen Ort. Nora umarmte Bummi, May und mich, in dieser Reihenfolge. Wir gingen ins Haus, wo wir die Hausherrin begrüßten, die Mutter der eigentlichen Hausherrin, eine etwa sechzigjährige ledrig-braune Jugendliche in Jeans, die uns einen Tee (wir lehnten höflich ab) und ein Bad im Pool anbot (wir nahmen begeistert an) und zu Nora sagte: »*Les filles viendront dans dix minutes.*« Wir gingen, ohne die alte Jugendliche, zum Pool, und Nora erklärte uns, dass *les filles* die Tochter des Hauses (deren Kinder sie hütete) und Brigitte Bardot seien. Wir waren beeindruckt; BB war damals das Maß aller weiblichen Dinge. Wir zogen uns die Badehosen an, mit der Scheu und Scham von 1963, jeder hinter einem andern Oleander. May brauchte etwas länger als ich (ich sah sie hinter ihren Blumen herumfuhrwerken; ihr blauer Rollkragenpulli flatterte wie ein Vogel über dem Blütenbusch) und kam dann mit einem Badekleid zu uns hin, das genau so braun wie ihre Haut war. Ihre Haare waren jetzt offen und hingen weit über ihre Schultern hinab. Ich kriegte auf der Stelle einen Ständer. Sie sah es, und ich sah, dass sie es sah. Ich schämte mich – ich erkannte nicht, dass sie es als ein Kompliment verstand –, und sie tat auch nicht dergleichen und sprang mit einem Hechtsprung ins Wasser. Nora und Bummi taten es ihr nach. Ich brauchte ein paar Minuten, um mich zu beruhigen, und benutzte dann das Treppchen. Bald lachten und kreischten wir, als sei das *unser* Pool. – Als wir auf Liegestühlen und

Hollywoodschaukeln saßen und uns von der Abendsonne trocknen ließen, hörten wir das Schlagen von Autotüren. Frauenstimmen, Kindergelächter. Die Hausherrin, ihre Kinder, und vielleicht Brigitte Bardot. Bummi stand zwar auf und versuchte, über die Büsche zu lugen, aber Noras, Mays und meine Gleichgültigkeit – meine war gespielt; es juckte mich in allen Gliedern, es Bummi gleichzutun – zwangen ihn, auch so zu tun, als sei ihm die schönste Frau der damaligen Welt egal. Er hatte ja Nora! Bald auch fuhr das unsichtbar gebliebene Auto wieder weg, und dann kamen die Kinder, zwei Mädchen, zu Nora hingestürmt, um Abschied zu nehmen.

Wir schliefen diese Nacht auf dem Campingplatz, May und Nora in Bummis Zelt, Bummi und ich in meinem. (Es war immer noch der *Spatz 50*. Jenes Zelt, das ich Georges Blin empfohlen hatte. Wenn er mich *jetzt* gesehen hätte!) Am nächsten Tag fuhren wir nach Marseille. Nun saßen Bummi und Nora vorn, und ich war mit May auf den Hintersitzen. Jetzt sprach ich doch französisch. In Marseille stellten wir die Zelte erneut auf, nicht *allzu* nah voneinander entfernt, und wie zufällig ließen wir, bevor wir essen gingen, unsere Schlafsachen im Auto, als hätten wir alle vier noch nicht entschieden, wer in welchem Zelt schlafen würde. Wir fanden ein Restaurant am alten Hafen, nah am Wasser, das nach fernen Welten roch. Aßen *moules*, oder war es doch eine Bouillabaisse? Gewiss tranken wir ein paar Gläser Rotwein. Danach schlenderten wir den Quai entlang – ein Schiff neben dem andern –, ich neben May, Nora mit Bummi. Bald waren Nora und Bummi weit voraus – sie plauderten artig –, weil May und ich uns küssten. Wir küssten uns so ununterbrochen, dass ich mich an den *ersten* Kuss nicht zu erinnern vermag. Oder eher noch, all die Küsse waren ein einziger erster Kuss. Man kann durchaus Mund auf Mund vorwärtsgehen, etwas torkelig halt. Bummi und Nora warteten endlich doch auf uns. Wir lachten und gingen nun Hand in Hand. (Ich kannte den Witz, den man auf Englisch erzählen muss, der mit *hand in hand* beginnt und dessen Pointe erneut *hand in hand* ist, noch nicht und hätte ihn wohl, in diesen wunderbaren Minuten, May nicht erzählt, hätte ich ihn gekannt.) Wir sahen in der Ferne eine Lichtreklame blinken, »La licorne«, mit einem neonleuchtenden Pfeil, der uns in einen Keller verwies, den Keller eines Neubaus, an dem noch die Gerüste standen. Das Lokal, schummrig wie erwartet, war völlig leer, wenn wir von einem einzigen Kellner absahen, einem Algerier oder Tunesier, der uns sofort mit einem Eifer an einen Tisch geleitete, als habe er diesen eigens für uns den ganzen Abend lang freigehalten. Er empfahl uns ein Getränk, das eine Spezialität des Hauses war, grün leuchtete und das wir begeistert tranken. Musik aus einer Juke-Box. Wir tanzten, May und ich, und wurden bälder als bald jenes Tier mit den vier Beinen, von dem die Bücher künden, aufrecht noch, immer weniger aufrecht, und immer bewegungsloser. Dass wir nicht unter einen der Tische fielen und gänzlich zu jenem Vierfüßler, so wie ihn alle kennen, wurden, war ein Wunder. Bummi und Nora, keine Ahnung, was sie taten in der Zeit. Auch tanzen vermutlich, trinken und staunen, was aus Freundin, Freund und Bruder in so kurzer Zeit wurde. – Auf dem Campingplatz war klar, wer in welchem Zelt schlief. (Ja, auf der Rückfahrt – damals war das Betrunken-Autofahren ein Kavaliersdelikt – bemerkte Bummi, dass der Kilometerzähler seines vw punktgenau sein Geburtsdatum anzeigte, 120838 Kilometer, oder so was, und er war am 12. August 1938 geboren, oder so ähnlich. Er stand auf die Bremse und staunte minutenlang das numerische Wunder an. Nora staunte mit. May und ich, die wir von hinten die Kilometeranzeige sowieso nicht sahen, hatten jede Zeit der Welt, die im Mondlicht schimmernde Lagune zu bewundern. Schwarze Fischerkähne. Ein Himmel voller Sterne. Und immer noch der juchzende Bummi, der das Wunder seiner Geburt und dass sein Auto das dokumentierte, noch immer nicht fassen konnte.) – Auch über dem Campingplatz schien der Mond, so voll, wie er das nur konnte. Nora und Bummi krochen ins Zelt, und wir auch.

Am Abend des nächsten Tags – wir waren in der Camargue herumgefahren und hatten die Stiere und Flamingos bewundert – musste May schon wieder nach Hause, nach Lausanne, zu ihrer Arbeit. (Sie war am *Office médico-pédagogique* angestellt und praktizierte eine Heilmethode, die *psychothérapie de la motricité* hieß und von der ich nur verstand, dass es darum ging, verhaltensgestörte Kinder durch so etwas wie ein therapeutisches Turnen zu heilen.) Wir begleiteten sie bis zum Bahnhof von Avignon. Auch Bummi und Nora, mehr ein Liebespaar als zu Beginn, kamen auf den Bahnsteig. Der Zug fuhr ein. Ich küsste May, die mich zurückküsste. Ein Kuss auch, ein anderer, für Nora und Bummi. Ich habe keine Ahnung, warum ich nicht, wenigstens dieses eine Mal, dem Vorbild meines Vaters folgte und auch in den Zug stieg. Er hatte das größere

Risiko auf sich genommen, er hatte nicht gewusst, ob seine Angebetete ihm ein Lager an ihrer Seite gewähren würde. May hätte, ganz gewiss. Aber nein. Ich blieb in Avignon. Ich habe vergessen, was ich an den folgenden Tagen trieb. Jedenfalls fuhr ich nicht mit Bummi und Nora mit; ich wollte nicht das dritte Rad am Wagen sein. Ich glaube, ich fuhr mit dem Bus zu den Cézanne-Bergen. Weiße Felsen, ginsterübersäte Wiesen. Am nächsten Abend jedenfalls saß ich ganz allein vor dem Café des deux garçons in Aix-en-Provence, und mir dämmerte, ein Bier trinkend, dass ich ein großes Kamel war, ein trotzdem glücksdurchströmtes Kamel, und statt im ›Deux garçons‹ in Aix in Lausanne hätte sitzen können, in Ouchy, am See, mit May.

MIR wurde klar, dass ich mein Studium abschließen musste. Ich hatte keine Freude mehr daran, in der Bibliothek zu sitzen und – für meine Dissertation – ein Buch nach dem andern zu exzerpieren. (Das tat ich, nach alter Art, mit einer Füllfeder auf unlinierte Karteikarten, die ich nach einer Ordnung in Karteikästen ablegte, die weder durchdacht noch konsequent war.) Ich hatte, was ich hatte, und das musste genügen. Ich musste mich einfach auf meinen Hosenboden setzen und durfte erst wieder aufstehen, wenn ich den Punkt hinter den letzten Satz gesetzt hatte. Ich hatte noch keine Zeile geschrieben. Aber ich hatte die Zettelkästen voller Notizen, Auszüge aus Büchern, Querverweise. Schlaue Gedanken zum Thema. Gott sei Dank hatte ich so etwas wie die Deutungshoheit über meinen Stoff, weil ich über etwas schrieb, worüber noch keiner geschrieben hatte. Ich konnte meinen Claim ganz allein abstecken. Es ging darum zu erforschen, ob die Sprache des Faschismus einen Einfluss auf die Literatur der jungen Autoren nach 1945 gehabt hatte, und wenn ja, welchen. Dabei kam heraus, dass der Einfluss ganz erheblich gewesen war. Verheerend. Heinrich Böll oder Alfred Andersch oder Wolfdietrich Schnurre oder Wolfgang Borchert wirkten wie Sprachverwundete, denen es schwerfiel, ihre programmatischen Vorgaben (»Kahlschlag«, »Stunde Null«) zu erfüllen. Und die waren die Besten! Um wie viel mehr waren die andern aus der Bahn geworfen worden. Ich hatte, um das herauszukriegen, so ziemlich alle literarisch gemeinten Bücher gelesen, die – von Debütanten; nicht von den Alten, die ihre Sprachwurzeln noch in der Zeit vor 1933 geschlagen hatten – zwischen 1945 und 1948 geschrieben worden waren. Es waren zwar viele, und viele waren unerträglich öde und verquast. Aber es war zu machen, *so* viele waren es nun auch wieder nicht.

Meine Materialien lagen inzwischen allerdings auf meinem Schreibtisch herum, ohne dass ich viel daran tat, denn ich verbrachte die meiste Zeit mit Schulegeben – verdiente Geld! –, als Französischlehrer am Realgymnasium, an dem ich vor einer Handvoll Jahren selber noch zur Schule gegangen und wo mein Vater immer noch tätig war. (Er war krankgeschrieben; er *war* krank; ich erbte eine seiner Klassen; er wurde bald frühpensioniert.) Es waren jene Jahre, da der Lehrermangel so akut war, dass an jedem halbwegs sprachfähigen fünftsemestrigen Studenten drei Schuldirektoren herumzerrten, um ihn in ihre Schule zu schleifen. So kam es, dass auch mich so ein Rektor, der des Realgymnasiums eben, Eduard Sieber, an einem frühesten Morgen anrief – er klang, als ob er kniend telefoniere – und mich anflehte, an seiner Schule einzuspringen, und zwar am besten *jetzt*. Er habe eine ganze Schülermeute im Haus, für die kein Lehrer da sei. Er nehme inzwischen jeden. Ich löffelte also mein Müsli fertig und fuhr in die Stadt und übernahm aus dem Stand so etwas wie ein volles Programm. Vierundzwanzig Wochenstunden. Ich wurde einer Abiturklasse vorgeworfen, deren Schüler kaum jünger als ich waren. Es ging eigentlich ganz gut, obwohl ich oft mit meiner Vorbereitung den Schülern *eine* Stunde voraus war. Ich hatte einige Mühe, mich von diesen jungen Männern abzugrenzen und sie nicht zu duzen. (Einmal, unverzeihlich!, sagte ich zu Herrn Muttenzer, er sei ein Arschloch, einesteils, weil er eines war, andrerseits aber gewiss auch, weil ich vergessen hatte, dass ich der *Lehrer* und nicht sein Kumpel war. Herr Muttenzer schoss in die Höhe und aus dem Schulzimmer hinaus und ging zum Rektor, jenem Eduard Sieber, der mir dann einen strengen Verweis erteilte.) Ich durfte dann nur die mündlichen Prüfungen nicht durchführen – nicht wegen Herrn Muttenzer; sondern weil ich ja gar keine Lehrberechtigung hatte – und war erleichtert, dass keiner meiner Schüler durchfiel. (Muttenzer, ein kluger Bursche, hatte eine exzellente Note.)

Ich studierte nun irgendwie im Laufschritt oder kaum mehr, weil mir der Zufall, bei dem wohl mein Vater die Finger im Spiel hatte, nach wenigen Wochen zu einem noch schöneren Job verhalf, den ich neben dem Schulegeben auch noch übernahm und der so berückend angenehm war, weil ich ihn, ganz wie ich wollte, groß oder klein gestalten konnte. Ich wurde nämlich Kulturkorrespondent der *Welt* für den Raum Schweiz. (War mein Chef Horst Eberhard Friedrich? Oder schon Walter de Haas?) Ich bekam ein Fixum von 500 Franken im Monat – viel Geld für mich – und konnte schreiben, was ich wollte, wann ich wollte, und vor allem: falls ich überhaupt wollte. Wenn ich einen Monat lang nichts berichtete, kamen die 500 Franken trotzdem, Herr Friedrich oder Herr de Haas, im fernen Berlin, waren nicht im Geringsten beunruhigt, denn sie konnten sich nicht vorstellen, dass in der Schweiz überhaupt je etwas geschah. Gar etwas Kulturelles. Es war ja auch wenig, wenigstens in meiner Wahrnehmung. Ich kann mich an eine Zuckmayer-Uraufführung in Luzern erinnern, sonst an nicht viel. Mein Engagement endete dann abrupt, als ich über den Literaturstreit zwischen Emil Staiger und Max Frisch berichtete, dessen Echo auch ohne mich bis in den deutschen Norden gedrungen war und bei dem, in meiner Darstellung, Emil Staiger nicht gut wegkam. (Dabei hatte der das gar nicht so wild gemeint. Er wollte einfach einmal so richtig losschimpfen über diese blöde neue Literatur voller Schmutzfinken.) Mein Artikel wurde nicht gedruckt, und ich war meine Stellung und die 500 Franken los.

Trotzdem hatte ich nun so viel Geld beisammen – zum ersten Mal in meinem Leben so viel! –, dass ich mir ein Auto kaufen konnte, einen gebrauchten himmelblauen 2CV, den ich auf Anhieb so liebte wie ich einst meine Vespa geliebt hatte. Im Winter sprang der Motor nur an, wenn ich ihn mit einer Handkurbel anwarf. Das brauchte Kraft, und ich kam ins Schwitzen, auch wenn die Atemluft klirrte. Bei den ersten drei oder vier Versuchen verendete der Motor

regelmäßig nach ein paar wenigen Zündversuchen, die wie
Schüsse aus einer Kapselpistole klangen. Endlich schaffte
ich es doch, ums Auto herumzurennen und mit meinem
rechten Fuß rechtzeitig zum Gaspedal zu kommen, um den
Motor an einem weiteren Verröcheln zu hindern. Ich bediente, zart wie ein Chirurg, mit einer Hand den Choke
und mit dem Fuß das Gas. Auch jetzt das Röcheln, Stottern, Zögern. Der Schweiß rann mir über die Augen. Aber
dann heulte der Motor auf! Als ob Nüsse vom Baum pras-
selten oder als ob einer Kieselsteine in einer Blechbüchse
schüttelte. Ich fuhr los und schaltete die Gänge schneidig.
Im Flachen kam ich auf glatte 80 km/h. Schon mit 70 löste
sich zuweilen – auch und gerade bei Regen! – das Verdeck
aus seiner Halterung und flatterte wie eine Fahne über dem
Auto. Jedes Mal erschrak ich entsetzlich, denn der 2 CV
klang jäh so, als habe er eben die Schallmauer durchbro-
chen. Ich hielt an – jeder, der mich sah, lachte herzlich –
und befestigte die Dachplane erneut. – Auch hatte mein
2 CV, wie alle Döschwos, Seitenfenster, die sich nach oben
klappen ließen und an der Dachkante in zwei Gummila-
schen einrasteten. Das war wunderbar, ich fuhr, wie alle
2 CV-Fahrer, immer – oder jedenfalls im Sommer – mit einem offenen Fenster und legte den linken Ellbogen auf den
Fensterrand. Allerdings hatte das Fenster die Neigung –
ausgeleierte Laschen, lasche Nippel –, sich unvermittelt aus
der Halterung zu lösen und nach unten zu krachen, auf
meinen Ellbogen, der ein schmerzempfindlicher Teil meines Körpers war. Ich heulte auf und fuhr ein paar hundert Meter blind, weil ich Tränen in den Augen hatte. –
Die Scheibenwischer liefen nur, wenn sich die Räder dreh-

ten, und rührten sich nicht von der Stelle, wenn das Auto stand. Auch wenn Regenfluten gegen die Windschutzscheibe schlugen.

In dieses Auto packte ich alle meine Dissertationsmaterialien und fuhr (einmal mehr) in die Provence, nach Gordes oder in die Nähe von Gordes, zu einem Haus, das Otto F. Walter gehörte (in ein paar Minuten erzähle ich von ihm) und wie ein Adlerhorst über einer Felswand stand. Ein Abgrund gleich neben der Haustür; und keinerlei Abschrankung. Ich richtete mich in dem beinah möbellosen Haus ein (ein einziger Raum mit einem Kochherd, einem Tisch, vier Stühlen, einer Matratze auf einem Schragen). Mauern aus Steinen, deren Quader auch von innen zu sehen waren. Es gab eine offenkundig neu gebaute schmale Empore aus Holz, zu der ich mit Hilfe einer leitersteilen Treppe hochsteigen konnte. Ich hatte *zwei* Schreibmaschinen mitgenommen, die ich nebeneinander auf den Tisch stellte. Vor jede einen Stuhl. Die eine Maschine war für den eigentlichen Text zuständig, die andere für die Anmerkungen. Meine Spielregel war: Ich schreibe jeden Tag, möglichst 14 Stunden lang, und ich schreibe jede Seite nur einmal. *Ganz* hielt ich mein Konzept nicht durch; aber so ziemlich. So dass ich recht flott vorankam. – Rings um mich, über den ganzen Boden verteilt, meine Exzerpte. Ich arbeitete die Zettelkästen ab, in der gottgewollten Reihenfolge der dort eingeordneten Belege. – Jeden Morgen fuhr ich in die Ebene hinunter, nach Cavaillon, das mir behaglicher war als das malerische Gordes. In Cavaillon war immer ein Heidenbetrieb, und es war nicht so herausgeputzt. Ich trank einen Kaffee, aß ein Croissant, las den *Midi libre* und kaufte das

Essen für den Tag ein. Dann fuhr ich zu meiner Einsiedelei zurück. (Von diesen Rückfahrten den Berg hinauf ist mir – obwohl rein gar nichts Besonderes geschah – *ein* Bild gestochen scharf in Erinnerung. Zehn Sekunden Gedächtnisvideo. Immer wieder!, beim Einschlafen und auch mitten am Tag, jetzt natürlich!, sehe ich den linken Kotflügel des 2cv [himmelblau], ein Stück Straße [grau], die Böschung [grüne Provence-Büsche]. Ich fahre. Sonst nichts. [Doch: ich *weiß*, dass das die Straße nach Gordes ist.] Warum immer wieder dieses eine, nichtssagende Bild, wie eine Beschwörung? Weil es nach Sonne riecht, nach Glück, nach Freiheit?)

Einmal gab es ein Unwetter. Schon am Nachmittag wurde der Himmel schwärzer und schwarz, und bald begann es auf eine Weise zu regnen, die das Gewohnte übertraf. Der Fahrweg, der von der Straße zum Haus hinunterführte, verwandelte sich in einen Bach. Ich stürzte zum Auto und schaffte es, es durch das unvermutete Gegischte nach oben zu fahren. Während ich zurückging, selber tropfnass, wurde der Weg zu einem so reißenden Gewässer, dass ich mich an Büschen und Bäumen festhalten musste, um nicht mitgeschwemmt zu werden, über den flachen Felsvorplatz und die Kante des Abgrunds hinaus, in den die Fluten jetzt stürzten und der von unten her gewiss wie die Victoria-Fälle aussah. Im Haus stand das Wasser knöchelhoch. Meine losen Papiere schwammen wie Seerosen herum. Die Zettelkästen waren vollgelaufen. Ich watete panisch von da nach dort und sammelte meine Notizen ein. Ich trug sie, dann auch den schon geschriebenen Text – er hatte auf dem Tisch gelegen; war trocken – und die Schreibmaschinen auf die schmale Holzgalerie hinauf. Die Matratze ließ ich unten, sie war bereits voller Wasser. Ich hängte die losen Blätter über eine Wäscheleine, leerte die Zettelkästen aus und stellte sie nebeneinander. Die Papiere und Karteikarten sahen elend aus. Tintengeschmier. Dann hockte ich da und sah zu, wie das Haus sich mehr und mehr mit Wasser füllte. Kniehoch, hüfthoch, brusthoch. Als es dunkel geworden war, fiel der Strom aus. Nun zeigte mir der Schein der Blitze den aktuellen Wasserstand. Der Regen toste aufs Dach, ein Donnerschlag nach dem andern. Ich glaube nicht, dass ich schlief; immerhin hatte ich, als ob ich die Sintflut hätte kommen sehen, gleich nach meiner Ankunft meinen Koffer mit den trockenen Kleidern auf die Galerie hochgestellt. So konnte ich wenigstens mein nasses Zeug loswerden. – Am nächsten Morgen, als das Tageslicht kam, hörte es auf zu regnen, und das Wasser begann abzulaufen. Ein Kochtopf schaukelte wie ein behäbiges Schiff zur Tür hin. Ein einzelnes Papier klebte an einem Tischbein; das, was auf ihm gestanden haben mochte, konnte keinen Eingang mehr in meine Dissertation finden, das sah ich auch von der Empore aus. Ich kletterte die Leiter hinunter und watete vors Haus. Steinbrocken überall, ein ganzer Olivenbaum lag quer über dem Felsplatz. Auf dem Fahrweg würde lange kein Auto mehr fahren; nicht einmal ein 2CV, der eigentlich keine Straßen benötigte. – Ich putzte einen Tag oder auch zwei Tage lang den Boden und die Wände. Schlamm, Dreck. Den Vorplatz räumte ich so gut es ging. Ich warf den Olivenbaum in den Abgrund, stückweise. (Eine Säge hatte Otto F.) Dann richtete ich mich wieder wie zuvor ein. Tisch, Stühle, die erste und die zweite Schreibmaschine. Die Zettel in ihren Kästen waren feucht, gewellt, klebten aneinander, aber ihre Beschriftung war zu lesen, so wie ein geübter Altertumsforscher auch einen verderbten Papyrus zu entziffern vermag. Die Papiere an der Wäscheleine waren trocken, auch sie wellig; mit einiger Phantasie und Chuzpe konnte ich durchaus erkennen, was auf ihnen stand. – Ich fuhr wieder jeden Morgen nach Cavaillon (das Auto hatte das Desaster unbeschadet überstanden); noch einige Tage lang war der *Midi libre* voll mit Berichten über die Folgen des Unwetters; auch die Ältesten konnten sich nicht erinnern, je ein solches erlebt zu haben. – Nach weiteren, sagen wir, zwei Wochen war ich fertig. Ich verriegelte das Haus, brachte den Schlüssel zum Bauern oben an der Straße, schleppte das heilige Manuskript und den übrigen Kram zum Auto hoch und fuhr, ohne auch nur einmal anzuhalten, nach Lausanne. May freute sich. An nächsten Morgen brach ich schon um sieben Uhr früh auf und langte noch vor Mittag bei Heinz Rupp an. Er freute sich auch und legte mein Werk auf einen Tisch, auf dem ein ganzer Stapel ähnlicher Manuskripte lag. Er las es aber bald und fand es sehr befriedigend. Walter Muschg, der es gegenlesen musste, war weniger angetan. Der Mittelwert ihrer Beurteilungen war ein Magna cum laude, womit ich hochzufrieden war.

Nach der mündlichen Prüfung ging ich nach Hause. (Ja, zuerst waren May, Nora und ich noch in der ›Harmonie‹ gewesen.) Ich öffnete die Tür zum Arbeitszimmer meines Vaters, steckte meinen Kopf durch den Türspalt und sagte, ich hätte eben die Doktorprüfung bestanden. Mein Vater hielt mit dem Schreiben inne, schaute mich an und sagte: »Na prima!« Dann tippte er weiter, und ich schloss die Tür.

DEN Tod meines Vaters habe ich so oft erzählt, dass ich ihn auswendig hersagen kann, Wort für Wort. Ich will hier nur festhalten, was ich wirklich erinnere. (Das *genau* Erinnerte schreibe ich kursiv.) – Meine Mutter und ich – und vielleicht auch Thomas? Oder war der Dritte Max? – wollten in den Cirkus Knie gehen (wir gingen dann auch), und als ich die Treppe aus meinem Dachstock herunterkam, gespornt und gestiefelt, trat mein Vater aus seinem Zimmer in den Korridor, blieb, sich am Türrahmen festhaltend, stehen *und sah mich mit großen Augen an.* Erschöpft? Panisch? Hilflos? Ich sagte vielleicht: »Geht's?« oder »Mach's gut, Papi!« Er jedenfalls *flüsterte: »Kannst du heute Abend hierbleiben?«* Ich sagte, aber Papa, das wisse er doch, wir hätten Karten für den Cirkus Knie. Mami warte unten. Ich sei ja sehr bald zurück, sicher vor elf. *Mein Vater schaute mich noch einmal mit diesen Augen an* und ging in sein Zimmer zurück. – Meine Mutter und ich – und Thomas oder Max – saßen dann im Zirkus, gewiss auf den billigsten Plätzen, weil wir immer auf den billigsten Plätzen saßen, und waren vor elf zurück. Meine Mutter blieb in der Küche. Ich stieg leise die Treppe hoch und legte das Ohr an die Tür meines Vaters. *Ich hörte gar nichts.* Er schlief wohl. Ich stieg in meinen zweiten Stock und ging auch zu Bett.

Am frühesten Morgen, es war noch dunkel, weckte mich ein Geräusch. Leise, kurz. *Als ob ein Ast bräche.* Obwohl ich, vermeintlich, im Tiefschlaf gelegen hatte, schnellte ich aus dem Bett und rannte los. Ich *wusste,* das war *das* Geräusch, das endgültige. Ich toste die Treppe hinab und war eine Sekunde später im Zimmer meines Vaters. *Er lag auf dem Boden des Badezimmers, im Pyjama, den Kopf schräg* zwischen dem Badewannenrand und der Wand einge-klemmt. (Das Badezimmer war winzig klein und konnte nur von Papis Zimmer aus betreten werden. Es war in der Tat so klein, dass die Beine meines Vaters ins Zimmer hin-einragten. Nackte Füße.) Er atmete *in unregelmäßigen Stö-ßen.* Dann und wann ein Gurgeln, ein kaum hörbarer Schrei. Ich sagte nichts, ich wusste, das war der Tod. Ich versuchte, meinen Vater aus seiner Lage zu befreien, zerrte an ihm, an den Beinen, an den Schultern. (Wir hatten kaum Platz, zu zweit, in dieser kastengroßen Badekammer.) Ich wollte vermeiden, dass der Kopf auf die Steinfliesen krachte; genau das geschah dann doch. Irgendwie schleifte ich den Vater in sein Zimmer hinüber. Er atmete nun nicht mehr. Ich wuchtete ihn aufs Bett. *Er war schwer, tonnenschwer.* Ich drehte ihn auf den Rücken. Ich glaube nicht, dass er friedlich aussah, so wie man das den Toten nachsagt. Er hatte ein gequältes Gesicht. Seine Augen starrten zur De-cke hoch. – *Jetzt war auch meine Mutter da,* die zu alarmie-ren ich keine Zeit gehabt oder vergessen hatte. Sie stand versteinert, in einem Nachthemd, *kreideweiß im Gesicht.* Ich stand auch. Dann bewegte sie sich doch und ging zum Bett und beugte sich über meinen Vater, ihren Mann, und schloss ihm die Augen. *Ohne ein Zögern, als ob sie das ir-gendwo gelernt habe.*

Ich ging indessen zum Telefon und wählte die Nummer von Doktor Bloch, mit dem sich mein Vater vor kurzer Zeit so gestritten hatte, dass ihm Doktor Bloch – ein Schatz von einem Menschen – erklärt hatte, er behandle ihn nicht mehr. – Nie mehr. (Ich habe keine Ahnung, was der Grund des Zerwürfnisses war. Ich habe, ohne jeden Anhaltspunkt, die Phantasie, mein Vater habe eine antisemitische Bemerkung gemacht.) Doktor Bloch, den ich offenkundig aus dem Tiefschlaf geweckt hatte, sagte denn auch einigermaßen unwirsch, er sei nicht mehr der Arzt meines Vaters und denke nicht daran zu kommen. Mein Vater wisse das ganz genau. »Bitte«, sagte ich. *»Es ist das letzte Mal.«* – Ein paar Minuten später war Doktor Bloch da. Auch er war, wie wir alle, im Pyjama. Trug einen Regenmantel, an den Füßen so etwas wie Hausschlappen. (Es war beinah schon Sommer. Der 18. Juni 1965.) Er untersuchte meinen Vater, wie, habe ich vergessen. Es brauchte keinen Arzt, um zu sehen, dass er tot war. Doktor Bloch füllte ein Papier aus. Dann gab er meiner Mutter und mir die Hand, nahm seine schwarze Ärztetasche und ging. Er kannte den Weg zur Haustür.

Der Rest des Tags ist mir kaum oder eigentlich gar nicht in Erinnerung. Überhaupt ist viel weißer Nebel um den Tod meines Papas herum. Vermutlich meldete ich diesen den zuständigen Behörden, kümmerte mich um die Todesanzeige und ging zu einem Bestatter – Matthys & Meyer? –, an dessen Verkaufsgespräch – ob dieser Sarg oder doch eher jener – ich mich undeutlich zu entsinnen vermag. – Ja, Werni Rihm rief ich auch an. Er war inzwischen Rektor des Realgymnasiums, in dessen Aula just am Abend des Todestags meines Vaters Ingeborg Bachmann lesen sollte (und auch las), die mein Vater hätte vorstellen wollen, so wie er das seit Jahren mit unzähligen andern Autoren getan hatte. Werni sagte Ingeborg Bachmann und dann – er übernahm die Vorstellung – den Zuhörern, dass mein Vater tot war. Ich ging nicht hin. Es sei eine schöne Lesung gewesen, eine ernste, sagte Werni später.

Ich weiß auch nicht mehr, was ich fühlte, und ob ich überhaupt etwas fühlte. Ich weiß nur, dass der Tod meines Vaters das irgendwann erwartbare Ende einer Krankheitszeit war, die vor Jahren schon begonnen hatte und während der mein Vater keinen Tag lang im Bett gelegen hatte. Er wollte uns – und sich selber – auf seinen nahen Tod durchaus aufmerksam machen. Aber wir nahmen die Botschaft nicht auf, wir wollten nicht verstehen, warum er sich und uns vier oder auch acht Mal pro Tag Johann Sebastian Bachs Kantate *Ich freue mich auf meinen Tod* vorspielte. – Er war immer kleiner geworden, immer gelber im Gesicht, und die tiefe senkrechte Stirnfalte, die zu Beginn nur hie und da angezeigt hatte, dass er kaum erträgliche Kopfschmerzen hatte, verschwand schließlich nie mehr. Er wuchs mit seinem Stuhl, seinem Tisch und seiner Schreibmaschine zusammen als seien sie *ein* Wesen. Einmal sagte er, er fühle sich, als sei er gehäutet worden; jede Berührung oder Bewegung schmerze ihn. Mich gemahnte er an eine Maus, die in der Falle saß. *»Ich lebe nicht mehr lange«*, das sagte er ein einziges Mal zu mir; gewiss mehr als ein Jahr vor seinem Tod. So dass ich es aufgab, seine oder eher meine Todesahnungen – die Bach-Kantate! – beim Wort zu nehmen. Deshalb auch der Zirkusbesuch, den ich mir bis heute übelnehme. Schuld. Meiner Mutter ging es vielleicht nicht anders. – Schwer zu sagen übrigens, was *genau* die Krankheit meines Vaters war. *Alles*, würde ich etwas vereinfachend sagen. Er hatte einen ganzen Haufen organischer Beschädigungen, deren Schmerzen sich vermischten. Chronische hämmernde Kopfschmerzen, die ihn jeden Morgen um vier Uhr weckten, am längsten schon. Neuralgien, Schwindelanfälle. In erster Linie aber wollte das Herz seine Arbeit kaum mehr verrichten, und die Nieren waren kaputt. Das hatte er selber bewerkstelligt, weil er, seiner Kopfschmerzen wegen, schaufelweise Schmerzmittel schluckte. Treupel, dessen Phenazetin ein erstklassiger Wirkstoff war, der den Nachteil hatte, die Nieren zu ruinieren. Mein Vater wusste das und ging mit sich selber eine Art Wette ein. Weniger Kopfweh gegen mehr Nierenschäden. Er probierte aus, wer länger durchhielt, der Kopf oder die Nieren. Es war der Kopf, oder auch nicht, denn die eigentliche Todesursache war ein Hirnschlag. – Viele, auch und gerade nahe Freunde, dachten erst, als er tatsächlich tot war, dass an seiner Erkrankung, die keiner so recht sehen wollte, doch etwas dran gewesen sein musste. Denn wenn etwas Stimulierendes um ihn herum geschah – ein anregendes Gespräch, ein guter Witz, der ihm erzählt wurde –, lebte mein Vater auf und verwandelte sich für eine Weile in beinah so etwas wie einen Gesunden. Als ich May zum ersten Mal nach Riehen brachte, ein, zwei Jahre vor seinem Tod, saßen wir im Wohnzimmer, mein Vater, May und ich. (Meine Mutter war in der Küche oder im Garten.) Dann ließ ich die beiden für eine halbe Stunde oder so allein – weil ich etwas Unaufschiebbares tun musste; einen Brief zum Kasten bringen, telefonieren; was weiß ich –, und als ich zurückkam, plauderte mein Vater aufs höchste angeregt mit May, selber verliebt in die Geliebte seines Sohns, in einem geläufigen Französisch. Er, der das Modell eines *stummen* Philologen war und den ich zuvor über Jahrzehnte hin keine zwei ganzen Sätze in der Sprache Voltaires hatte sprechen hören. Auch May war bester Laune und entzückt von diesem lebendigen Mann. Sie sprachen über Rimbaud und Baudelaire und die französischen Surrealisten, beide äußerst kundig. Sie versuchten gemeinsam und mit Erfolg, sich an ein Gedicht von Éluard zu erinnern. Ich setzte mich zu ihnen und schwieg. (Das war auch jenes erste Mal, als, am nächsten Morgen, meine Mutter, wie sie das gern und oft tat, ohne zu klopfen in mein Mansardenzimmer stürmte, wo ich mit May im Bett lag. Meine Mutter schaute May an und sagte: »Was tust du denn hier? Ich dachte, du bist die Freundin von Nora!«)

Auch von der Beerdigung weiß ich nur noch Undeutliches. Edi Sieber redete, und Peter Schulz, der einer seiner Schüler gewesen und jetzt Pfarrer war. Ich habe vergessen, was er sagte, es war jedenfalls das Richtige. Peter Schulz wusste, dass mein Vater zwar die Bibel in- und auswendig kannte – ein Erbe seiner frommen Eltern –, mit der Religion im Allgemeinen und der Kirche im Besonderen aber nichts am Hut hatte. – Viele Menschen. Manche, die ihn jahrelang nicht mehr gesehen hatten und trotzdem gekommen waren. Sogar Freunde aus Köln, Pforzheim und Berlin. Ich allerdings war wie ein Schlafwandler und nahm alles wie durch eine Milchglasscheibe wahr. Sprach mit dem oder jener, herzlich und dennoch so, als sei ich ein Geist.

Dass meine Mutter dann die Papiere ihres Manns einfach wegwarf, bemerkte ich gar nicht. Noch eine Schuld. Denn ich hätte sie daran hindern müssen. Mein Vater hatte über Jahrzehnte mit Gott und der Welt korrespondiert (mit Thomas Mann und Heinrich Böll). Er war so etwas wie der Letzte in seinem Zeitalter, das längst das Telefon entdeckt hatte, der noch altmodisch lange, intensive Briefe schrieb und oft genug auch solche erhielt. Ich bemerkte den Verlust erst später, zweiundzwanzig Jahre später, als ich, nach dem Tod meiner Mutter, das Haus leerräumte und mich jäh fragte, wo eigentlich all die Papiere meines Vaters geblieben waren. Da kam ich erst drauf: Meine Mutter hatte sie entsorgt. – Eines hatte ich gerettet. Es steckte in der Schreibmaschine, und der Text brach mitten im Text ab. Als ob der Tod ihn während des Schreibens erwischt hätte, obwohl er – wollte er ein weiteres Treupel schlucken? – den Weg ins Badezimmer noch geschafft hatte. Es war der Anfang einer Rezension von H. C. Artmanns *Verbarium*. Auch unmittelbar vor seinem Tod war mein Vater begeistert gewesen. Ich riss das Blatt aus der Maschine und steckte es in eine Tasche. Später gab ich es H. C. Artmann.

OTTO F. Walter: Alle dachten, er sei der Inhaber und Chef des Verlags, der seinen Namen trug. Das war er aber nicht. Sein Vater hatte zwar die Firma gegründet, deren Herz eine Druckerei war, aber er war längst schon tot, eine Legende, eine Patriarchenlegende, deren Schatten den jungen Otto F. auch noch verdunkelte, als ich ihn kennenlernte. *Ich* sah ihn gut und klar, aber die Oltener sahen noch viele Jahre lang hinter ihm, riesenmächtig, den Papa stehen. Ihm selber mochte das geschehen, wenn er in den Spiegel sah und hinter sich etwas Schwarzes sah.

Der Walter-Verlag war eine Aktiengesellschaft mit unzähligen Kleinaktionären. Auch Otto F. besaß ein paar von diesen Aktien, aber das änderte nichts daran, dass er ein Angestellter war, nicht einmal der entscheidungsberechtigte Verleger – der war Dr. Josef Rast –, sondern nur – »nur!« – der Leiter der literarischen Abteilung, die in den Augen der Direktion und auch der Oltener besseren Gesellschaft, der die Walters eigentlich angehörten, ein bizarres Anhängsel des eigentlichen Unternehmens war. Dieses publizierte Reiseführer, Bildbände aller Art, historische Schriften und, vor allen Dingen, Bücher, die sich mit Glaubensfragen auseinandersetzten, mit Fragen des katholischen Glaubens, denn die Walters waren alle profund gläubig und befolgten die Instruktionen des Papsts wortgenau. (Otto F.s Schwester, Silja, war eine Nonne.) Otto F., selber vom ererbten Gift aus Schuld und Sünde tief durchdrungen, war der Erste und Einzige, dem der Glauben abhandengekommen war. Das schwarze Schaf der Familie, das mir aber eher wie ein Panther vorkam, ein Raubtier in einer Zwangsjacke. Ursprünglich waren die Publikationen des Walter-Verlags orthodox und brav gewesen (»Gott lebt«), später dann, zu Otto F.s Zeit und auch zu meiner, trugen sie Titel, die durchaus auch »Lebt Gott?« heißen durften, solange sie die Frage – nach einigem theologischem Herumgedrucke – mit Ja beantworteten. – Die Druckerei war groß und druckte, neben den Büchern des Verlags, auch zwei hauseigene Wochenzeitschriften, den *Sonntag* und die *Woche*, von denen die erste lammfromm war, die zweite aber nicht ohne Erfolg versuchte, der *Schweizer Illustrierten* Konkurrenz zu machen.

Ich hatte auch und vornehmlich so viel Dampf gemacht, mein Studium abzuschließen, weil Otto F. mir schon Monate früher angeboten hatte, seine rechte Hand zu werden. (Er kannte meinen Vater, und wir hatten – Klaus Nonnenmann allen voran – gemeinsame Freunde.) *Darum* war ich im Frühjahr in Ottis Haus gegangen; und ich war mit diesem auf Anhieb so vertraut gewesen, weil ich es, vielleicht zwei Jahre vorher, schon einmal besucht hatte. Im Hochsommer damals, für einen Nachmittag und eine Nacht. Da war Otto F. noch mit seiner ersten Frau zusammen, mit Ruth. Wir schwatzten und plauderten und aßen und tranken, und dann schliefen wir alle drei in dem einzigen Raum, Ruth und Otto auf dem Schragen, ich auf einer Luftmatratze. Mitten in der Nacht ein schrecklicher Schrei. Ruth. Sie kreischte und wollte gar nicht mehr aufhören. Es war stockfinster. Otti und ich brauchten eine Weile, bis wir die Streichhölzer und die Kerze fanden. (Offenbar kam der elektrische Strom erst später.) Ruth stand starr im Bett, auf dem Bettschragen, in einem weißen Nachthemd, mit einem Gesicht, auf das sie beide Hände presste und das trotzdem schmerzverzerrt aussah. Sie schrie: »Da ist einer! Er hat mein Gesicht!« Sie schlang jetzt sogar die Arme um dieses Gesicht, von dem nun also gar nichts mehr zu sehen war. Wir riefen: »Wer denn?«, »Wo?«, »Wie?«, kriegten keine Antwort und kamen endlich zum Schluss, dass ein Siebenschläfer – eine plausiblere Erklärung fanden wir nicht, wenn wir die Existenz von Dämonen und Frauenschändern, die sich in Luft auflösten, ausschließen wollten – über Ruth hinweggerannt war, über ihr Gesicht. Wir legten uns wieder hin. Otto F. ließ die Kerze brennen, und irgendwann beruhigte sich auch Ruth, kroch unter ihre Wolldecke und schluchzte nur noch leise.

Otto F. sah, auch wenn er mich an eine gefesselte Raubkatze erinnerte, wie ein Bub aus, obwohl er, als ich in den

Verlag kam, beinah schon vierzig Jahre alt war. Er war immer in Eile, kam zu spät und ging, während er noch einen letzten Satz sagte, mit großen Schritten davon. Er sprach leise. Sein Gesicht war gerötet, als koche er innen. Er zündete sich eine Zigarette nach der andern an. Er wusste viel besser als ich über Bücher Bescheid – über die jedenfalls, die noch keiner kennen konnte, weil sie noch gar nicht veröffentlicht waren – und sagte mir trotzdem immer wieder, dass er furchtbar ungebildet sei. Sein philologisches Rüstzeug habe auf einem Fingernagel Platz. Deshalb brauche er mich. In der Tat waren andere Sprachen (Deutsch konnte er; und wie; er hatte damals schon zwei Romane geschrieben; Meisterwerke) nicht seine Stärke. Französisch ein bisschen, Englisch so lala, Italienisch null. Da war ich gewiss nützlich. Und ich konnte ihm akademischen Feuerschutz geben, wenn wieder einmal im Büro des Direktors – rings um den Tisch lauter *doctores* – eine Schlacht um einen Titel geschlagen werden musste.

Ich trat also an einem frühen Morgen (im Herbst 1965) meine Stelle in Olten an. Es lag ein solcher Nebel über dem Ort, dass ich, aus dem Bahnhof tretend, den Gebäudeklotz des Walter-Verlags nicht sah, obwohl er mächtig direkt gegenüber am Aareufer stand. Auch die Aare selber sah ich bei jenem ersten Mal nicht, als ich mich über die Brücke tastete, von verschatteten Möwen beobachtet, die eine neben der andern auf dem Brückengeländer saßen, bis zur Pforte des Verlags, die endlich aus dem weißen Gewaber auftauchte. Als ich die Klinke drückte, flogen sie auf, alle aufs Mal, und verschwanden kreischend im Nichts. Am Abend aber saßen sie wieder da und zeigten mir den Weg zum Zug. Immer den Möwen entlang. Morgen für Morgen, Abend für Abend.

Ich machte all das, was ein Lektor halt so macht. Ich las die Manuskripte, die unverlangt mit der Post kamen (kein Treffer, nicht einer), ich las die Bücher, die uns Gallimard, Knopf oder Feltrinelli zur Übersetzung vorschlugen, ich half, dass die Übersetzer keine Böcke schossen, ich las Fahnen, Revisionen, schrieb die Klappentexte oder trieb Pressetexte für die Rückseite auf: »*It's a knockout! New York Herald Tribune.*« Ich träumte auch den Albtraum aller Lektoren: Du hast alles sorgfältig bedacht, jede Einzelheit zehnmal kontrolliert, im letzten Augenblick noch einen Kommafehler auf der drittletzten Seite entdeckt, und endlich liegt das Werk vor dir, das erste von sieben- oder zehntausend Gleichen, die schon auf dem Weg in die Buchhandlungen sind: *und im Titel steht fett und unübersehbar ein Druckfehler.* Sagen wir, »Auf der Suche nach der verlogenen Zeit« statt »nach der verlorenen«. Es blieb ein Alb, er ist mir nie geschehen. – Ich hatte sogar eine Sekretärin, der ich meine Briefe diktierte. Ich diskutierte mit Otto F. über Bücher und Strategien, sie Herrn Dr. Rast schmackhaft zu machen, oft im ›Aarhof‹ beim Mittagessen, während ich das Menü 1 und er ein Cordon bleu aß. (Er bestellte *immer* ein Cordon bleu.) »Folgendes:«, sagte Otto, und dann sagte er es. Oder ich erzählte ihm, leise klagend, dass Ludwig Hohl angerufen habe und dass das Gespräch zwei Stunden gedauert habe. Otti lachte und sagte, ihn rufe Hohl mitten in der Nacht an, da sei ich noch gut bedient.

Einmal arbeitete ich sogar für die *Woche*. Diese hatte vom Fotografen Horst Tappe (das war der, der das berühmte Foto von Vladimir Nabokov mit dem Schmetterlingsnetz gemacht hatte) den Tipp erhalten, dass Ezra Pound – der sich in der Psychiatrischen Universitätsklinik in Basel aufhielt und von dem jeder wusste, dass er seit Menschengedenken kein Wort mehr gesprochen hatte – an dem und dem Tag das Grab von James Joyce in Zürich besuchen wollte. Die *Woche* beauftragte, wohl weil in ihrer Redaktion niemand Englisch konnte, mich damit, Horst Tappe, der – ein Paparazzo der vornehmeren Art – Bilder von diesem Ereignis schießen wollte, zu begleiten und, wenn immer möglich, mit Ezra Pound ein Interview zu machen. Ich weiß nicht, welcher Teufel mich ritt, ein paar Minuten lang dachte ich tatsächlich, dass ich das vielleicht hinkriegte. Ein Scoop, ein Knüller. Horst Tappe und ich standen also frühmorgens bei Nieselregen auf dem Bahnsteig in Basel, und tatsächlich tauchte Ezra Pound bald einmal auf, unverkennbar, mit kleinen Schritten zwischen zwei Begleitern gehend. Er war alt, ein Greis (er war 80 und sah aus wie 110), und als ich ihn sah, diese Erscheinung aus den Urzeiten der Erdgeschichte, war mir sofort klar, dass dieser Mann *nie* ein Wort sagte. Ein versteinertes Gesicht. Ich schämte mich in Grund und Boden, überhaupt hier auf dem Bahnsteig zu sein – peinlich, peinlich –, und sagte zu Horst Tappe, ich lasse ihn jetzt auf der Stelle allein, falls ihm immer noch danach sei, wie ein Undercover-Agent hinter Pound dreinzuschleichen. Wenn er das wolle, solle er das tun: aber ohne mich. Ich ging, an Pound vorbei, dem ins Gesicht zu schauen ich mich hütete, zum Ausgang. Horst Tappe allerdings ließ sich nicht abschütteln und folgte der kleinen Gruppe bis zum Friedhof Fluntern in

Zürich. Die *Woche* veröffentlichte ein oder zwei der Bilder. Pound, unendlich allein, neben dem Grabstein von Joyce.

Im Büro neben meinem saß André Ratti, ein kugelrunder, lebenspraller Mann, der für den Vertrieb und die Werbung zuständig war. Niemand konnte so gut telefonieren wie André. Wie er zum Hörer griff, die Nummer wählte – entschieden, klar, selbstgewiss! – und mit seinem unsichtbaren Gesprächspartner sekundenschnell in einem vollendet herzlichen Gespräch versank! Wie er, wenn das Telefon klingelte, den Hörer abhob – gelassen, eindeutig, bestimmt! – und »Rrrratti!« sagte! Niemand rollte das R wie André, und Gott hatte ihm den idealen Namen dafür gegeben. »Rrrratti!« (André Ratti wurde später – nicht *so* viel später – zum berühmtesten Homosexuellen der Schweiz. Er moderierte die Wissenschaftssendung des Schweizer Fernsehens und eröffnete die Sendung, von der er als Einziger wusste, dass sie seine letzte war, mit den Worten: »Ich heiße André Ratti. Ich bin schwul. Ich habe Aids.« Es war die Zeit, zu der wir andern noch kaum wussten, was das war. Das Wort HIV existierte noch gar nicht. André erklärte es uns. Alle Stufen des Sterbens, von denen er ein paar schon hinter sich und manche noch vor sich hatte. Ein paar Monate später war er tot.) – Mit ihm verstand ich mich so gut, dass wir sogar zusammen in die Sauna gingen. Ein guter Ort zum Plaudern. Er klärte mich über vieles im Verlag auf. Über Ungereimtes, das ich sah, mir aber nicht erklären konnte, und über manches, das ich noch gar nicht bemerkt hatte. *Wie* tief die Konflikte zwischen Otto F. und dem Rest der katholischen Welt waren – einer, der sich von seiner Frau scheiden lassen wollte: allein das war eine Ungeheuerlichkeit – und dass Otto nicht nur lichte, sondern auch schwarze Seiten hatte. Ich hatte natürlich mitbekommen, dass er zu einem Jähzorn neigte, der umso überrumpelnder war, als er ja immer (*beinah* immer eben) so leise sprach, dass ich mein Ohr zu ihm hinneigen musste. Aber plötzlich konnte er brüllen, dass die Mauern wackelten. (Ich war nie ein *Augen*zeuge; hörte ihn stets nur durch die Wand.) Von André erfuhr ich – er schien, so verstand ich ihn, mehr als einmal dabei gewesen zu sein –, dass Otto F. auch zu Hause brüllte, und zwar öfter als im Verlag, andauernd, und dass er mit seiner Frau in einer Art grob umging, die André beben machte. Seine Stimme zitterte vor Erregung. Ich glaubte ihm. André war, wenn um das Programm gerauft wurde, immer auf der Seite von Otto F.s Büchern.

Das Fass zum Überlaufen brachte Ernst Jandls *Laut und Luise*. Das war, in den Augen von Dr. Rast, wieder ein Buch von einem, den niemand kannte, dessen Texte ohne jeden Sinn waren beziehungsweise, wenn sie dann doch einen hatten, vor Blasphemien nicht zurückschreckten. Es gab ein langes Hin und Her zwischen Dr. Rast, Otto F. und Ernst Jandl. Briefe, Telefonate, Sitzungen. Aktennotizen, Otto F. war ein Meister der Aktennotiz. »Der guten Ordnung halber« hielt er fest, was der oder jener gesagt hatte. Er bewegte Ernst Jandl dazu, ein paar Kompromisse zu machen. (Jandl ließ ein Gedicht weg und veränderte ein zweites.) Endlich handelten Dr. Rast und Otto F. aus, dass *Laut und Luise* – heute ein Klassiker und Schullektüre – zwar erscheinen durfte, aber so, dass es niemand bemerken konnte. Das Buch durfte weder in der Programmvorschau noch in den Prospekten erwähnt werden. (So war es dann auch.) Auch wurde es vor den Mitgliedern des Verwaltungsrats versteckt, die sonst immer alle Bücher der Produktion erhielten. So sprachen alle von Jandl, nur von Jandl, wochenlang. Die Sekretärinnen, die Hersteller, der Mann im Lager, die Dame in der Telefonzentrale. Gewiss wusste bald auch der ganze Aufsichtsrat von diesem Geisterbuch, mehr als von allen andern Titeln. Einmal ging ich durch die Druckerei. Die Setzer drehten sich nach mir um, riefen »Jandl!?« und tippten sich mit den Zeigefingern gegen die Stirn. Ich lachte und rief auch »Jandl!«. Aber danach ging ich nicht mehr durch die Druckerei.

Bald darauf wurde Otto F. entlassen. Herr Dr. Rast bestellte mich in sein Büro und bot mir die Nachfolge an. Über das Gehalt würden wir uns gewiss einig werden. Ich schluckte leer und fragte mich – oder vielleicht sogar ihn? –, was ich falsch gemacht hatte, dass er so etwas überhaupt erwägen konnte. Ich kündigte. Otto F. und ich saßen dann ein letztes Mal im Aarhof, und Otto erzählte mir, dass er ein Angebot von Luchterhand habe und dass es ihm leidtue, mich nicht mitnehmen zu können. Auch mir tat es leid. Andrerseits war ich begeistert, von den Socken, als mich, ein paar Tage später, Siegfried Unseld anrief und mich fragte, ob ich in seinem Verlag arbeiten wolle. Ich sagte ja, ja gern. Wir trafen uns in seinem Büro im Suhrkamp-Haus am Grüneburgweg. Über mein Gehalt sei er mit sich einig, sagte er, 1200 Mark netto, den andern Lektoren zahle er ja kaum mehr, und das seien die Titanen der Branche. Ich solle nicht vergessen, dass im Tornister eines Lektors, der in seinem Verlag arbeite, ein Marschallstab stecke.

May und ich heirateten, nicht gerade überstürzt, aber doch so, als ob wir in den Krieg zögen, in ein fremdes Land, in dem es besser war, das Zusammenleben zu legalisieren. Unsere Hochzeitsreise – die »kleine«; die »große« folgte ein paar Monate später – führte uns von Basel nach Offenburg. Wir fuhren in meinem R4, der jetzt unser R4 geworden war (keine Gütertrennung) und bis unters Dach mit meinem Kram beladen war, denn ich musste und wollte gleich mit meiner Arbeit in Frankfurt anfangen, während May noch in Lausanne blieb, weil sie einen Job hatte, den sie nicht einfach hinschmeißen konnte. So standen wir also einmal mehr vor einem abfahrbereiten Zug und küssten uns. Wieder stieg ich nicht mit ihr ein. Diesmal wollten wir es beide so. Der Zug fuhr ab. Ich sah ihm nach, bis seine Schlusslichter nur noch ganz fern leuchteten, und ging zum R4.

DER Urknall rückt näher. Mein Urknall: ein kleiner für die Menschheit, ein großer für mich. – Ich hatte, von Basel aus noch, in Frankfurt eine Wohnung gemietet, im Blindflug sozusagen, beraten von ich weiß nicht mehr wem. Sie lag im Westend, an der Unterlindau 69. Als ich, nach dem Abschied in Offenburg, die Wohnung betrat, die mich schlüsselfertig und besenrein empfangen sollte, fand ich im Korridor einen Mann vor, der, keineswegs im Blaumann oder so was, sondern in einem makellos hellen Anzug, auf einer Leiter stand und mit einem Rollpinsel die Decke über sich weißelte. Er hatte bislang so etwas wie einen Quadratmeter geschafft. Packpapier auf dem Boden, Farbkübel, eine halbleere Bierflasche. Der Mann strahlte mich von seiner Leiter her an, sein Name sei Bayer, er sei Hesse, ja, ha, sehr erfreut, *sehr* erfreut, Herr Widmer, die Sache sei so. Er stieg von der Leiter herunter. Er sei der Vormieter und habe nach der Auflösung seines Mietvertrags die Wohnung besenrein und schlüsselfertig zu übergeben, ja, eben, ich sähe es ja, er sei etwas im Verzug, heut Abend schaffe er es wohl kaum mehr, morgen aber beinah sicher. Ob ich ein Bier wolle? Ja? Am besten holte ich es im Trinkhäuschen gegenüber, und ich könne ihm gleich auch eins mitbringen. – Ich ging durch den Korridor und sah in die Zimmer hinein. Eine Baustelle. Schutt auf dem Parkett, dort ein einzelner Vorhang am Fenster, da eine einsame Kommode ohne Schubladen. In der Küche Essensreste neben dem Herd. Im Zimmer, das wohl das Schlafzimmer war (es *wurde* unser Schlafraum) stand, einfach so, eine Badewanne mit einem Holzofen, mit dem man offenkundig das heiße Wasser zubereiten musste, wenn man ein Bad nehmen wollte. Brennholz war allerdings keins da. Ja klar, sagte Herr Bayer, der, auch vorher schon redend, hinter mir dreingegangen war, der Ofen sei erstklassig, der Ablauf der Wanne allerdings sei irgendwo undicht, so dass das Wasser, wenn ich verstünde, was er meine, er gehe einmal pro Woche ins Schwimmbad Mitte, da seien die Duschen erste Sahne. Herr Bayer, weiterredend, packte die inzwischen leere Bierflasche in eine Ledertasche und rief, dann wolle er mal, na dann tschö, *a domani.* – Ich stotterte, wo ich denn jetzt unterkommen solle. – Ja, natürlich, gute Frage, er habe an den Speicher gedacht, da sei der Schlüssel, der Speicher sei seit Jahrzehnten besenrein, er gehe nie hinauf; und da solle ich es mir vorerst mal gemütlich machen. Jetzt müsse er aber wirklich. Weg war er.

Ich machte es mir also im Estrich gemütlich. Ein Boden aus Holzplanken, rechts und links das Dach, schräg zum Firstbalken hochragend. Dunkle Ziegel. Ich musste nicht gerade kriechen, schiefer Kopf reichte an den meisten Orten; aufrecht stehen konnte ich nur in der Mitte des Raums. Eine Luft aus Staub. Ein Kippfenster im Dach, eine Luke, die ich aber geschlossen hielt, weil es regnete. Eine Glühbirne, die an einem Draht vom Dachbalken herabbaumelte. Es war kalt, eine Heizung gab es nicht. Ich schleppte mein Zeug hoch, das, was ich brauchte. Ich hatte tatsächlich meine Luftmatratze in die erste Fuhre gepackt! Die Schreibmaschine, natürlich auch meine Schreibmaschine. Sie stellte ich auf eine militärgraue Holzkiste, die, neben einer ähnlichen, unter den schrägen Ziegeln stand und die ich unter die Glühbirne schob. Einen Hocker gab es auch, das einzige Möbelstück im ganzen Estrich. Es war nicht gerade gemütlich, aber es war besser als nichts. – Ich ging ja auch zur Arbeit, und an den Abenden gesellte ich mich Herrn Bayer zu – half ihm aber nicht –, der mit seinen Malarbeiten im Tempo Tintorettos vorwärtskam, der bekanntlich für seine Passionsbilder in der Scuola Grande di San Rocco ein ganzes Leben gebraucht hatte. Und Herr Bayer war noch jung! Dass ich ihm zuweilen ein Bier mitbrachte, half auch nicht viel. Im Gegenteil. Er konnte reden, auch während er schluckte. Ich versuchte sogar, ihn sympathisch zu finden. Schließlich war ich ein Fremder, und es konnte sein, dass alle Hessen wie Herr Bayer waren und ich mich besser gleich mit ihrer Art anfreundete.

Dann wurde ich krank. Hohes Fieber. Ich suchte im Telefonbuch nach einem Arzt – in der Wohnung unten stand ein Telefon auf dem Fußboden – und stieß auf eine Ärztin, deren Praxis gleich um die Ecke war. Sie hob nach dem ersten Klingeln ab. Ja, rief sie, Unterlindau, kein Problem, kenne sie, kenne sie gut. Sie komme gleich rüber, in zwei Minuten sei sie da. Sie sei die Letzte in Frankfurt, die Hausbesuche mache. – Noch eine, die gern redete. Ich erklärte ihr, dass sie bis unters Dach hochsteigen müsse. – Tatsächlich tauchte ihr Kopf sozusagen sofort in der Treppenluke auf, wie der eines Vogels. Sie war eher 80 als 70, trug eine altertümliche Ärztetasche in einer Hand und untersuchte mich kundig mit Stethoskop und allem Drum und Dran. »Zunge!« Sie schaute mir in den Rachen. »Danke.« – Sie füllte ein Rezept aus und sagte, eine Tablette abends, eine am Morgen, und in ein paar Tagen sei alles wieder gut. Eine Grippe, das wisse ich so gut wie sie, dauere mit einem Arzt sieben Tage, ohne eine Woche. – Nun war sie eigentlich fertig und hätte gehen können oder müssen, aber sie begann stattdessen meine Notunterkunft zu inspizieren. Sie beugte sich zur Kiste hinunter, die mein Schreibpult geworden war, und las die mit Schablone gemalten Lettern und Zahlen darauf. Sie klopfte auf eine Taste der Schreibmaschine.

Sie strich mit einem Finger über die Ziegel, kroch in dunkle Ecken, verschwand gar gänzlich am schwarzen Ende des Raums, tauchte wieder auf und öffnete auf dem Rückweg beiläufig eine Kiste, die der meinen wie ein Bruder glich. Andere Schablonen-Runen vielleicht. Ich sah nicht, was drin war. Gasmasken, oder Handgranaten. »Alles wie immer«, sagte sie, als sie wieder vor mir stand. »Wie überall.« Sie stieg auf einen Hocker, öffnete die Dachluke – es regnete nicht – und steckte den Kopf in die frische Luft. Ich

sah sie nur noch bis zum Hals, der etwas von einem Läm-
mergeier hatte, oder von einem Truthahn. Sie rief etwas.
Keine Ahnung, ob sie mit mir sprach oder den Frankfurtern
eine Botschaft übermittelte. – Dann zog sie den Kopf ein,
schloss das Fenster und stieg vom Hocker herunter. Jetzt
murmelte sie vor sich hin und sah ihr Stethoskop an, als
wisse sie nicht, wohin damit. Sie tat es von der rechten in die
linke Hand und stand ein paar Sekunden lang bewegungslos. Als sehe sie etwas, was ich nicht sah. Plötzlich aber
schob sie den Hocker in die Mitte des Raums, unter den
Firstbalken, stieg erneut auf ihn, kicherte, stand dann bolz-
gerade, mit dem in die Höhe gereckten rechten Arm, und
begann zu bellen. Ich staunte zu ihr hoch – eine bellende
Ärztin – und begriff nach einigen Augenblicken der Ratlo-
sigkeit, dass sie von IHM sprach. Von Adolf Hitler. Dass sie
wie ER sprach. Dass sie ER *war*. Tränen liefen ihr die Wangen
hinunter. »Seit sechs Uhr wird zurückgeschossen!« Mitten
in einem Bell-Satz verstummte sie, stieg vom Hocker hinunter und sagte: »Alle. Einfach alle.« Sie wies mit einer Bewegung des Arms in das Dunkel des Estrichs hinein. »Die hier
sowieso.« Sie machte so etwas wie einen Diener, oder war
das ein Knicks? »Es war mir ein Vergnügen.« Sie stieg die
steile Treppe hinab. Ich sah ihr nach. Ihr Kopf war auch von
oben der eines alten Geiers. Die Tür fiel ins Schloss.

Mit dem Urknall war es so. An einem Abend – Herr
Bayer war mit dem Korridor fertig und tünchte nun die
Küche – spannte ich ein Papier in die Schreibmaschine, die
inzwischen eine Olivetti war, eine himmelblaue Olivetti,
setzte mich auf den Hocker und schrieb. Zehn Sekunden
vorher hatte ich noch nicht im Geringsten an so was ge-

dacht. Der Hocker war viel zu hoch, ich krümmte mich zu den Tasten hinunter. »Aus meinem Kamin kommt Rauch«, schrieb ich. »Jetzt scheint die Sonne.« Ich schrieb weiter. »Mein Haus ist groß und windschief.« Ich tippte ohne die geringste Unterbrechung. Wort für Wort, Satz um Satz, Seite nach Seite. Jetzt, endlich, ließ die Maschine jenes rhythmische Trommeln hören, das in mir als fernes Echo lebte und mir zeigte, dass ich das Instrument *richtig* spielte. Wie die Urväter schon. Ich vertippte mich kein einziges Mal. Ich zögerte nie. Ich wagte kaum zu atmen – schrieb, spannte ein neues Blatt ein, schrieb weiter – und blieb schräg auf meiner rechten oder linken Arschbacke hocken, weil ich befürchtete, ich könnte den Zauber verjagen, wenn ich mich ungebührlich bewegte. Die Maschine könnte, wenn ich mich danebenbenahm, aufhören, das Geheimnis zu offenbaren, das die ganze Zeit über in ihr gesteckt hatte und das sie nun preisgab. – Tatsächlich schrieb nicht ich, sie schrieb. *Es*. Ich hielt nur die Fingerkuppen auf jene Tasten, die *sie* gedrückt sehen wollte. – Kann sein, es *muss* so gewesen sein, dass ich dann irgendwann doch aufstand, um aufs Klo zu gehen oder eine Suppe zu essen. Mag sogar sein, dass ich schlief und arbeiten ging und am nächsten Abend weiterschrieb. In meiner Erinnerung habe ich den Text – diese Eruption, die die längste Zeit in meinem Innern bereitgelegen und auf den richtigen Augenblick gewartet hatte, um ans Tageslicht zu treten – an *einem* Stück geschrieben, gebannt, erregt, sorgfältig, überrumpelt, wachsam, in heißem Glück. – Dann war die Geschichte erzählt. Den letzten Satz, seine letzte Hälfte, schrieb ich in Großbuchstaben. »DASS WIR EUCH WEDER SEHEN NOCH HÖREN

WERDEN IN ZUKUNFT.« Mir war nicht klar, dass die Majuskeln meinem Triumph Ausdruck verleihen sollten. Meiner Erleichterung. Aber so war es. Ich legte die Blätter in meinen Koffer, unter die Hemden und die Unterhosen, reckte und dehnte mich und ging ins ›Eppstein-Eck‹, ein Bier trinken.

DIE Wohnung war irgendwann einmal doch fertig geworden, und May war auch da. Ja, wir hatten Herrn Bayer schließlich doch vor die Tür gesetzt und seine Malerei selber zu Ende gebracht. Wir malten alle Türen rot, dunkelrot (in die trocknende Farbe der Schlafzimmertür ritzte ich ein Herz und schrieb »Mao« daneben.) Ein nicht sonderlich großer Miettransporter von Avis oder Hertz hatte die paar Möbel oder Teppiche gebracht, die wir aus der Schweiz mitnehmen wollten. Wir hatten auch einen Tisch gekauft. Stühle. Ein Bett. Auch wir benutzten die Badewanne nicht, sondern gingen ins Stadtbad Mitte.

May, nun ohne Job, ging oft ins Sigmund-Freud-Institut an der Myliusstraße, ein paar Minuten von unserer Wohnung entfernt, und setzte ihre Ausbildung als Psychoanalytikerin fort. Sie lernte Deutsch wie ein Teufel und war über ihr anfängliches »Guten Tag« und »Streng verboten« weit hinaus. Immerhin, man *hörte* noch, dass sie aus Le Locle stammte. Sie hätte gern gearbeitet, Geld verdient, denn mit meinen 1200 Mark netto machten wir keine großen Sprünge. So kam es, dass sie eines Tags durch eine Straße Frankfurts bummelte, ziellos oder um einzukaufen, und an einem Haus vorbeikam, an dem ein Schild hing, auf dem

»Erziehungsberatungsstelle der jüdischen Gemeinde Frankfurt« stand. Sie klingelte. Ein Mann öffnete die Tür. May sagte: »Ich heiße May. Ich kann nicht gut Deutsch. Meine Ausbildung ist noch nicht fertig. Ich bin keine Jüdin. Ich möchte bei Ihnen arbeiten.« Sie wurde eingestellt, auf der Schwelle noch, sozusagen. Der Mann unter der Tür war der Leiter der Institution, Günther Feldmann, und die beiden arbeiteten viele Jahre zusammen.

Es war inzwischen Sommer geworden. Wir brachen zu unserer großen Hochzeitsreise auf. Die kleine, die nach Offenburg, war doch etwas zu klein gewesen. Auch diesmal: R4, Zelt, Luftmatratzen. Wir fuhren durch ganz Frankreich südwärts, nur und systematisch auf Nebenstraßen. Auf *routes départementales* oder gar auf den *chemins vicinaux*, die uns am liebsten waren. Das konnte man (das kann man immer noch) nur in Frankreich: über Hunderte von Kilometern fahren, ohne je eine Hauptstraße zu benutzen. Gar eine Autobahn. Wir hielten an, wo es uns gefiel, aßen in Bistros mit Papiertischtüchern und besichtigten gefühlte hundert romanische Kathedralen, Kirchen, Kirchenruinen und von Efeu zugewucherte Kapellenreste, für die May eine nicht zu täuschende Spürnase besaß. *Le tilleul d'Abélard*, der vielleicht auch eine *chêne* war, eine Eiche und keine Linde, und unter der Abélard seine Héloïse geküsst hatte. Auch wir küssten uns, wenn wir Lust hatten, an Waldrändern oder unter Olivenbäumen. Avignon, Nîmes, Arles, Carcassonne. Endlich fuhren wir nach Andorra hinauf, das sich als so hässlich erwies, dass wir ohne anzuhalten hindurch- und über eine kurvenreiche Bergstraße nach Spanien hinunterfuhren, nach Katalonien. Wir landeten in Barcelona, unserm

Ziel, und stellten das Zelt auf einem Campingplatz auf, der im Schatten einer gigantischen Ölraffinerie stand. Ein rauchendes Gewirr aus Röhren und Schloten, zwischen denen, im Hintergrund, das Meer glänzte.

An diesem Abend – das Zelt vertäut, die Luftmatratzen aufgeblasen – holte ich mein Manuskript aus dem Koffer. Ich hatte es nicht vergessen, o nein!, aber dort gelassen, bis ich den Mut fand, es May zu zeigen. Jetzt war ich so weit. Wenn nicht jetzt, wann dann. (Sie hatte ja auch erst noch Deutsch lernen müssen.) Ich gab ihr den Papierstapel. Sie setzte sich vors Zelt, im Schneidersitz, und begann zu lesen. Sie las und las, ruhig, ohne jede Hast, und legte jede gelesene Seite neben sich. Ihr Gesicht verriet nicht, was sie dachte und fühlte – kann sein, dass sie ein, zwei Male lächelte –, und ich sah ihr zu, solange ich es aushielt, schaute dann zur Raffinerie hinüber, die im Abendschatten grau wurde, beobachtete wieder May – sie las wie eine Sphinx –, versuchte auch zu lesen, blickte wieder zu May hin und erneut auf die Raffinerie. Ein sanfter Wind, der nach Schwefel roch.

Endlich legte May die letzte Seite neben sich. Sie sah mich an.

»Ja!«, sagte sie.

»Meinst du, ich soll die Geschichte einem Verleger zeigen?«

»Unbedingt.«

Sie stand auf, kam zu mir herüber und gab mir einen Kuss. Die Sonne versank im Horizont. Die Raffinerie, die eben noch eine schwarze Silhouette gewesen war, erstrahlte plötzlich in tausend Lichtern. Gelb, orange, rot. Sie sah jetzt wie ein Weltraumbahnhof aus, oder wie das Raumschiff selbst, das bereit war, zu einer Reise an den Rand des Universums zu starten. May setzte sich neben mich, und wir staunten beide das Wunder an.

DIE Sechzigerjahre. Irgendetwas braute sich weiterhin, aber immer fühlbarer zusammen. Etwas, das 1945 zu keimen begonnen hatte – scheu und vorsichtig zuerst auf mehr Demokratie und mehr Bürgerfreiheiten hinzielte – und dann volle 23 Jahre brauchte, um politisch formuliert zu werden. Um im big bang vom Mai 1968 wortstark und effizient neue gesellschaftliche Spielregeln zu fordern. Keine Revolution – nur beinah –, aber eine wirkungsmächtige Reform.

Denn nun waren die Kinder, die in den Fünfzigerjahren noch klein gewesen waren, erwachsen geworden. Mündig. Natürlich blickten sie in Deutschland (aber auch in Frankreich oder Italien) in blutigere Abgründe als in der Schweiz. So waren es vor allem die Deutschen, die immer entsetzter fragten, wie es kommen konnte, dass Regierende, Richter und Professoren, die jede Menge braunen Dreck am Stecken hatten, immer noch in Rang und Würden waren. Als sei nichts geschehen. Ja, dass sie und ihre gesellschaftspolitischen Überzeugungen (»Ruhe und Ordnung«) von den Mächtigen nach wie vor erwünscht waren, weil sie die Macht- und Besitzverhältnisse stabil hielten. Es waren vor allem die CDU und die CSU die Parteien, die jene fatale Kontinuität garantierten. In der Schweiz war es die FDP, die die Spiele der Macht am erfolgreichsten spielte. Ein Telefongespräch zwischen dem Paradeplatz in Zürich und dem Bundeshaus in Bern genügte, um dieses oder jenes Problem aus der Welt zu schaffen.

Verändert hatte sich auch die Rolle der USA. *Sie war nach dem Ende des Zweiten Weltkriegs bewundert und geliebt worden, denn sie hatte einen »guten« Krieg geführt und uns alle – auch uns Heutige gewiss noch! – davor bewahrt, in einem von Nord bis Süd faschistischen Europa leben zu müssen. Wie liebten wir sie dafür! Unsere Dankbarkeit war riesig und echt. Aber in den Sechzigerjahren wurde sichtbar, dass diese* USA *– der Hort der freiheitlichen Demokratie – sich in Auseinandersetzungen verstrickt hatte, die als gut, notwendig und gerecht zu empfinden mehr und mehr schwerfiel.*

Es war der Vietnam-Krieg – der Krieg der Sechziger-jahre –, der auch treue Freunde der USA *verstörte. Wir konnten nicht mehr übersehen, dass diese eben noch so ge-liebten Amerikaner selber Schlächter geworden waren, blinde Ideologen und grobe Machtmenschen. My Lai aller-spätestens (1968), wo eine Handvoll* US-*Soldaten ein ganzes Dorf abschlachtete, Männer, Frauen, Kinder, wurde zum Symbol eines Amerika, das nicht mehr für Demokratie und Freiheit, sondern für einen brutalen Anspruch auf Macht stand. Weltmacht.*

Schon zu Beginn der Sechzigerjahre vereiste der Krieg, der schon in den Fünfzigerjahren kalt geworden war, voll-ends. Die USA *und die Sowjetunion rüsteten in einem Maß auf, dass einem angst und bange wurde. Die Mauer, die die* DDR *von der Welt des Westens abriegelte, wurde gebaut (1961). Die Kuba-Krise (1962) wurde – zu Recht – als erster Höhepunkt der Bedrohung wahrgenommen, als die fatale Erfahrung, dass der Sowjetunion gegenüber tatsächlich nur eine Machtpolitik wirksam zu sein schien, die einen Krieg nicht ausschloss. Auch einen mit Atomwaffen nicht. Die Ermordung John F. Kennedys (1963) schlug dann auch wie eine Bombe ein. Er hatte ja, mit robuster Besonnenheit, Chruschtschow zum Abzug seiner Raketen aus Kuba bewogen. Steckten tatsächlich die gekränkten Russen dahinter? Fidel Castro? Die Mafia? Oder gar Lyndon B. Johnson, der Vizepräsident? Viele Verschwörungstheorien. Man sagt, dass jeder, der damals wahrnehmungsfähig war, heute noch wisse, wo er sich befand, als er die Nachricht hörte. Das stimmt. Ich ging über den Barfüßerplatz in Basel.*

Jede Vermittlung zwischen den Großmächten schien unmöglich geworden zu sein. Der zuweilen durchaus durchlässige Vorhang von ehedem war eisern geworden. Der Antikommunismus wurde flächendeckend und nahm noch hysterischere Formen als in den Fünfzigerjahren an. In Deutschland wurden Kommunisten vom Verfassungsschutz überwacht. In der Schweiz war einer schon ein Kommunist, wenn er ein Konzert von David Oistrach besuchen wollte (das heißt, Oistrach durfte dann gar nicht auftreten, weil ein Russe, der Beethoven spielte, sowjetische Propaganda betrieb). In den Manövern der Schweizer Armee kam der Feind immer *von Osten und war* immer *rot. Die Blauen, die für die sich verteidigenden Schweizer standen, gewannen* immer.

Erst nach 1968 begann sich der Kalte Krieg zu entspannen. In Europa schneller als in den USA. Im Schutz der neuen innenpolitischen Erfahrungen konnten Willy Brandt und Egon Bahr darangehen, das Verhältnis zu den kommunistischen Staaten, die ihre Nachbarn waren und bei denen sie einiges gutzumachen hatten, zu entspannen. Der Knie-

fall von Warschau (1970) war eine Geste, die Mitte des Jahr-
zehnts noch undenkbar gewesen wäre und die Herzen vie-
ler Polen und *Deutscher berührte. Die* USA, *Henry Kissinger*
allen voran, beobachteten das deutsche Treiben misstrau-
isch; ließen Brandt und seine Regierung aber gewähren.
Eine neue Zeit hatte begonnen.

Urs Widmer
im Diogenes Verlag

»Urs Widmer zählt zu den bekanntesten und renommiertesten deutschsprachigen Gegenwartsautoren.«
Michael Bauer / Focus, München

*Vom Fenster meines
Hauses aus*
Prosa

Schweizer Geschichten

Liebesnacht
Eine Erzählung

Die gestohlene Schöpfung
Ein Märchen

*Der Kongreß der
Paläolepidopterologen*
Roman

*Das Paradies
des Vergessens*
Erzählung

Der blaue Siphon
Erzählung

*Die sechste Puppe im
Bauch der fünften Puppe
im Bauch der vierten*
und andere Überlegungen zur Literatur. Grazer Vorlesungen 1991

Im Kongo
Roman

Vor uns die Sintflut
Geschichten

Der Geliebte der Mutter
Roman
Auch als Diogenes Hörbuch erschienen, gelesen von Urs Widmer

*Das Geld, die Arbeit,
die Angst, das Glück.*

Das Buch des Vaters
Roman
Auch als Diogenes Hörbuch erschienen, gelesen von Urs Widmer

Ein Leben als Zwerg

*Vom Leben, vom Tod
und vom Übrigen auch
dies und das*
Frankfurter Poetikvorlesungen

Herr Adamson
Roman

Stille Post
Kleine Prosa

Gesammelte Erzählungen

*Reise an den Rand des
Universums*
Autobiographie

Außerdem erschienen:

Shakespeares Königsdramen
Nacherzählt und mit einem Vorwort von Urs Widmer. Mit Zeichnungen von Paul Flora

Valentin Lustigs Pilgerreise
Bericht eines Spaziergangs durch 33 seiner Gemälde. Mit Briefen des Malers an den Verfasser

*Das Schreiben ist das Ziel,
nicht das Buch*
Urs Widmer zum 70. Geburtstag. Herausgegeben von Daniel Keel und Winfried Stephan

*Die schönsten Geschichten
aus Tausendundeiner Nacht*
Erzählt von Urs Widmer. Mit vielen Bildern von Tatjana Hauptmann

Lukas Hartmann
im Diogenes Verlag

Lukas Hartmann, geboren 1944 in Bern, studierte Germanistik und Psychologie. Er war Lehrer, Jugendberater, Redakteur bei Radio DRS, Leiter von Schreibwerkstätten und Medienberater. Heute lebt er als freier Schriftsteller in Spiegel bei Bern und schreibt Romane für Erwachsene und für Kinder.

»Lukas Hartmann kann das: Geschichte so erzählen, dass sie uns die Gegenwart in anderem Licht sehen lässt.« *Augsburger Allgemeine*

»Lukas Hartmann entfaltet eine große poetische Kraft, voller Sensibilität und beredter Stille.«
Neue Zürcher Zeitung

Pestalozzis Berg
Roman

Die Seuche
Roman

Bis ans Ende der Meere
Die Reise des Malers John Webber mit Captain Cook. Roman

Finsteres Glück
Roman

Räuberleben
Roman

Der Konvoi
Roman

Abschied von Sansibar
Roman

Auf beiden Seiten
Roman

Kinder- und Jugendbücher:
Anna annA
Roman

So eine lange Nase
Roman

All die verschwundenen Dinge
Eine Geschichte von Lukas Hartmann. Mit Bildern von Tatjana Hauptmann

Mein Dschinn
Abenteuerroman

Hansjörg Schneider
im Diogenes Verlag

Hansjörg Schneider, geboren 1938 in Aarau, arbeitete nach dem Studium der Germanistik und einer Dissertation unter anderem als Lehrer und Journalist. Mit seinen Theaterstücken ist er einer der meistaufgeführten deutschsprachigen Dramatiker, seine *Hunkeler*-Krimis führen regelmäßig die Schweizer Bestsellerliste an und sind mit Mathias Gnädinger in der Hauptrolle verfilmt worden. 2005 wurde er mit dem Friedrich-Glauser-Preis ausgezeichnet. Er lebt als freier Schriftsteller in Basel und im Schwarzwald.

»Es ist ein wunderbarer Protagonist, den Hansjörg Schneider geschaffen hat: knorrig, kantig und sympathisch.« *Volker Albers / Hamburger Abendblatt*

Das Wasserzeichen
Roman

Nachtbuch für Astrid
Von der Liebe, vom Sterben, vom Tod und von der
Trauer darüber, den geliebten Menschen verloren zu haben

Nilpferde unter dem Haus
Erinnerungen, Träume

Die *Hunkeler*-Romane:

Silberkiesel
Hunkelers erster Fall. Roman

Flattermann
Hunkelers zweiter Fall. Roman

Das Paar im Kahn
Hunkelers dritter Fall. Roman

Tod einer Ärztin
Hunkelers vierter Fall. Roman

Hunkeler macht Sachen
Der fünfte Fall. Roman

Hunkeler und der Fall Livius
Der sechste Fall. Roman

Hunkeler und die goldene Hand
Der siebte Fall. Roman

Hunkeler und die Augen des Ödipus
Der achte Fall. Roman

Hunkelers Geheimnis
Der neunte Fall. Roman